まちごとチャイナ
広東省003

広州古城
中国的南大門「広府」
［モノクロノートブック版］

南回帰線を越えた亜熱帯、白雲山(越秀山)を背後に、前面を珠江が流れる地に開けた広州古城。戦国時代までは知られていなかったが、紀元前214年、始皇帝の秦による遠征を受けて街が築かれて以来、2000年以上にわたって華南の中心都市となってきた(広州は秦の武将で、南越国王の趙佗がつくった番禺城を前身とする)。

北京から2000㎞、黄河中流域から1200㎞、かつて中原(中華世界)からはるか離れた「百越」と呼ばれた広州では、言語(広東語)も、人のたたずまいも、文化や習慣も、北方とは大きく異なる。広州の中国化が進んだのは宋代のことであり、中央から独立した王権(南越、南漢)がしばしば

樹立され、北京に抵抗した近代の中国革命は広州から起こっている。

一方で、その立地ゆえに、仏教やイスラム教、西欧など、異世界の文化がもっとも早く伝播し、カンボジアやベトナムをはじめとする南海諸国の玄関口にもなってきた。広州を訪れる北京の役人がまず上陸した珠江沿いの埠頭「天字碼頭」、広州最大の繁華街「北京路」、南越国の王宮「南越国宮署遺跡」、孫文を記念した「中山紀念堂」、明代に建てられた越秀山「鎮海楼」へ通じる中軸線が街をつらぬき、2000年前の南越国時代からの歩みが街の各処に刻まれている。

天下為公

Asia City Guide Production
Guangdong 003

Guangzhougucheng

广州古城　guǎng zhōu gǔ chéng　ヴァンチョウグゥチャン
廣州古城／gwóng jau1 gú sing4　グゥオンジョウグウシン

｜まちごとチャイナ｜広東省 003｜

広州古城

中国的南大門「広府」

「アジア城市（まち）案内」制作委員会
まちごとパブリッシング

まちごとチャイナ
広東省003
広州古城

Contents

広州古城 …… 007
最南の中華王道都市 …… 015
越秀山城市案内 …… 023
南越王墓鑑賞案内 …… 041
広州駅城市案内 …… 051
中山紀念堂鑑賞案内 …… 059
人民公園城市案内 …… 071
北京路城市案内 …… 079
千年古道城市案内 …… 093
大仏寺城市案内 …… 103
大小馬站城市案内 …… 117
北京路北段城市案内 …… 127
南越王宮鑑賞案内 …… 143
文徳路城市案内 …… 155
古城東部城市案内 …… 167
魯迅紀念館城市案内 …… 177
広州と嶺南仏教の伝統 …… 185
光孝寺鑑賞案内 …… 191
六榕寺城市案内 …… 203
懐聖寺城市案内 …… 215
古城西部城市案内 …… 231
広州は辛亥革命の策源地 …… 239

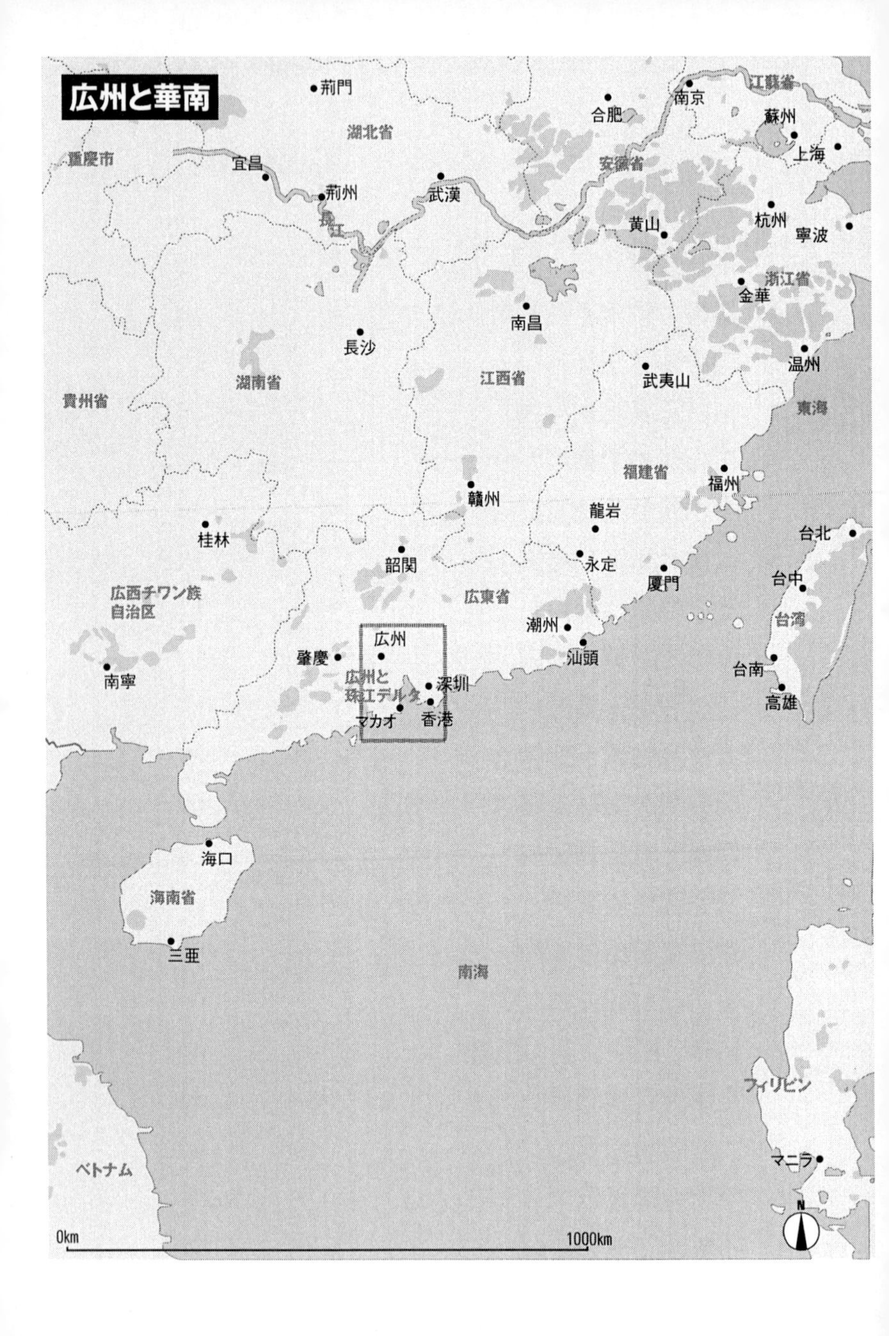

広州と華南
荊門
湖北省
重慶市
宜昌
荊州
長江
武漢
合肥
南京
江蘇省
蘇州
上海
安徽省
黄山
杭州
寧波
浙江省
金華
南昌
長沙
湖南省
江西省
温州
武夷山
貴州省
東海
福建省
福州
贛州
龍岩
桂林
台北
韶関
永定
厦門
台中
広西チワン族
自治区
広東省
台湾
潮州
広州
汕頭
肇慶
台南
南寧
広州と
珠江デルタ
深圳
高雄
マカオ
香港
海口
海南省
三亜
南海
フィリピン
マニラ
ベトナム
0km
1000km
N

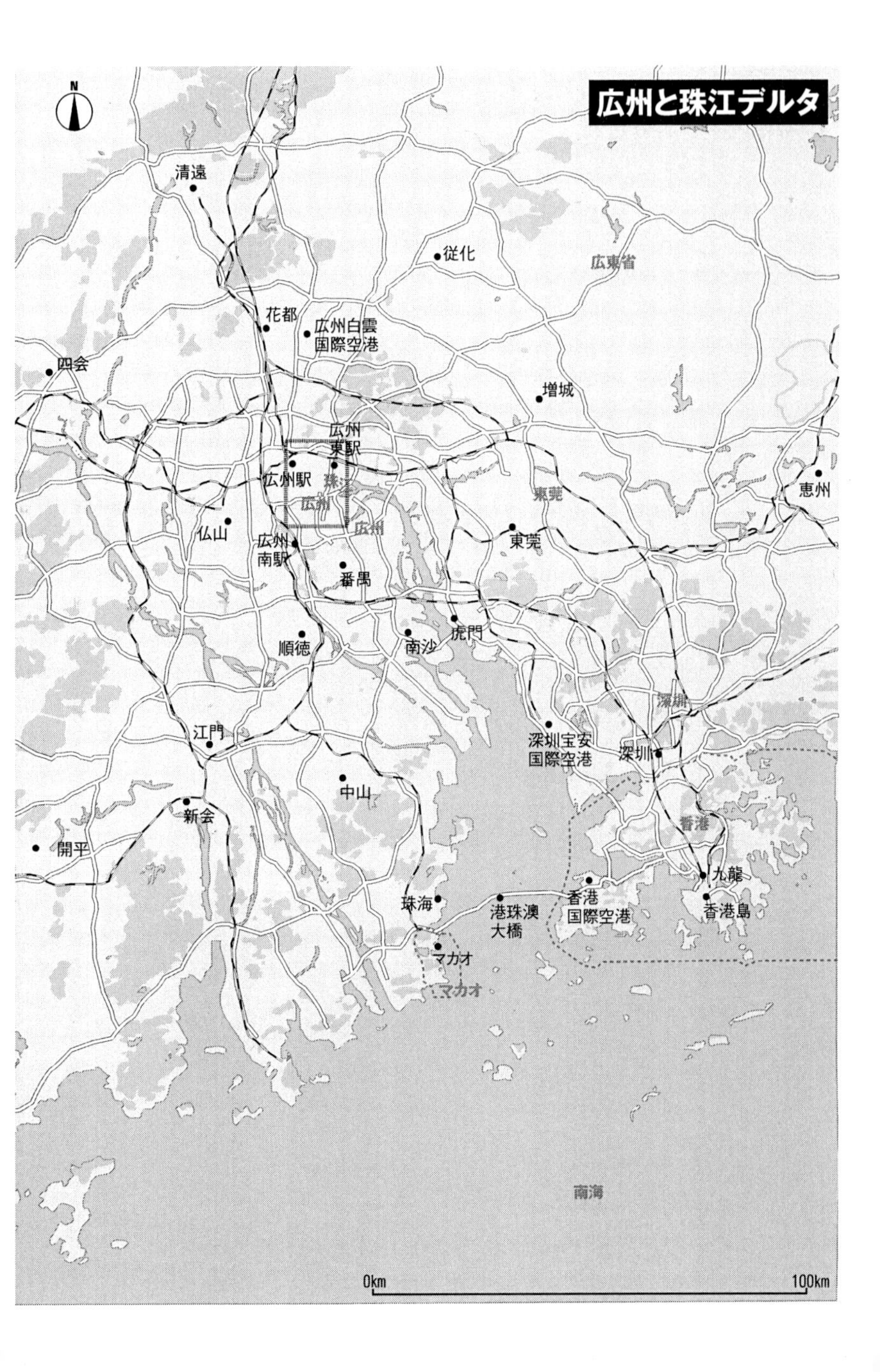

広州と珠江デルタ
N
清遠
従化
広東省
花都
広州白雲
国際空港
四会
増城
広州
東駅
広州駅
珠江
広州
恵州
東莞
仏山
広州
南駅
東莞
番禺
虎門
順徳
南沙
深圳
江門
深圳宝安
国際空港
深圳
中山
新会
香港
開平
九龍
香港
国際空港
珠海
港珠澳
大橋
香港島
マカオ
マカオ
南海
0km
100km

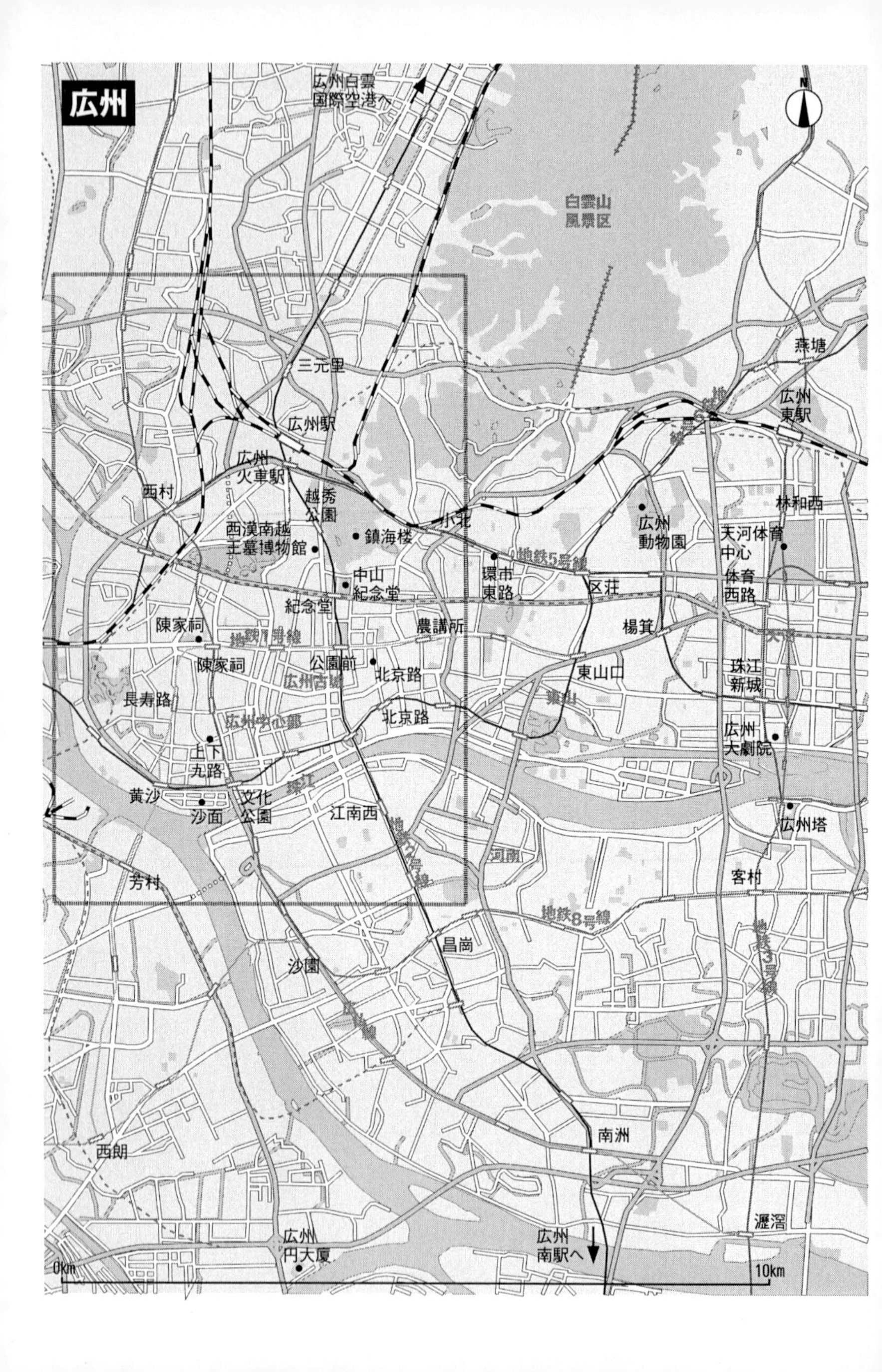

広州
広州白雲
国際空港へ
白雲山
風景区
三元里
燕塘
広州駅
広州
東駅
広州
火車駅
西村
越秀
公園
小北
林和西
西漢南越
王墓博物館
鎮海楼
広州
動物園
天河体育
中心
環市
東路
地鉄5号線
中山
紀念堂
区荘
体育
西路
紀念堂
陳家祠
農講所
楊箕
地鉄1号線
陳家祠
公園前
北京路
東山口
珠江
新城
長寿路
北京路
上下
九路
広州
大劇院
黄沙
沙面
文化
公園
江南西
広州塔
芳村
客村
地鉄8号線
昌崗
沙園
南洲
西朗
瀝滘
広州
円大厦
広州
南駅へ
0km
10km

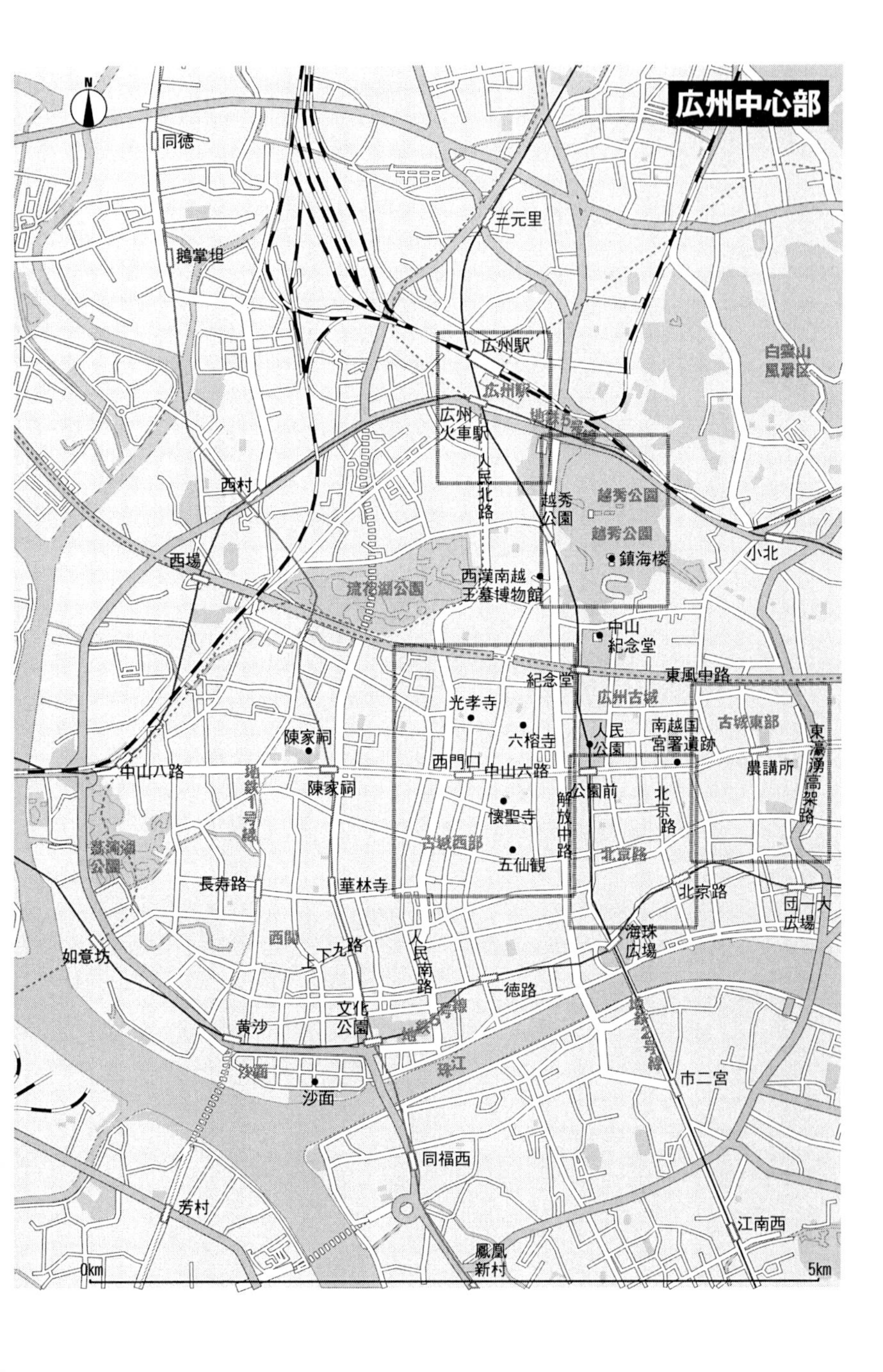
広州中心部
同徳
三元里
鵝掌坦
広州駅
広州火車駅
白雲山風景区
人民北路
越秀公園
西村
小北
鎮海楼
西場
西漢南越王墓博物館
流花湖公園
中山紀念堂
紀念堂
東風中路
光孝寺
広州古城
陳家祠
六榕寺
人民公園
南越国宮署遺跡
古城東部
東濠湧高架路
中山八路
西門口
中山六路
農講所
陳家祠
公園前
懐聖寺
解放中路
北京路
古城西部
北京路
荔湾湖公園
五仙観
長寿路
華林寺
北京路
団一大広場
西関
海珠広場
如意坊
上下九路
人民南路
一徳路
文化公園
黄沙
珠江
沙面
沙面
市二宮
同福西
芳村
江南西
鳳凰新村
0km
5km

★★★

越秀公園／越秀公园 ユェシィウゴンユェン／ユッサァウゴォンユウン

鎮海楼（広州博物館）／镇海楼 チェンハイラァウ／ジャンホイラウ

西漢南越王墓博物館／西汉南越王墓博物馆 シィハンナンユエワンムウボオウウガン／サァイホォンナアムユッウォンモウボッマッゴオン

中山紀念堂／中山纪念堂 チョンシャンジィニェンタン／ジュンサアンゲエイニィントン

広州古城／广州古城 グゥアンチョウグゥチャン／グゥオンジョウグウシン

北京路／北京路 ベイジィンルウ／バッギインロウ

南越国宮署遺跡／南越国宫署遗址 ナァンユゥエグゥオゴンシュウイイチイ／ナアンユッグゥオッグウンチュウワイジッ

光孝寺／光孝寺 グアンシャオスウ／グゥオンハアウジイ

懐聖寺／怀圣寺 ファイシェンスウ／ワアイシィンジイ

★★☆

中山路／中山路 チョンシャンルウ／ジュンサアンロウ

六榕寺／六榕寺 リィウロンスウ／ロクヨンジイ

五仙観／五仙观 ウウシィアングゥアン／ンンシイングウン

★☆☆

広州駅／广州站 ガンチョウチャン／グゥオンジョウジャアン

東風路／东风路 ドォンフェンルウ／ドンフォンロウ

解放路／解放路 ジエファンルウ／ガアイフォンロウ

人民公園／第一公园旧址 ディイイゴォンユゥエンジィウチイ／ダイヤッゴォンユウンガウジイ

Introduction

最南の中華王道都市

中国華南地域最大の都市広州
2000年を超える伝統をもち
街には多くの史跡が残る

羊が運んできた稲穂から

「羊城」や「穂城」といった名前で知られている広州。今から2000年以上前の広州は、海(珠江)と空が広がるばかり、土地は不毛で、人びとは充分な食料や衣服をもっていなかった。あるとき(周代)、広州が飢饉に陥ったとき、色とりどりの服を着た5人の仙人が、6穂の稲穂をくわえた5匹の羊に乗って現れた。天から降りてきた仙人たちは稲穂をもたらし、以来、広州の人たちは飢えることがなくなった。この神話を記念して、道教寺院の「五仙観」が建てられ、越秀公園には「五羊仙庭」が残っている。羊が稲穂を広州にもたらしたというこの神話に対し、実際、黄河中流域にいた羊姓のある部族が、嶺南広州の地に水稲技術を伝えて、街を豊かにしたともいう(この五羊伝説は、漢民族による華南征服の史実を物語っている)。周(紀元前11～前3世紀)代の広州は、「楚庭」または「楚亭」と呼ばれ、最初に街が築かれた秦漢時代は「番禺」という地名だった。後漢時代は交州の領域だったが、三国呉の226年に交州は東西にわかれ、東側が広州となった。以後、広州という地名が使われるようになり、「広府」という名称でも知られた。

二千年の広州中軸線

広州の街は、珠江を前面に、白雲山(越秀山)を背後に抱え、水から山へ遷る風水上優れた地形をもつ。最初の広州市街は、現在の南越国宮署遺跡(北京路)あたりにあったが、時代がくだるとともに街は拡大し、「天字碼頭」(アヘン戦争時に問題にあたった林則徐も使った官吏専用の波止場)を南端、越秀山「鎮海楼」を北端とする広州中軸線が明代には完成した。こうした中軸線は、明清時代に皇帝の暮らした北京でも見られるもので、広州が中華の都市構造をもとに形成されていることを示している。この中軸線は、天字碼頭、北京路、広東財政庁旧址、越秀山鎮海楼へと続き、ちょうど中央に位置する北京路が広州屈指の繁華街となり、また北京路と十字に交わる現在の中山路に官僚機構がおかれて行政の中心地だった。この広州中軸線は、孫文らが活躍した近代(20世紀)になって少し西側に遷り、それは南の海珠広場から、起義路、人民公園、中山紀念堂、越秀山鎮海楼へといたるものとなっている。

百越から広東語世界へ

春秋戦国時代以前、南中国の浙江から福建、江西、湖南、貴州、雲南、広東、広西チワン族自治区、東南アジア北部までの一帯には、漢民族とは言語、習慣、文化などが異なる「百越(百種類もの越人)」と呼ばれる人たちの世界があった。この百越は、丸顔で小柄、文身断髪の習慣をもち、稲作を行なって魚介類や虫を食べることを好み、高床式の建物に暮らしていた。紀元前3世紀、50万の大軍を嶺南に派遣した秦の始皇帝以来、1000年にわたる漢族のたび重なる南遷をへて、漢族と越人(百越)は融合していった。北方集団(漢族)は大きく3つの経路で南遷し、融合度のもっとも高い広府人(広州人)、東の福建省からの潮州人、もっとも融合度の低い山間部の客家人として、現在も独立した集団をつくっている(広東省、広西チワ

越秀山のもっとも高い地点に築かれた鎮海楼

海のシルクロードの足跡を今に伝えるイスラム教の懐聖寺光塔

広州は「革命の父」孫文ゆかりの地

六榕寺花塔は、南朝梁の537年に創建された

ン族自治区、ベトナム北部に広がる嶺南は、昔、病気の蔓延する瘴気の地とされ、流罪に処せられた人の行き先でもあった）。今でも広東省では、数字の数えかた、名詞や動詞などの単語、漢字の発音、自動車のクラクションや動物の鳴き声などで、北京語とは異なる広東語が話されている。広東人は華僑として海外進出を果たした先でも、広東語を話すことから、雲呑（ワンタン）、焼売（シュウマイ）、炒飯（チャウファン）などの広東語が日本でも親しまれている。広東語のなかでもいくつかの系統があり、広州の言葉は「省城語」ともいう。

孫文ゆかりの地

1840～42年のアヘン戦争から、1911年の辛亥革命へ続く近代中国の歩みは、広州を中心に展開した。それはこの広州という街が南海を通じて外の世界へつながっていたこと、皇帝の暮らす北京から離れていたこと、アヘン戦争でイギリス領となった香港から西欧の文化が流入してきたことなどがあげられる。「倒満興漢」の太平天国（1851～64年）も広州北部から起こり、その影響を受けた孫文（1866～1925年）は、広州南東の広東省香山県に生まれている（ほかにも清末民初に活躍した、思想家の康有為や梁啓超といった人物も広東省出身だった）。北京から遠く離れた広州で、孫文は活動し、この街で革命派はいくどとなく蜂起した。そして1911年の辛亥革命で、最後の中国王朝である清朝は滅亡し、始皇帝が中国を統一した紀元前221年以来、2000年にわたって続いた皇帝による統治体制は終わりをつげた。皇帝ではなく、人民中心の国づくりを目指した近代中国、その舞台となった広州の街にはいたるところに革命にまつわる史跡が残る。孫文による国民党のもののほか、毛沢東、周恩来、劉少奇らによる中国共産党の史跡も見られ、街には日本亡命中に「中山樵」と名乗った孫文（中山堂など）の名前を冠した建物や通りが目につく。

多様な宗教が集まる珠江北岸

広州古城西部には、嶺南でもっとも由緒正しい仏教寺院の「光孝寺」、中国でもっとも早い唐代の627年に建てられたイスラム教モスクの「懐聖寺」、高さ57.6mの花塔をもつ仏教寺院の「六榕寺」、広州開闢伝説につらなる道教寺院の「五仙観」が立つ。これは現在よりも北側を流れていた珠江の港がこのあたりにあったためで、碼頭近くにこれらの寺院や外国商人の暮らす蕃坊がおかれていた。唐宋時代の広州南の城壁は、今の文明路、大南路、大徳路にあったが、珠江の流れは徐々に南に遷っていった。そして、それとともに明代に入ると、広州古城の南側に新城がつくられ、さらにその南側に南関がつくられた。広州には255年に仏教が伝わったとされ、道教は少し遅れて306年ごろに伝来したという。627年にイスラム教が伝播し、キリスト教は明清時代に広州に入ってきた。こうした史実は、中国における広州の地勢をよく示していて、仏教や道教など、中原を中心に発展した宗教の伝来はより遅く、海上ルートから伝わった宗教(イスラム教、キリスト教、および達磨の禅宗)は他の中国の地域より早いということを確認できる。

広州古城の構成

珠江の支流である西江、北江、東江は、広州付近で合流して、珠江はそこからくだって香港近くで南海に入る。広州の街は、この南海から少しさかのぼった河港をもつ地につくられた。かつての広州は城郭に囲まれていて、大きく南を珠江、北を越秀山鎮海楼、西を人民路、東を越秀路とするエリアを広州古城と呼ぶ。そのうち、珠江に面する天字碼頭(また海珠広場)と越秀山鎮海楼を結ぶ中軸線を中心に街は展開し、南北の軸線は解放路、東西は中山路というように、いずれも孫文(孫中山)や中国共産党を象徴する名前がつけられてい

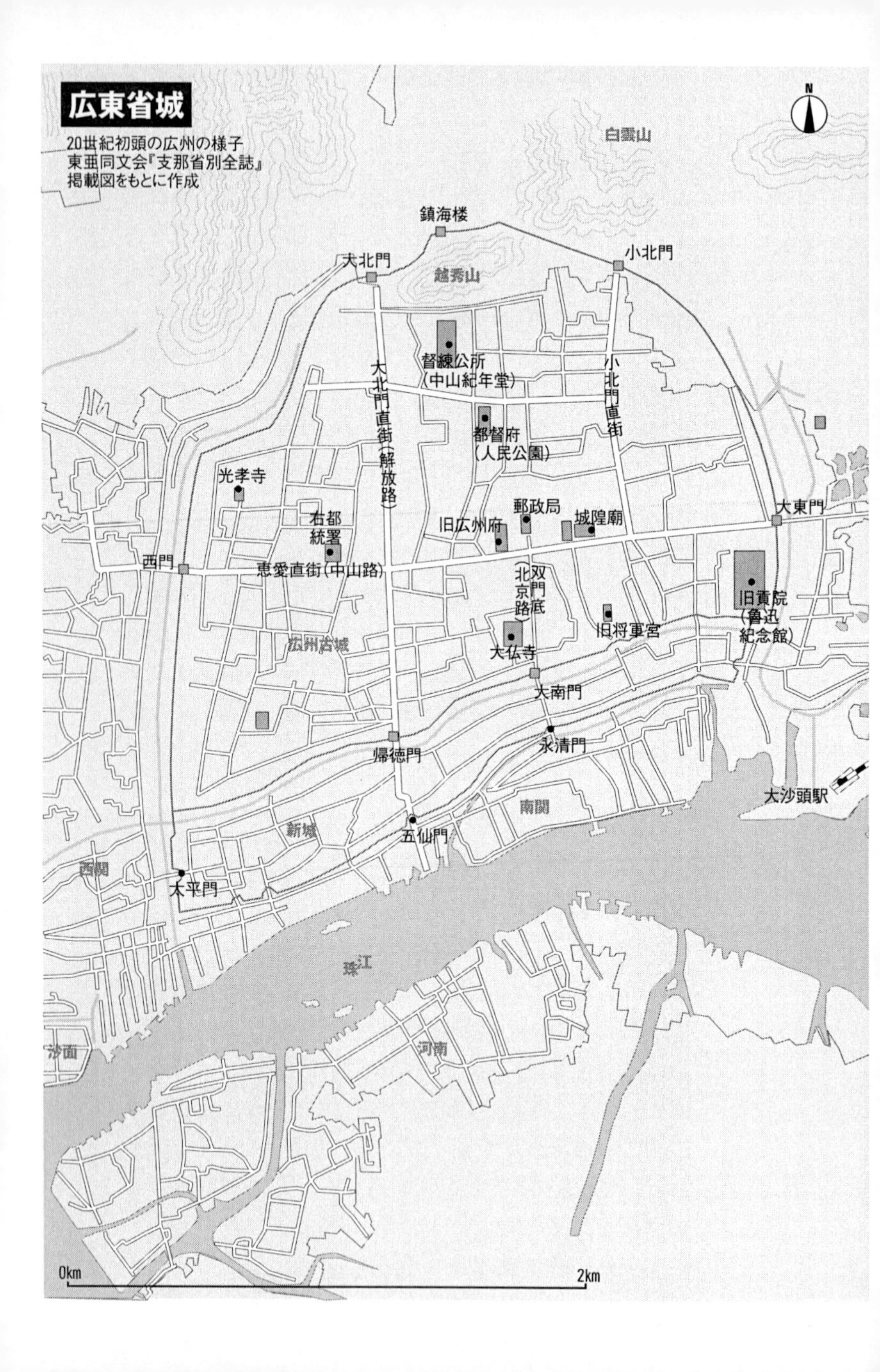
広東省城
20世紀初頭の広州の様子
東亜同文会『支那省別全誌』
掲載図をもとに作成
N
白雲山
鎮海楼
大北門
越秀山
小北門
督練公所
（中山紀年堂）
大北門直街（解放路）
小北門直街
都督府
（人民公園）
光孝寺
右都統署
郵政局
旧広州府
城隍廟
大東門
西門
恵愛直街（中山路）
双門底（北京路）
旧貢院
（魯迅
紀念館）
旧将軍宮
広州古城
大仏寺
大南門
永清門
帰徳門
大沙頭駅
南関
新城
五仙門
西関
太平門
珠江
沙面
河南
0km
2km

る。また広州古城は、大きく北側の主要な「老城(内城)」と、南側の珠江に近い「新城(外城)」にわかれる。珠江の堆積作用による南へ陸化の跡をたどるように、古い海岸線に沿って六榕寺(537年創建)、光孝寺(401年創建)、懐聖寺(627年創建)などの古寺が残っている。そして、宋元時代の東、子、西という三城をつなげて、明代の1380年に鎮海楼を北端とする五角形の広州古城の姿ができあがった。その南の新城は、1566年に海賊の襲撃から城外に暮らす住民を守るためにつくられ、ちょうど一徳路がその南壁にあたった。広州の街は、以後も西門外の西関(上下九路)や南関、東関(東山)、そして天河というように外側に向かって拡大を続けた。

Yue Xiu Shan

越秀山城市案内

広州市街をのぞむように広がる越秀山
明代に建てられた鎮海楼
そこから南には、中山紀念堂がたたずむ

越秀公園／越秀公园★★★

㊓ yuè xiù gōng yuán ㊘ yut³ sau² gung¹ yún

えつしゅうこうえん／ユェシィウゴンユェン／ユッサァウゴォンユウン

北の白雲山から広州市街へ向かって連なる越秀山の地形を利用して、街の北側から広州市街を見わたすように展開する越秀公園。周代の楚庭はこの地をさしたといい、越秀公園は広州はじまりの地だとも言える。越秀山という名称は、秦から前漢にかけてこの地にあった南越国（紀元前204〜前111年）を樹立した趙佗がここに越王台を築き、そこで宴を開いたことに由来する。この山は越秀山のほか、粤秀山、越王山、越井崗とも呼ばれ、広州にあった番山、禺山、越秀山の3つの山のうち、この越秀山のみが残っている（10世紀に南漢の劉龑が、番禺こと番山、禺山を平らにした）。明代の1380年、広州古城が拡大されたとき、越秀山に北側の城壁がめぐらされ、その頂部に鎮海楼が建てられた。そして、鎮海楼は現在でも広州の象徴的建築となっている。その後、明の第3代永楽帝（在位1402〜24年）時代に、広州官吏によって中山紀念碑のあたりに観音閣が建てられ、それにちなんで観音山ともいう。元代の「粤台秋月」、明代の「粤秀松涛」「象山樵歌」、清代の「粤秀連峰」「鎮海層楼」など、越秀山はいずれの時代でも広州八景に数えられ、広州の歴史と文化と密接な関係をもってきた。1921年12月、広州で臨時大総統に就任した孫文が越秀山を

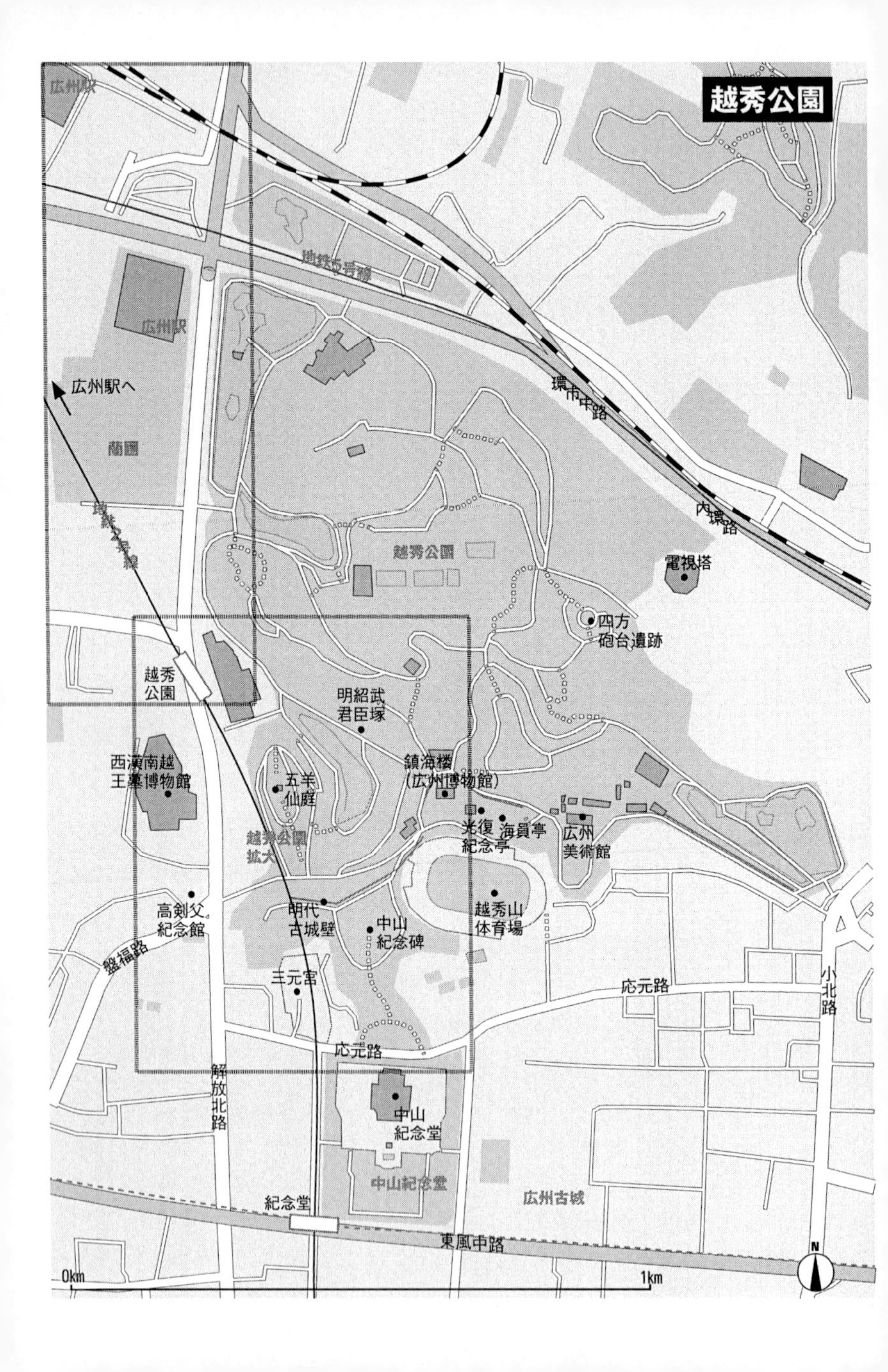
越秀公園
広州駅
地鉄5号線
広州駅
広州駅へ
蘭圃
環市中路
内環路
地鉄2号線
越秀公園
電視塔
四方
砲台遺跡
越秀
公園
明紹武
君臣塚
西漢南越
王墓博物館
五羊
仙庭
鎮海楼
（広州博物館）
光復
紀念亭
海員亭
広州
美術館
越秀公園
拡大
高剣父
紀念館
明代
古城壁
中山
紀念碑
越秀山
体育場
盤福路
三元宮
応元路
小北路
応元路
解放北路
中山
紀念堂
中山紀念堂
広州古城
紀念堂
東風中路
0km
1km
N

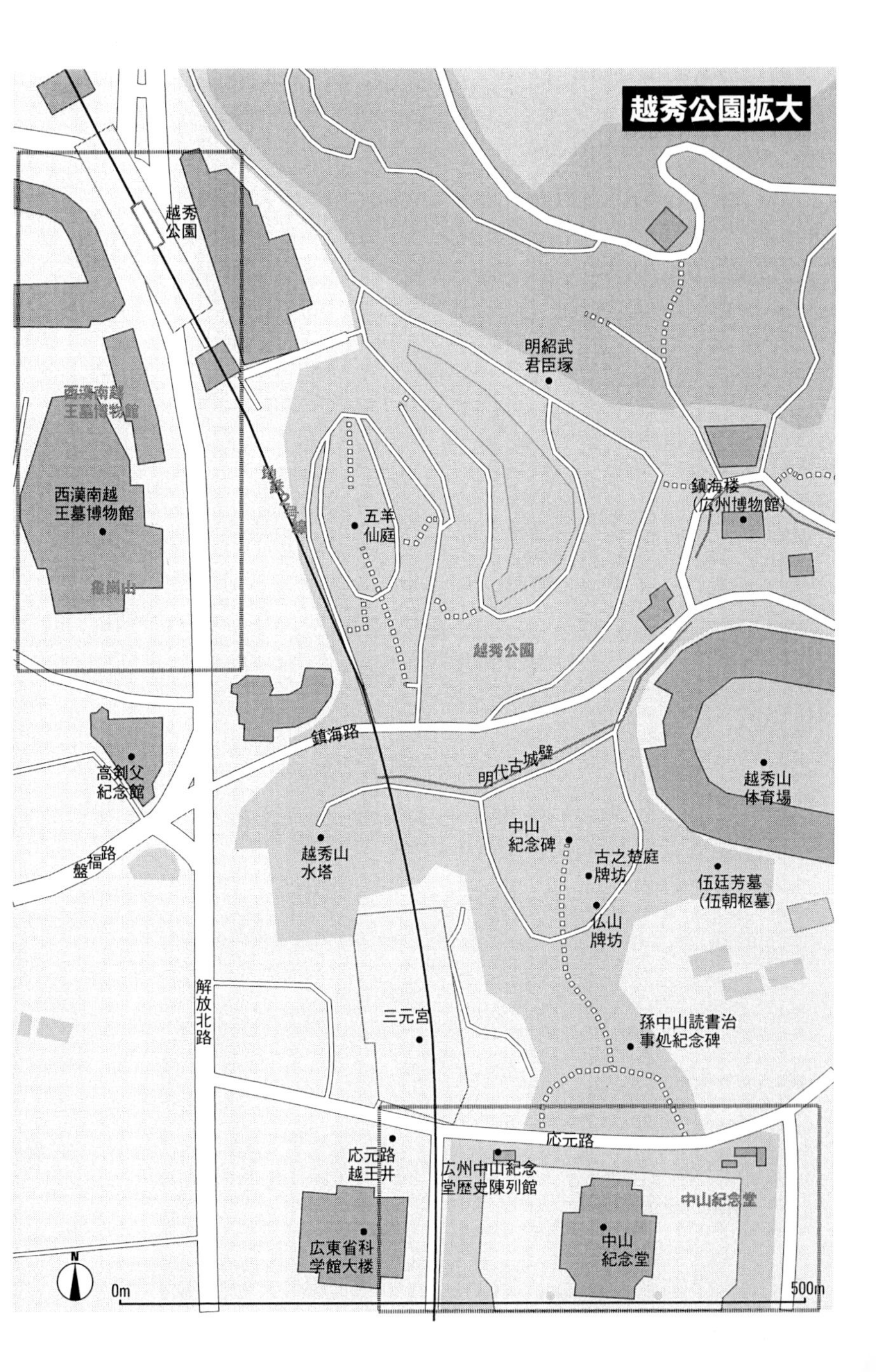

越秀公園拡大
越秀公園
西漢南越王墓博物館
象崗山
明紹武君臣塚
五羊仙庭
鎮海楼（広州博物館）
越秀公園
鎮海路
明代古城壁
高剣父紀念館
盤福路
越秀山体育場
中山紀念碑
古之楚庭牌坊
越秀山水塔
伍廷芳墓（伍朝枢墓）
仏山牌坊
解放北路
三元宮
孫中山読書治事処紀念碑
応元路
応元路越王井
広州中山紀念堂歴史陳列館
中山紀念堂
中山紀念堂
広東省科学館大楼
N
0m
500m

越秀公園とし、その後の1957年に現在のかたちとなって一般に開放された。越秀山の高さは70mあまりで、山全体が公園となり、1年を通して緑に包まれ、四季折々の花が咲いている。公園内に7つの小さな峰と、東秀湖、南秀湖、北秀湖という3つの人工湖が点在し、こうしたなかに「五羊仙庭」「鎮海楼」「中山紀念碑」など、広州を象徴する建築が立つ。

★★★

越秀公園／越秀公园 ユェシィウゴンユェン／ユッサァウゴォンユウン

鎮海楼（広州博物館）／镇海楼 チェンハイラァウ／ジャンホイラウ

西漢南越王墓博物館／西汉南越王墓博物馆 シィハンナンユエワンムウボオウウガン／サァイホォンナアムユッウォンモウボッマッゴオン

中山紀念堂／中山纪念堂 チョンシャンジィニェンタン／ジュンサアンゲエイニィントン

広州古城／广州古城 グゥアンチョウグゥチャン／グゥオンジョウグウシン

★★☆

五羊仙庭／五羊仙庭 ウゥヤンシィアンティン／ンンイェンシィンテェン

中山紀念碑／中山纪念碑 チョンシャンジィニェンベイ／ジョンサアンゲエイニンベイ

三元宮／三元宫 サンユェンゴン／サアンユンゴォン

★☆☆

広州古城壁／广州古城墙 グゥアンチョウグウチャンチィアン／グゥオンジョウグウシンチョオン

広州美術館／广州美术馆 グゥアンチョウメェイシュウグゥアン／グゥオンジョウメイシュッグウン

四方砲台遺跡／四方炮台遗址 スウファンパオタイイイチイ／セイフォンパアウトイワイジイ

海員亭／海员亭 ハァイユゥエンティン／ホイユンテェン

光復紀念亭／光复纪念亭 グゥアンフウジイニィエンティン／グゥオンフッゲエイニンテェン

明紹武君臣塚／明绍武君臣冢 ミンシャオウウジュンチェンチョン／ミェンシィウモウグゥワンサンチョン

仏山牌坊／佛山牌坊 フウシャンパァイファン／ファッサアンパアイフォン

伍廷芳墓（伍朝枢墓）／伍廷芳墓 ウウティンファンムウ／ンンテェンフォンモウ

古之楚庭牌坊／古之楚庭石牌坊 グウチイチュウティンシイパァイファン／グウジイチョウテェンセッパアイフォン

孫中山読書治事処紀念碑／孙中山读书治事处纪念碑 スゥンチョンシャンドゥシュウチイシイチュウジイニィエンベェイ／シュンジュンサアンドクシュウジイシイチュウゲイニンベェイ

越秀山水塔／越秀山水塔 ユゥエシィウシャンシュイタア／ユッサウサアンシュイタッ

応元路越王井／应元路越王井 イィンユゥエンルウユゥエワァンジィン／インユンロウユッウォンジェン

越秀山体育場／越秀山体育场 ユゥエシィウシャンティユウチャン／ユッサウサアンタァイユッチャン

広州駅／广州站 ガンチョウチャン／グゥオンジョウジャアン

蘭圃／兰圃 ランプゥ／ランポォウ

高剣父紀念館／高剑父纪念馆 ガァオジィアンフウジイニィエングゥアン／ゴォウギィンフウゲエイニングゥン

広東省科学館大楼／广东科学馆大楼 グゥアンドォンカアシュエグゥアンダアロォウ／グゥオンドォンフォオホクグウンダアイラオ

東風路／东风路 ドォンフェンルウ／ドンフォンロウ

解放路／解放路 ジエファンルウ／ガアイフォンロウ

鎮海楼(広州博物館)/镇海楼★★★

㊗ zhèn hǎi lóu ㊛ jan² hói lau⁴

ちんかいろう(こうしゅうはくぶつかん)/チェンハイラァウ/ジャンホイラウ

越秀山の小蟠龍崗上、南に広がる珠江や広州の街を睥睨するように立つ鎮海楼。明代の1380年、永嘉侯朱亮祖によって広州古城の北端に建てられ、「五嶺以南第一楼」「嶺南第一勝概」とたたえられてきた。この楼閣に登ると、珠江の波打つ青い波が見えたため、当初(1461年)、望海楼と呼ばれていたが、のちに広州の繁栄と平和を願って「雄鎮海疆」を意味する鎮海楼と名づけられた。赤砂岩の壁が鮮烈な5層の楼閣は、高さ28m、幅31m、奥行15.77mのプランをもち、上部の5層目は幅26.4m、奥行13.67mとなり、台形状の堂々としたたたずまいを見せる。火災による被害を受け、明代の1547年、清代の1687年というようにいくども再建を繰り返し、1840年のアヘン戦争で破壊をこうむったのちの1928年に現在の姿となった。1929年に広州博物院、1941～45年に広州図書博物館、1946～49年に広州市立博物館、1950年から現在まで広州博物館として開館していて、中国でもっとも歴史ある博物館のひとつでもある。アヘン戦争時に使用された大砲が入口におかれているほか、1～4階に広州の歴史や各時代の文物、陶器や青銅器をはじめとするこの街ゆかりの品々がならび、収蔵品は2万点にもなる。

海門鎮守を願って

朱亮祖(～1380年)は安徽省六安の人で、元末の紅巾の乱に参加し、安徽省、湖北省、福建省、浙江省へ軍を進め、朱元璋が中華を統一するなかで台頭していった。そして、1368年に明を樹立した朱元璋(初代洪武帝)は、1379年、永嘉侯朱亮祖を広州の統治にあたらせた。それまで広州の街は、宋代以来の東、西、子という3つの城にわかれていたが、1380年、それらを統合して街を北に拡大させ、北側の城壁で越秀山をとり囲んだ。そして風水をふまえて築いた楼閣が鎮海楼で、倭寇の襲撃にそなえるため、越秀山のもっとも高い場所（山頂）を選んで設計されている。「望海楼（海を望む）」「鎮海楼（海を鎮める）」といった楼閣名に見える「海」は珠江をさす。

五羊仙庭／五羊仙庭★★☆

㊗ wǔ yáng xiān tíng 広 ng, yeung[4] sin[1] ting[4]

ごようせんてい／ウゥヤンシィアンティン／ンイェンシィンテェン

広州のシンボルのひとつで、広州開闢神話由来の「稲穂をくわえた5匹の羊の像」が見られる五羊仙庭。昔むかし（周代の紀元前887年）、広州には大空と海（珠江）が広がるばかりで、土地も豊かでなく、人びとは充分な衣服や食料をもっていなかった。広州が飢饉になったとき、音楽とともに空から色とりどりの服を着た5人の仙人が、稲穂をくわえた5匹の羊に乗り、天から降りてきた。そして穀物を残して豊かな稲穂が実るようになり、以後、広州の人たちが飢えることはなくなったという。「この地に二度と飢饉がないように」と仙人たちが空に飛びたったとき、羊は石に変わった。この五羊仙庭の像は1959年、越秀公園の西側に建立され、高さ11m、130トンを超す花崗岩を使って広州を救った5匹の羊が彫られている（もっとも大きな羊は頭だけで2トンある）。首を曲げた姿の中央の羊を中心に、残りの4匹の羊は頭をさげて草をくわえたり、食べたり、楽しんだりしている。また親子の羊の彫像もあり、母乳を吸う子羊の姿が見える。広州の別名である「羊城」「穂城」はこの五羊仙庭の故事にちなみ、「仙人が瑞雲とともに稲穂をもたらす」という話は、漢族の羊氏が広州に稲作を伝えた史実とも重なるという。

広州古城壁／广州古城墙★☆☆

㊗ guǎng zhōu gǔ chéng qiáng 広 gwóng jau[1] gú sing[4] cheung[4]

こうしゅうこじょうへき／グゥアンチョウグウチャンチィアン／グゥオンジョウグウシンチョオン

広州古城壁は、広州古城の周囲にめぐらされた明代の城

1年中豊かな緑でおおわれた花城広州の越秀公園

鎮海楼（広州博物館）の入口付近

「珠江（海）を鎮める」鎮海楼の堂々としたたたずまい

広州に稲穂をもたらしたという羊にちなむ五羊仙庭

壁。古代に任囂城が築かれて以来、広州古城の増築は続いたが、明の1380年、広州官吏の永嘉侯朱亮祖がそれまであった宋代の3つの城をひとつにまとめ、城壁を北側に伸ばした。そのときの広州古城は、北は越秀山、東は越秀路、南は文明路、大南路、西は人民路、盤福路の領域だった（500年後の1911年の辛亥革命後、広州の城壁は撤去され、道路となった）。広州古城壁は明崇禎帝時代の1640年に修建されたもので、約1137mが越秀公園に残っている。その後、鎮海楼裏と東西の城壁は1987年に修復され、全長180m分の広州古城壁が続く。城壁は赤砂岩製で、表面をレンガでおおわれていて、「鎮海楼」「嶺南第一楼」とともに明初の遺構であることから、明代古城墻ともいう。

広州美術館／广州美术馆★☆☆

㊗ guǎng zhōu měi shù guǎn ㊗ gwóng jau[1] mei, seut[3] gún
こうしゅうびじゅつかん／グゥアンチョウメェイシュウグゥアン／グゥオンジョウメイシュッグウン

越秀公園の東側に立つ広州美術館は、1929年に建設され、翌年に完成した仲元図書館を前身とする。広東省梅県の人で辛亥革命に参加した軍人鄧仲元（1886～1922年）によるもので、当時、3万冊の蔵書をほこった（鄧仲元の墓は、広州黄花崗七十二烈士墓に残る）。1957年に広州美術館となり、18～20世紀初頭に広州から輸出された美術品をはじめ、書、絵画、彫刻、刺繍、陶磁器などを収蔵する。この建築は北京の故宮文華殿を模して設計された、中国と西欧の建築を融合させた様式で、緑の屋根瓦が載る。

四方砲台遺跡／四方炮台遗址★☆☆

㊗ sì fāng pào tái yí zhǐ ㊗ sei[2] fong[1] paau[2] toi[4] wai[4] ji
しほうほうだいいせき／スウファンパオタイイイチイ／セイフォンパアウトイワイジイ

越秀山公園の翻龍崗に位置し、清代の1653年に広州古城防衛のためにおかれた四方砲台遺跡。22門の砲台が配され、永寧砲台、永康砲台などと呼ばれていたが、長さと幅がほぼ同じ四方形をした砲台の姿から、「四方砲台」という名称が定着した。アヘン戦争時の1841年、広州に上陸したイギリス軍は、この砲台を占領して軍司令部をおいた。そして中国人に暴行を働いたイギリス軍に対し、野菜農家の魏少光をはじめとする三元里の住民が蜂起してこの砲台をとり囲み、イギリス軍は撤退した。そのときイギリス軍によって四方砲台は破壊され、現在は土台を残すばかりで、大砲は広州博物館におかれている。

海員亭／海员亭★☆☆

㊗ hǎi yuán tíng ㊩ hói yun⁴ ting⁴

かいいんてい／ハァイユゥエンティン／ホイユンテェン

1922年に待遇改善を求めて立ちあがった香港海員ストライキを記念して建てられた海員亭。香港の船員の蘇兆征、林偉民らの指導のもと、港湾労働者や中国人使用人1000人以上が働くことをやめたことで、125艘の船が航海停止に追い込まれ、結果、15～30％の賃上げを勝ちとった。当時、ストライキで香港から広州にひきあげてきた船員たちの生活を、孫文の広東政府が支えたという。海員亭は、緑の屋根瓦を載せる八角形の、開放的な亭となっている。

光復紀念亭／光复纪念亭★☆☆

㊗ guāng fù jì niàn tíng ㊩ gwóng¹ fuk³ géi nim³ ting⁴

こうふくきねんてい／グゥアンフウジイニィエンティン／グゥオンフッゲエイニンテェン

1911年の辛亥革命の勝利を記念した光復紀念亭。1911年11月9日、広州では両広総督の張鳴岐に代わって、胡漢民を都督とする広東軍政府が樹立され、この日を広州光復の日とする。それを受けて香港の広東人が銀を船で広州に運び、1928年、越秀山に光復紀念石坊を建てた。1938年に日本軍による広州占領で破壊されたが、1945年の日中戦争後、広州や香港の人たちの寄付で、現在の光復紀念亭が完成した。高さ7m、幅3.5m、奥行き3.5mの亭で、四隅のそりかえった屋根をもつ。

広州2000年の歩みを展示する鎮海楼内部

赤いランタンが軒先にならぶ

広州市街各所から視界に入る中山紀念碑

1840～42年のアヘン戦争で使われた砲台

明紹武君臣塚／明绍武君臣冢★☆☆

㊎ míng shào wǔ jūn chén zhǒng ㊛ ming4 siu3 mou, gwan1 san4 chúng

みんしょうぶくんしんづか／ミンシャオウウジュンチェンチョン／ミェンシィウモウグゥワンサンチョン

明清交代のとき(17世紀)、南中国各地で樹立された南明政権の君臣をまつった明紹武君臣塚。明末、福州の唐王隆武帝の弟、朱聿鐭は広州に逃れてきて、1646年にこの地で朝廷を開いて年号を紹武とした。この王朝は清軍と40日間戦ったのちに滅亡したが、朱聿鐭の墓はどこにあるかはわからなくなっていた。1955年、体育館をつくる工事中に流花橋あたりで明紹武君臣塚が偶然、発掘され、朱聿鐭と彼の臣下の15人が埋葬されていた。1952年に珠江南の南篁村で発掘された王興将軍の墓とともに、越秀山に遷されて現在にいたる。

伍廷芳墓(伍朝枢墓)／伍廷芳墓★☆☆

㊎ wǔ tíng fāng mù ㊛ ng, ting4 fong1 mou3

ごていほうはか(ごちょうすうはか)／ウウティンファンムウ／ンンテェンフォンモウ

近代中国の外交官として活躍した伍廷芳(1842～1922年)の墓。広東省新会県を祖籍とする、伍廷芳はシンガポールで生まれ、イギリスに留学し、1876年、中国人ではじめて弁護士の資格を得た。1877年に香港に戻った伍廷芳は、香港最高立法機構で働く中国人の先駆けとなり、笞打ち刑を廃止とするなどの成果をあげた。1882年に李鴻章の幕僚に入って外交任務にあたり、1896年からアメリカ、ペルー、メキシコ、キューバなどの公使をつとめている(1911年の辛亥革命時に、袁世凱政権との交渉も担当した)。伍廷芳は1924年に黄花崗に埋葬されたが、その墓は1988年に現在の場所に遷された。また伍廷芳の子どもで、国民党政府の外交部長、広東省政府主席をつとめた伍朝枢(1887～1934年)の墓もその西側に残り、ふたつの墓の前面には碑亭が立つ。

中山紀念碑／中山纪念碑★★☆

㊓ zhōng shān jì niàn bēi ㊛ jung[1] saan[1] géi nim[3] bei[1]

ちゅうざんきねんひ／チョンシャンジィニェンベイ／ジョンサアンゲエイニンベイ

越秀山にいくつかある峰のうち、最南端の越井崗に位置する中山紀念碑。中山紀念碑は、1911年の辛亥革命を牽引した孫文に捧げられたもので、高さ37m、花崗岩製で先がとがっている。中山紀念堂、南京の中山陵とともに呂彥直による設計で、孫文死後の1926年の国民党第二次全国大会で建設が決まり、1929年に完成した。「前堂后碑」の考えから、前方(南側)の中山紀念堂と対応し、山麓から百歩梯という498段の階段が続いている(日中戦争のとき、日本軍はこの紀念碑を目標に広州を爆撃したという)。中山紀念碑の立つ越井崗は、鎮海楼の立つ小蟠龍崗とともに越秀山の主要な峰で、明代の1405年、広東都指揮使花英によって建てられた観音閣がかつてあった。

仏山牌坊／佛山牌坊★☆☆

㊓ fú shān pái fāng ㊛ fat[3] saan[1] paai[4] fong[1]

ぶつざんはいぼう／フウシャンパァイファン／ファッサアンパアイフォン

明代の玉山楼と観音閣跡に立つ四柱三間の仏山牌坊。高さ3.5m、幅3.36mで、清朝時代の1826年に建てられた。越秀山の門の役割を果たし、この牌坊の前後に石段が続いている。

古之楚庭牌坊／古之楚庭石牌坊★☆☆

㊓ gǔ zhī chǔ tíng shí pái fāng ㊛ gú ji[1] chó ting[4] sek[3] paai[4] fong[1]

いにしえのそていはいぼう／グウチイチュウティンシイパァイファン／グウジイチョウテェンセッパアイフォン

中山紀念碑へ続く階段、百歩梯のそばに立つ古之楚庭牌坊。楚庭とは広州のもっとも古い名前で、このあたりが「広州発祥の地」だと考えられている。古之楚庭牌坊は、清代の1644年に建てられたのち、1867年に重建されている。高さ5.2m、幅2.7mの花崗岩製で、東側に「粵秀奇峰」、西側に「古之楚亭」という文字が刻まれている。楚庭という名称は、周恵王の時代、この地は楚地に属したことによる。楚庭は楚亭ともいい、亭は「市」を意味した。

孫中山読書治事処紀念碑／孙中山读书治事处纪念碑★☆☆

㊗北 sūn zhōng shān dú shū zhì shì chù jì niàn bēi 広 syun^1 jung^1 saan^1 duk^3 syu^1 ji^3 si^3 chyu^2 géi nim^3 bei^1

そんちゅうざんどくしょちじしょきねんひ／スゥンチョンシャンドゥシュウチイシイチュウジイニィエンベェイ／シュンジュンサアンドクシュウジイシイチュウゲイニンベェイ

山麓から越秀山に向かって伸びる百歩梯の途中(山の中腹)に立つ孫中山読書治事処紀念碑。かつて広州市街が視野に入るこの地は孫文(1866～1925年)と宋慶齢夫妻が暮らした粤秀楼があった場所で、孫文が政務にあたっていた(辛亥革命後の1921年に広州で中華民国非常大総統に就任したのち、1922年の陳炯明のクーデターで孫文夫妻は広東省を脱出し、上海に去った。その翌年、再び広東省に戻り、広東軍政府が成立した)。孫中山読書治事処紀念碑は、孫文死後の1930年に建てられ、高さ5.5m、頂部が細くなる様式となっている。

越秀山水塔／越秀山水塔★☆☆

北 yuè xiù shān shuǐ tǎ 広 yut^3 sau^2 saan^1 séui taap^2

えつしゅうさんすいとう／ユゥエシィウシャンシュイタア／ユッサウサアンシュイタッ

中山紀念碑の西の丘陵上に立つ越秀山水塔(球形水塔)。球形の水塔で、1931年に広州市街に水を供給する水瓶として整備された(1908年に最初の西関水塔、1928年に東山水塔がつくられた)。給水塔の高さは14.6m、内径12mで、1095立方メートルの水を保管する。かつては広州のランドマークとして知られたが、1999年に使用されなくなった。

三元宮／三元宫★★☆

北 sān yuán gōng 広 saam^1 yun^4 gung^1

さんげんきゅう／サンユェンゴン／サアンユンゴォン

広州屈指の道教寺院で、越秀山南麓の風水上優れた場所に立つ三元宮。319年、東晋の南海太守鮑靚によって創建さ

越秀公園には明代の城壁が残っている、広州古城壁

広州で一番古い競技場の越秀山体育場

三元宮は広州を代表する道教寺院

三元宮は越秀山南麓の地形を利用して建てられている

れた歴史をもち、その娘の鮑姑がここで治病の薬をつくったという。当時は越崗院という名前で、八王の乱が起こるなど、華北が混乱していたため、著名道士の葛洪も広州のこの寺院を訪れている。唐代に悟性寺と改称され、その後、明代の万暦年間、崇禎年間（1628～44年）に拡建され、三元大帝がまつられて三元宮となった。三元とは上元天官、中元地官、下元水官の三尊神像のことで、「天・地・水」を三元と呼ぶことに由来する。また三元大帝は堯帝、舜帝、禹帝に対応するほか、「上元（正月15日）・中元（7月15日）・下元（10月15日）」「天地のはじまり・中・終わり」「天・地・人」といった三原理も「三元」と呼び、次第にすべての神と人を統治する最高神と見られるようになった（元とは「はじまり」のことで、三元とは年、日、ときのはじまりも意味する）。三元宮は清代の1700年に重建されて現在の規模となり、三元宮という文言、「三元古観、百粤名山」の対聯が見える1786年創建の山門の奥には、1868年に建てられた幅20.27m、奥行16.85mの大三元宝殿が立つ。三元宮の伽藍は、山の傾斜（40段以上の階段）を利用していて、老君宝殿、呂祖殿、鮑姑殿、財神殿、観音殿、鐘楼、鼓楼などが展開する。20世紀の文化大革命で被害を受けたが、その後、再建され、広州を代表する道教寺院となっている。

応元路越王井／应元路越王井★☆☆

㊗ yīng yuán lù yuè wáng jǐng ㊡ ying² yun⁴ lou³ yut³ wong⁴ jéng

おうげんろえつおうせい／イィンユゥエンルウユゥエワァンジィン／インユンロウユッウォンジェン

越秀山の麓にわく、広州屈指の名泉の応元路越王井。南越国（秦漢）時代から知られ、この泉の水は甘く、身体に潤いをあたえ、翡翠の液体として重宝されてきた。南越国の趙佗はこの水を飲んで健康をたもち、100歳以上生きたといい、南漢の劉龑は玉龍泉とたとえ、百姓にとることを禁じ、越王井の水を独り占めにした。宋代の番禺県令丁伯桂は井戸の取水口を9つにして、それぞれの穴から水をくめるようにし、清初の平南王はこの井戸のまわりに壁をつくって独占したと伝えられる。直径2.2mで9つの取水口があり、緑色の屋根瓦をもつ亭でおおわれている。粤王井、越台井、玉龍泉、九眼井などとも呼ばれてきた。

越秀山体育場／越秀山体育场★☆☆

㊗ yuè xiù shān tǐ yù chǎng ㊎ yut[3] sau[2] saan[1] tái yuk[3] cheung[4]

えつしゅうさん／ユゥエシィウシャンティユウチャン／ユッサウサアンタァイユッチャン

越秀山南麓に位置する越秀山体育場は、1920年代にあった観音山足球場を前身とする。その後、1950年に広東省の政府主席であった葉剣英(1897～1986年)によって建設され、ここで国慶節やメーデーの集会が行なわれた。広州でもっとも古い歴史をもつ体育場で、中山紀念碑が近くに見える。

Nan Yue Wang Mu

南越王墓鑑賞案内

紀元前、広州を中心に
嶺南一帯を治めた南越王の墓
2000年のときをへて偶然発見された

西漢南越王墓博物館／西汉南越王墓博物馆★★★

㊗ xī hàn nán yuè wáng mù bó wù guǎn ㊦ sai[1] hon[2] naam[4] yut[3] wong[4] mou[3] bok[2] mat[3] gún

せいかんなんえつおうぼはくぶつかん／シィハンナンユエワンムウボオウウガン／サァイホォンナアムユッウォンモウボッマッゴオン

越秀山の西側に立つ小さな丘陵の象崗山(高さ49.17m)に展開する西漢南越王墓博物館。象崗山という名前は、山の形状が象に似ていることにちなみ、山のそばの流花湖はもともと珠江(海)に続く古海湾だった。1983年、この象崗山での工事中、山頂から深さ17mの地点で、大型石室墓が発見され、それは紀元前207～前111年に広州を中心に華南をおさめた政権南越国の第2代文帝趙胡(趙眛)のものだった(始皇帝の武将であった趙佗が秦滅亡後に独立して南越国を樹立。当時の中原は西漢こと前漢時代だった)。南越国の王宮は、現在の北京路にあり、王朝の創設者趙佗の孫にあたる第2代文帝(在位紀元前137～前122年ごろ)は、死後、広州城外のここ象崗山に埋葬された。1988年、南越国の墓室と丘陵を利用して博物館として開館し、美しい隷書体で西漢南越王墓博物館と記されている。これは南越国が前漢の側からは僭越者と見られていたためで、「西漢南越王墓(西漢こと前漢のおさめる領域の南越の王)」という名称が使われている。館内では「文帝行璽」の金印、「趙眛(文帝の名前)」という玉印のほか、玉衣で包まれた王の遺体の複製品はじめ、南越国を構成した古代越族による銅製の鼎、玉製品などで、高い工芸技術が見られる。象崗山から発掘されたこれ

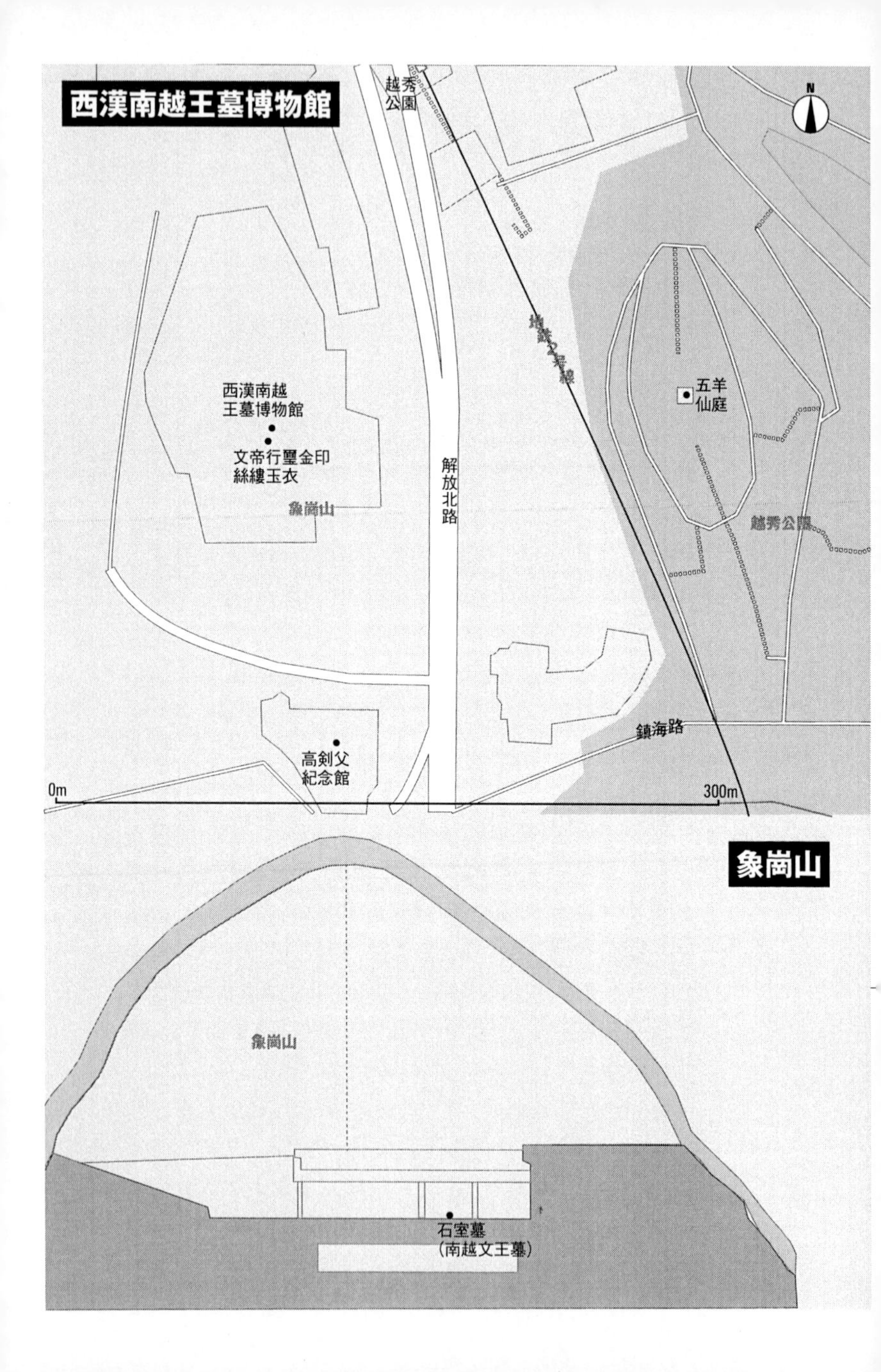

西漢南越王墓博物館
越秀
公園
N
西漢南越
王墓博物館
文帝行璽金印
絲縷玉衣
象崗山
解放北路
五羊
仙庭
越秀公園
鎮海路
高剣父
紀念館
0m
300m
象崗山
象崗山
石室墓
（南越文王墓）

ら1000点以上の出土品は、紀元前の嶺南(広州)の政治、経済、文化を示すものとして、高い評価を受けている。この地は明清時代まで広州の西郊外の地にあたったが、現在は市街地の拡大にともなって繁華街となっている。

南方の越族

「粤」や「越」といった言葉でしばしば表現される中国南方の諸民族。周や秦といった古代中国の王朝は、黄河中流域に興り、そこは世界の中心(中原)とされてきた。一方、中原からはるか遠く離れた広州は、歴史は古いものの紀元前3世紀の始皇帝(紀元前259～前210年)による遠征まで中国の領域ではなく、中原とは異なった言葉、文化をもつ越族が暮らしていた。これら越族(百越、粤)は米を主食として魚を食べ、また靴を脱いでなかに入る高床式住居に居住した。越族の人びとは、長江以南からベトナム北部にかけて広く分布し、中原からは「南蛮」とも呼ばれていた。歴史のなかで漢族との混血が進んだが、現在でも古代越の要素はチワン族はじめ布依族、水族、侗族、黎族、傣族、高山族などの少数民族に残っている(また稲作を日本にもたらした弥生人との関係も指摘されている)。

★★★

西漢南越王墓博物館／西汉南越王墓博物馆 シィハンナンユエワンムウボオウウガン／サァイホォンナアムユッウォンモウボッマッゴオン

越秀公園／越秀公园 ユェシィウゴンユェン／ユッサァウゴォンユウン

★★☆

絲縷玉衣／丝缕玉衣 シィリュウユゥユィ／シイロイユッイイ

五羊仙庭／五羊仙庭 ウゥヤンシィアンティン／ンンイェンシィンテェン

★☆☆

石室墓(南越文王墓)／石室墓 シィシィムゥ／セッサッモウ

文帝行璽金印／文帝行玺金印 ウェンディシィンシイジィンイィン／マンダァイホンサアイガァムヤァン

高剣父紀念館／高剑父纪念馆 ガァオジィアンフウジイニィエングゥアン／ゴォウギィンフウゲエイニングゥン

解放路／解放路 ジエファンルウ／ガアイフォンロウ

南越国とは

紀元前221年に、史上はじめて中華を統一した秦の始皇帝(紀元前259～前210年)は、紀元前219年から当時、中華世界の外にあたった嶺南にあわせて3回、50万の大軍を派遣している。結局、紀元前214年に嶺南は中華の支配下となり、桂林、南海、象の三郡がおかれて、秦の軍人はこの地にとどまった。当時の嶺南の原住民は5万人以下だったとも考えられ、漢族化がはじまった。秦末に農民蜂起が起こると、紀元前203年に秦の武将だった趙佗(河北真定の人)は関所を封鎖し、桂林、南海、象の三郡をあわせて南越国を樹立(南海郡をおさめていた任囂が病気になり、龍川県令の趙佗が番禺に招かれた)。番禺(広州)を都にして、初代趙佗(紀元前203～前137年)、第2代趙胡(紀元前137～前122年)、第3代趙嬰斉(紀元前122～前113年)、第4代趙興(紀元前113年)、第5代趙建徳(紀元前112～前111年)と、5代93年続いたが、紀元前111年に漢の武帝によって滅んだ。当時の都は東は旧倉巷、西は吉祥路、北は越華路、南は恵福路を範囲とする東西500m、南北800mほどのものだった。南越国の王たちは北方の漢族出身だったが、嶺南土着の越族(粤族)との融和政策をとり、今でもそのよき統治は語りつがれている。

石室墓(南越文王墓)/石室墓★☆☆

㊗ shí shì mù ㊐ sek3 sat1 mou3

せきしつぼ(なんえつぶんおうはか)/シィシィムゥ/セッサッモウ

象崗山の頂上部から深さ17mのところで、1983年に発見された石室墓(南越文王墓)。南北10.68m、東西12.24mの規模、「士」の字形のプランをもち、前部の前室、東耳室、西耳室、後部の主棺室、東側室、西側室と後蔵室という7つの墓室(前部3室、後部4室)からなる。このうち後部の主棺室には木製の棺がおかれ、玉衣で包まれた文帝の遺体がおさめられていた。また東側室には皇帝の4人の夫人が玉器、銅鏡とともに埋葬さ

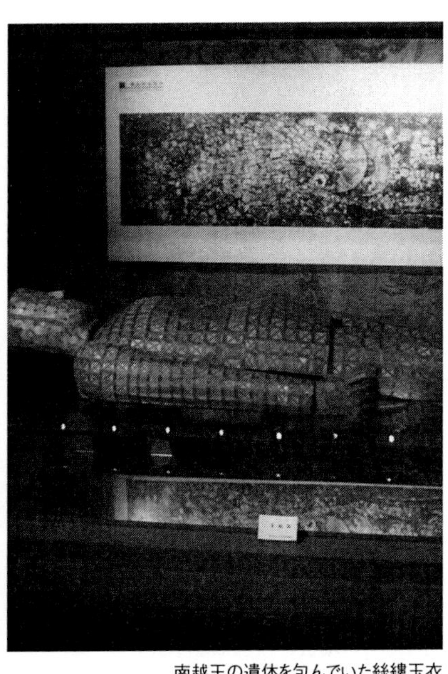

南越王の遺体を包んでいた絲縷玉衣

西漢南越王墓博物館、ここに南越王が眠っていた

百越と呼ばれたこの地には中原と異なる文化の人たちが暮らしていた

美しい玉の埋葬品

れていたほか、礼器、楽器、兵器、車馬器なども発見された。この石室墓が偶然、工事で見つかったとき、防空壕もしくは戦時中の兵器だと考えられたが、調査を進めると前漢、南越国時代の墓だと判明した。規模の大きさ、随葬品の豊富さ、彩絵の描かれた石室などで華南有数のものとなっている。

南越文王墓からの出土品

南越国第2代文帝趙胡（趙眜）の墓（石室墓）からは1000点を超す膨大な出土品があり、それらは西漢南越王墓博物館に展示されている。なかでも南越王を包んだ「絲縷玉衣」はじめ、篆書が刻まれた縦横2.3cm、高さ1.6cmの文帝の使った「文帝玉印」、また「文帝行璽金印」、亀の彫刻がほどこされた「右夫人璽金印」がその代表的なものとして知られる。また透かし彫りの龍が見られる直径10.6cm、厚さ0.5cmの「龍鳳紋重環玉佩」、王が使ったサイの角のような「角形玉杯」などの玉器、宴会や祭祀のときに使われた青銅の鼎や楽器の鐘、陶器の壺や金銀細工などが出土した。

文帝行璽金印／文帝行玺金印★☆☆

㊗ wén dì xíng xǐ jīn yìn ㊘ man⁴ dai² hong⁴ sáai gam¹ yan²

ぶんていぎょうじきんいん／ウェンディシィンシイジィンイィン／マンダァイホンサアイガァムヤァン

南越王第2代文帝趙胡が使った文帝行璽金印。古代中国で諸王や諸侯は、自らの身分や社会的権勢を示すための玉印や金印をもっていた。この文帝行璽金印は、中原の漢にならって、南越国でつくられたもので、印章上部には、片隅に頭、そこからS字型に伸びる龍の身体、鱗、爪が彫られている。長さ3.1cm、幅3cm、高さ1.8cm、重さ148.5グラムで、98%が金でできているという。

絲縷玉衣／丝缕玉衣★★☆

㊗ sī lǚ yù yī ㊛ si[1] leui, yuk[3] yi[1]

しるぎょくい／シィリュウユゥユィ／シイロイユッイイ

漢代の皇帝や高貴な貴族が亡くなったときに着せた服の絲縷玉衣。南越王第2代文帝趙胡はこの絲縷玉衣をまとった状態で1983年に発見され、遺体のうえには、文帝行璽の金印など8つの印章がおかれていた。長さ1.73mで、頭から上半身、袖、手袋、ズボン、靴まで2291の玉片でおおわれ、赤の絹糸でぬいあわせている。発掘当時、南越国王の遺体のまわりには、翡翠の破片が地面に散らばっていたという。

Guang Zhou Zhan

広州駅城市案内

**広州の玄関となる広州駅は
20世紀に入ってから越秀山の北西側につくられ
以来、広州古城の市街地とひとつながりとなった**

広州駅／广州站★☆☆

㊎ guǎng zhōu zhàn ㊍ gwóng jau[1] jaam[3]

こうしゅうえき／ガンチョウチャン／グゥオンジョウジャアン

広州と北京を結ぶ京広線はじめ、広東省東部、西部への路線が伸びるほか、武漢や昆明などに鉄道が通じ、この街の玄関口となっている広州駅(広州火車駅)。1899年、イギリス領香港(九龍)と広東省の省都広州を結ぶ鉄道の建設が決まり、この九広鉄路は1911年に完成した。当時の広州駅は広州古城南東外側の大沙頭(大沙頭駅)にあったが、鉄道旅客数の急増、線路が街を分断していること、広州市街の拡大などの理由から、1950年代に新しい広州駅の建設が構想された。候補となったのは東郊外の東山梅花村、人民北路を動線とする西側の流花地区(現在の広州駅)、小北路の前の下塘村などで、1958年に現在の場所での広州駅建設がはじまった(そのときの流花地区は荒れ地で、広州全体から考えると西に偏っていた)。1974年に完成し、正方形で、シンプルなソビエト式の建築様式をもつ。また当時、この場所から近い白雲区に空港があったため、鉄道駅の高さを制限するなどの工夫がされた。広州駅の建設にあわせて、近くに東方賓館、流花展館も建設され、この地に新たな都市景観が生まれることになった。広州には広州駅のほか、香港方面へ向かう広州東駅、高速鉄道の走る広州南駅も位置する。

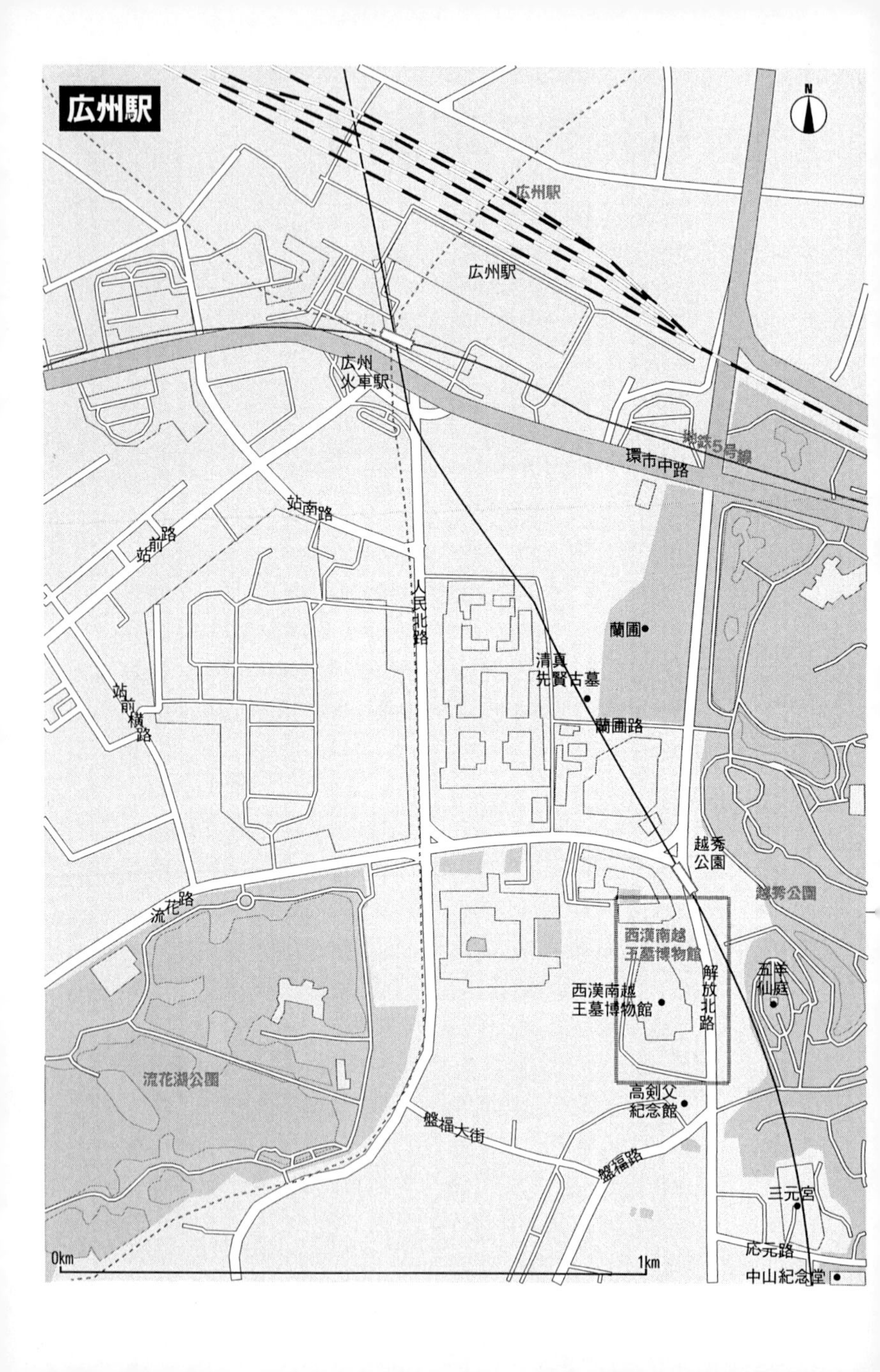
広州駅
N
広州駅
広州駅
広州
火車駅
地鉄5号線
環市中路
站南路
站前路
人民北路
蘭圃
清真
先賢古墓
蘭圃路
站前横路
越秀
公園
越秀公園
流花路
西漢南越
王墓博物館
西漢南越
王墓博物館
解放北路
五羊
仙庭
流花湖公園
高剣父
紀念館
盤福大街
盤福路
三元宮
応元路
0km
1km
中山紀念堂

広州と鉄道駅

アヘン戦争(1840〜42年)で香港を獲得したイギリスは、イギリス領香港九龍と広東省の省都広州を結ぶ九広鉄路の建設をかかげ、1899年に九広鉄道建設の権利を中国から得た。こうして1911年に九広鉄路が完成し、当時の広州駅は広州古城南東外側の大沙頭(大沙頭駅)にあった。またイギリスからの借款を受けて1936年に全通した粤漢鉄路(広州〜武漢)は市街西部を走り、西関沙面の西側の黄沙に広州駅があった。この縦貫鉄道の粤漢鉄路はやがて北京まで続き、京広鉄路となった。一方、珠江の南側に残る石囲塘駅は、1903年に開通した広州でもっとも早い広三鉄路の駅で、南西の仏山を経由して三水にいたる48.9kmを走り、現在は石囲塘駅の旧址が残る。

蘭圃／兰圃★☆☆

㊗ lán pǔ ㊘ laan⁴ póu

らんぽ／ランプゥ／ランポォウ

越秀公園の西側、200種類以上の蘭が栽培されている公園の蘭圃(圃とは「畑」や「菜園」を意味する)。シュンラン、シンビジウム、カトレア、デンドロビウム、オンシジュームをはじめ

★★★

越秀公園／越秀公园 ユェシィウゴンユェン／ユッサァウゴォンユウン

西漢南越王墓博物館／西汉南越王墓博物馆 シィハンナンユエワンムウボオウウガン／サァイホォンナアムユッウォンモウボッマッゴオン

中山紀念堂／中山纪念堂 チョンシャンジィニェンタン／ジュンサアンゲエイニィントン

★★☆

清真先賢古墓／清真先贤古墓 チンチェンシァンシャングゥムゥ／チィンジャンシィンイングウモウ

五羊仙庭／五羊仙庭 ウゥヤンシィアンティン／ンンイェンシィンテェン

三元宮／三元宫 サンユェンゴン／サアンユンゴォン

★☆☆

広州駅／广州站 ガンチョウチャン／グゥオンジョウジャアン

蘭圃／兰圃 ランプゥ／ランポォウ

高剣父紀念館／高剑父纪念馆 ガァオジィアンフウジイニィエングゥアン／ゴォウギィンフウゲエイニングゥン

解放路／解放路 ジエファンルウ／ガアイフォンロウ

人民路／人民路 レンミィンルウ／ヤンマンロォウ

とする美しい蘭が咲き、あたりは亜熱帯の植生が見られる。庭園内は亭や建築が配置されていて、茶芸館もあり、さまざまなお茶を楽しむことができる。

清真先賢古墓／清真先贤古墓★★☆

㊤ qīng zhēn xiān xián gǔ mù ㊦ ching[1] jan[1] sin[1] yin[4] gú mou[3]

せいしんせんけんこぼ／チンチェンシァンシャングゥムゥ／チィンジャンシィンイングウモウ

広州は中国屈指のイスラム教の伝統をもち、唐代初期に活躍したアラブの伝教師アブー・ワッカース（宛葛素）が眠る清真先賢古墓（「清真」とは中国語でイスラム教を意味する）。ワッカースはイスラム教創始者ムハンマド（570年ごろ〜632年）の命で中国伝道にあたり、清真先賢古墓はその在世中の唐代629年につくられた歴史をもつ。イスラムを意味する回教からとられた「回回坟」とも、ワッカースの墓内では経典を唱える音が響くことから「响坟」ともいい、唐代から広州に暮らしたイスラム教徒の40人ほどの墓が残っている。唐代の広州には10万人ものペルシャ、アラビア商人がいたと言われ、その末裔は中国化して回族と呼ばれるようになった。ウイグル人や外国出身のムスリムが多く居住する小北から遠くないこと、春と秋に開催される広州交易会の会場に近く、イスラム教徒の商人が訪れることなど、礼拝者数の増加もあって、2010年に新たに礼拝大殿が建てられた。高さ5.2mの牌楼からなかに入ると、イスラムと嶺南の建築的特徴を組み合わせた広々とした大殿が位置し、2500人もの人びとが同時に礼拝できる。敷地内にはアラビア文字が見られるほか、南明政権で広州を守った3人のイスラム教徒の南明回教三忠墓も隣接して残る。

高剣父紀念館／高剑父纪念馆★☆☆

㊤ gāo jiàn fù jì niàn guǎn ㊦ gou[1] gim[2] fu[3] géi nim[3] gún

こうけんふきねんかん／ガァオジィアンフウジイニィエングゥアン／ゴォウギィンフウゲエイニングゥン

広東省番禺県出身の画家、高剣父（1879〜1951年）の作品やゆかりの品が展示された高剣父紀念館。日本に留学後、辛亥革命にも参加し、1920年代の広州で山水、花鳥画を描いて活躍した。「嶺南派の父」と呼ばれる。

中国各地と鉄道で結ばれている広州駅

南国の植生が見られる蘭圃

メッカの方向を示すミフラーブとアラビア文字

広州の街の性格を映す清真先賢古墓

南
番禺

Zhong Shan Ji Nian Tang

中山紀念堂鑑賞案内

青の屋根瓦、赤の柱、白のドームは
自由、平等、博愛を意味する
「革命の父」孫文をまつった中山紀念堂

中山紀念堂／中山纪念堂★★★

㊗ zhōng shān jì niàn táng ㊎ jung¹ saan¹ géi ním³ tong⁴

ちゅうざんきねんどう／チョンシャンジィニェンタン／ジュンサアンゲエイニィントン

1911年の辛亥革命を指導した「中国革命の父」孫文(1866〜1925年)こと孫中山を紀念した中山紀念堂(始皇帝の時代から2000年以上続いた王朝による統治を終わらせた)。越秀公園の南麓、背後に中山紀念碑、前方に人民公園、広州起義路、海珠広場というように、広州古城をつらぬく中軸線上に立ち、広州を象徴する建築にもあげられる。もともと清代、この場所には兵を管理する督練公所(督軍衙署)があり、辛亥革命(1911年)以後は督軍公署、また1921年〜22年には孫文の総統府がおかれていた。1919年、孫文を中心に国民党が結成され、1921年、孫文はこの場所で大総統に就任したが、翌年、陳炯明のクーデターにあって広州を脱出し、1923年、三度、広東軍政府を樹立した。この中山紀念堂は孫文死後の1926年、国民党の全国大会で建設が決まり、広州市民や華僑の資金協力もあって1928〜31年に建てられた。南京の中山陵、中山紀念碑とともに呂彦直による設計で、南向きに鎮座し、広々とした庭園を前方に、孫文の銅像、そして青色の瑠璃瓦がふかれた堂々とした紀念堂が立つ。この中山紀念堂は4層、高さ52mで、八角形の古宮殿式プランをもち、中国様式と西洋様式が融合している。そして、外側正面には孫文がスローガン

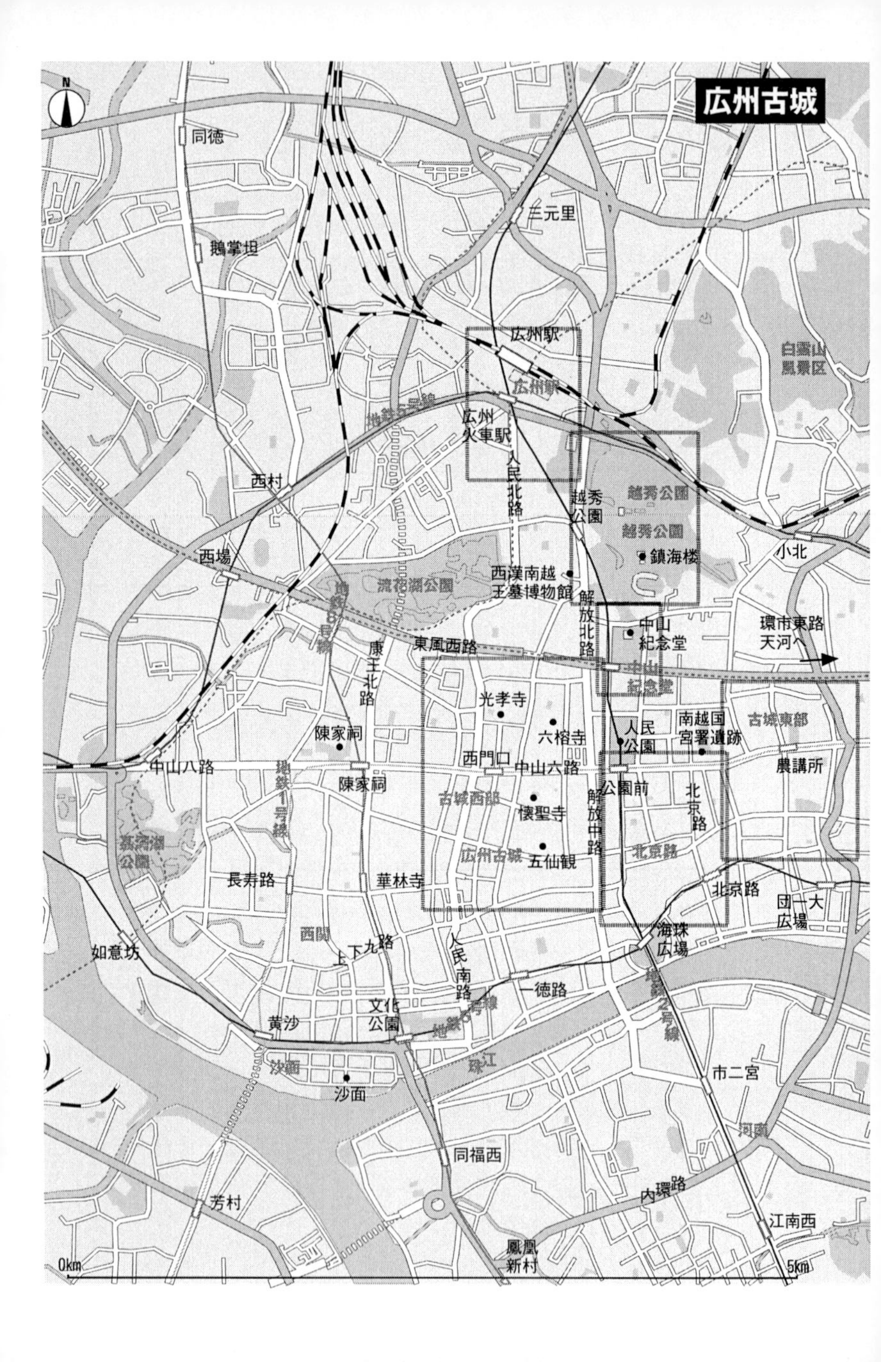

広州古城
同徳
三元里
鵝掌坦
広州駅
広州駅
広州火車駅
人民北路
西村
越秀公園
越秀公園
越秀公園
鎮海楼
小北
白雲山風景区
西場
西漢南越王墓博物館
流花湖公園
地鉄8号線
地鉄5号線
解放北路
中山紀念堂
中山紀念堂
環市東路
天河へ
東風西路
康王北路
光孝寺
六榕寺
陳家祠
人民公園
南越国宮署遺跡
古城東部
農講所
中山八路
陳家祠
西門口
中山六路
公園前
地鉄1号線
古城西部
懐聖寺
解放中路
北京路
荔湾湖公園
五仙観
広州古城
北京路
長寿路
華林寺
北京路
団一大広場
西関
海珠広場
如意坊
上下九路
人民南路
一徳路
文化公園
黄沙
地鉄6号線
地鉄2号線
沙面
沙面
珠江
市二宮
河南
同福西
芳村
内環路
江南西
鳳凰新村
0km
5km

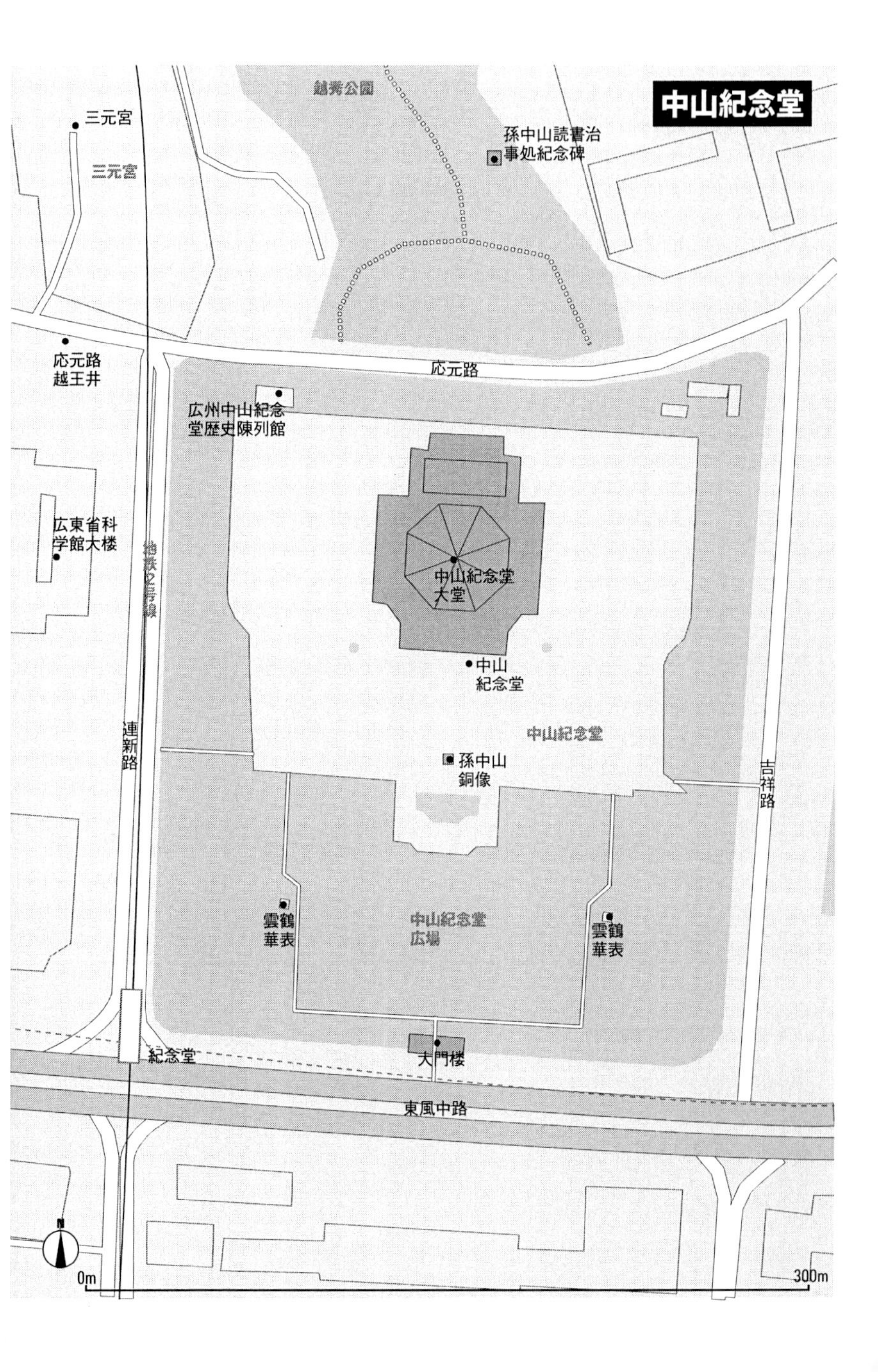
中山紀念堂
越秀公園
三元宮
三元宮
孫中山読書治
事処紀念碑
応元路
越王井
応元路
広州中山紀念
堂歴史陳列館
広東省科
学館大楼
地鉄2号線
中山紀念堂
大堂
中山
紀念堂
中山紀念堂
孫中山
銅像
連新路
吉祥路
雲鶴
華表
中山紀念堂
広場
雲鶴
華表
紀念堂
大門楼
東風中路
0m
300m

とした『礼記』の文言「天下為公(天下を公となす)」の額が飾られている。また紀念堂西側には孫中山紀念館があり、孫文にまつわる展示が見られる。この中山紀念堂が建てられた1920～30年代は、国民党による統治が安定し、広州が最高の繁栄を迎えた時代でもあった。

★★★

中山紀念堂／中山纪念堂 チョンシャンジィニェンタン／ジュンサアンゲエイニィントン

中山紀念堂大堂／中山纪念堂主体建筑 チョンシャンジィニィエンタァンチュウティジィアンチュウ／ジュンサアンゲエイニィムトンジュウタアイギィンジョク

広州古城／广州古城 グゥアンチョウグゥチャン／グゥオンジョウグウシン

北京路／北京路 ベイジィンルウ／バッギインロウ

南越国宮署遺跡／南越国宫署遗址 ナァンユゥエグゥオゴンシュウイイチイ／ナアンユッグゥオッグウンチュウワイジッ

越秀公園／越秀公园 ユェシィウゴンユェン／ユッサァウゴォンユウン

鎮海楼(広州博物館)／镇海楼 チェンハイラァウ／ジャンホイラウ

西漢南越王墓博物館／西汉南越王墓博物馆 シィハンナンユエワンムウボオウウガン／サァイホォンナアムユッウォンモウボッマッゴオン

光孝寺／光孝寺 グアンシャオスウ／グゥオンハアウジイ

懐聖寺／怀圣寺 ファイシェンスウ／ワアイシィンジイ

★★☆

孫中山銅像／孙中山先生铜像 スゥンチョンシャンシェンシャントォンシィアン／シュウンジュンサアンシィンサアントゥンジュウン

三元宮／三元宫 サンユェンゴン／サアンユンゴォン

中山路／中山路 チョンシャンルウ／ジュンサアンロウ

六榕寺／六榕寺 リィウロンスウ／ロクヨンジイ

五仙観／五仙观 ウウシィアングゥアン／ンンシイングウン

★☆☆

大門楼／大门楼 ダアメェンロォウ／ダイムンラオ

中山紀念堂広場／中山纪念堂广场 チョンシャンジイニィエンタァングゥアンチャアン／ジュンサアンゲエイニントングゥオンチャアン

雲鶴華表／云鹤华表 ユンハアフゥアビャオ／ワンホクワアビイウ

広州中山紀念堂歴史陳列館／广州中山纪念堂历史陈列馆 グゥアンチョウチョンシャンジイニィエンタァンリイシイチェンリエグゥアン／グゥオンジョウジュンサアンゲエイニントンリッシイチャンリッグウン

広東省科学館大楼／广东科学馆大楼 グゥアンドォンカアシュエグゥアンダアロォウ／グゥオンドォンフォオホクグウンダアイラオ

東風路／东风路 ドォンフェンルウ／ドンフォンロウ

解放路／解放路 ジエファンルウ／ガアイフォンロウ

人民公園／第一公园旧址 ディイイゴォンユゥエンジィウチイ／ダイヤッゴォンユウンガウジイ

孫中山読書治事処紀念碑／孙中山读书治事处纪念碑 スゥンチョンシャンドゥシュウチイシイチュウジイニィエンベェイ／シュンジュンサアンドクシュウジイシイチュウゲイニンベェイ

応元路越王井／应元路越王井 イィンユゥエンルウユゥエワァンジィン／インユンロウユッウォンジェン

広州駅／广州站 ガンチョウチャン／グゥオンジョウジャアン

人民路／人民路 レンミィンルウ／ヤンマンロォウ

孫文とは

孫文(1866〜1925年)は、清朝末期に皇帝の都北京から遠く離れた広東省香山(現在の中山市)の農家に生まれ、さつまいもを主食として育った。1840〜42年のアヘン戦争、1851〜64年の太平天国の乱などが起こり、社会変革の機運がもりあがるなか、孫文は少年時代、成功した華僑の兄をたよってハワイに移住した。そこでキリスト教や西欧式の教育、民主主義にふれ、18歳のときに帰国して広州と香港で医学を学び、1892年にマカオで開業した。そして、清朝打倒の革命運動を開始し、広州、香港、マカオがその舞台となった。日清戦争直後の1895年、孫文による広州での最初の蜂起は失敗に終わり、孫文は明治維新を成功させ、近代化を進めていた日本に亡命した。その日本亡命中の1915年に宋慶齢と結婚している。孫文は世界を歴訪しながら、民族主義、民権主義、民生主義という三民主義の思想を確立していくが、広州や華南で何度も武装蜂起を行ない、そのたびに失敗していた(4回、世界旅行に出ているのは失敗のたびに亡命したため)。1911年、アメリカにいたとき、孫文は辛亥革命の勃発を知り、帰国後、臨時大総統となって1912年に中華民国を発足させた。しかし、実際の権力は北京の袁世凱にゆずることになり、依然、中国各地に跋扈する軍閥政権をおさえることはできなかった。こうしたなか1917年のロシア革命を目のあたりにし、1919年、三民主義をかかげて、孫文を中心とする国民党が結成された(また1921年に中国共産党が成立している)。1923年、三度目の広東軍政府を樹立したあと、1924年に広州で国共合作し、孫文は北伐を提唱する。その途中、日本で「大アジア主義」の講演を行ない、北京に入ったが、1925年にそこで「革命いまだならず」の言葉を残して、客死した。孫文の意思をついで北伐を成し遂げた蒋介石(台湾)、孫文の理念を受け継いだ毛沢東(中華人民共和国)というように、孫文の思想は後世に受け継がれていった。

孫文の呼称いろいろ

孫中山、孫逸仙とも表記される孫文。「孫」は氏、「文」は名、「逸仙」は字(あざな)となっている。中山紀念堂や中山路に使われている孫中山とは、日本での亡命中に名乗った「中山樵」にちなみ、尊称として孫中山が使われる(いち早く明治維新を成功させ、近代化を進めていた日本には多くの中国人が留学し、中国革命の拠点になっていた)。また英語では、孫逸仙の広東語読みから「Sun Yat-sen(サンヤットセン)」と呼ばれる。

大門楼/大门楼★☆☆

㊗ dà mén lóu ㊢ daai3 mun4 lau4

だいもんろう/ダアメェンロォウ/ダイムンラオ

広州中軸線上に立ち、中山紀念堂の正門にあたる大門楼。アーチ状の三孔大拱門で、大堂と同じ青(藍)色の屋根瓦を載せる。中国南方の建築様式の柱と梁ではなく、壁を構造物とする無梁殿となっている。「中山紀念堂」という扁額がかかげられている。

中山紀念堂広場/中山纪念堂广场★☆☆

㊗ zhōng shān jì niàn táng guǎng chǎng ㊢ jung1 saan1 géi nim3 tong4 gwóng cheung4

ちゅうざんきねんどうひろば/チョンシャンジイニィエンタァングゥアンチャアン/ジュンサアンゲエイニントングゥオンチャアン

東西240m、南北270mからなる中山紀念堂の敷地内にあって、前方に位置する広大な中山紀念堂広場。草木が生い茂る広場には、1931年に華表、記念館が建てられたときに植えられた白蘭、ガジュマル、イチジクの木などが見える。中山紀念堂広場は四方に開かれていて、市民の憩いの場となっている。

大堂への門の役割も意味する雲鶴華表

この街の中心に立つ孫文を記念した中山紀念堂

東風路に面した中山紀念堂の大門楼

孫文の勇姿を永遠に刻む孫中山銅像

雲鶴華表／云鹤华表★☆☆

㊗ yún hè huá biǎo ㊛ wan^{4} hok^{3} wa^{4} bíu

うんかくかひょう／ユンハアフゥアビャオ／ワンホクワアビイウ

中山紀念堂広場に、左右対称に建てられた雲鶴華表。華表とは中国の宮殿や陵墓、廟などで見られる一対の石柱で、装飾的な門の役割を果たした（古くは石闕とも呼び、獅子や朱雀などの鳥獣が刻まれた）。この雲鶴華表では、八角形の土台のうえに伸びあがる柱頭に、雲と鶴の模様が刻まれている。辛亥革命を導いた孫文に対する敬意を示しているという。

孫中山像／孙中山先生铜像★★☆

㊗ sūn zhōng shān xiān shēng tóng xiàng ㊛ syun^{1} jung^{1} saan^{1} sin^{1} saang^{1} tung^{4} jeung^{3}

そんちゅうざんぞう／スゥンチョンシャンシェンシャントォンシィアン／シュゥンジュンサアンシィンサアントゥンジュゥン

中山紀念堂が完成したあとに、前方中央に安置された孫中山銅像。孫文（1866〜1925年）はここ広州を拠点に革命活動を行ない、2000年続いた封建社会を終わらせた。ステッキをもつ悠然とした孫文の姿は、中山大学で公演したときの様子。彫刻家尹積昌の制作で、現在のものは1998年に新たに建てられた。高さ5.5m、重さ3.9トンで、孫文による『建国大綱』の内容も見える。

中山紀念堂大堂／中山纪念堂主体建筑★★★

㊗ zhōng shān jì niàn táng zhǔ tǐ jiàn zhú ㊛ jung^{1} saan^{1} géi nim^{3} tong^{4} jyú tái gin^{2} juk^{1}

ちゅうざんきねんどうだいどう／チョンシャンジィニィエンタァンチュウティジィアンチュウ／ジュンサアンゲエイニィムトンジュウタアイギィンジョク

青の瑠璃瓦でふかれた八角型の屋根をもつ堂々とした中山紀念堂大堂（主体建築）。南京の中山陵（孫文の墓）、背後の中山紀念碑とともに呂彦直による設計で、孫文死後の1928年に建設がはじまり、1931年に完成した。高さ52m、4層からなる堂々としたたたずまいを見せ、頂部には金色の球体が載る。また中央正面には、孫文が理想とした「天下為公」の扁額がかかり、大同思想が示されている。大堂内は柱を使わない構造で、71mの空間が吹き抜けになっていて、壁には8本の巨大な鉄骨が隠されている(4700の座席をそなえる)。この中山紀念堂大堂前の東西には、台湾でつくられた鼎がおかれている。

広州中山紀念堂歴史陳列館/广州中山纪念堂历史陈列馆★☆☆

㊎ guǎng zhōu zhōng shān jì niàn táng lì shǐ chén liè guǎn ㊍ gwóng jau1 jung1 saan1 géi nim3 tong4 lik3 sí chan4 lit3 gún

こうしゅうちゅうざんきねんどうれきしちんれつかん/グゥアンチョウチョンシャンジイニィエンタァンリイシイチェンリエグゥアン/グゥオンジョウジュンサアンゲエイニントンリッシイチャンリッグウン

革命家孫文の歩みや一生、辛亥革命などを紹介する広州中山紀念堂歴史陳列館。広東省で生まれ育ち、広州、香港、マカオなどを活動拠点とした、孫文に関する資料や写真を収蔵展示する。中山紀念堂の北西隅に位置する。

広東省科学館大楼/广东科学馆大楼★☆☆

㊎ guǎng dōng kē xué guǎn dà lóu ㊍ gwóng dung1 fo1 hok3 gún daai3 lau4

かんとんしょうかがくかんだいろう/グゥアンドォンカアシュエグゥアンダアロォウ/グゥオンドォンフォオホクグウンダアイラオ

中山紀念堂に隣接して立つ、科学技術の振興、発展、人材育成の活動を行なう広東省科学館大楼。新中国建国後の1958年、中国で最初に建てられた科学館で、中国南部の科学活動の中心地となってきた。4階建てで緑の屋根瓦を載せ、ファサードの1階と2階部分に列柱が見える。

東風路/东风路★☆☆

㊎ dōng fēng lù ㊍ dung1 fung1 lou3

とうふうろ/ドォンフェンルウ/ドンフォンロウ

広州古城の東西を結び、東から東風東路、東風中路、東風西路と続く大動脈の東風路。清朝時代に督練公所(督軍衙署)があり、明清時代はそれほど大きな通りでなかったが、1920年に整備され、広州から黄埔、虎門へ続く大動脈となった。東風路という名称は「東風は西風を圧倒す」という毛沢東の言葉で、1968年にこの名前がつけられている。

孫文が好んで使った「天下為公」の扁額がかかる中山紀念堂大堂

中山紀念堂大堂内は吹き抜けの大空間となっている

天下為公

Ren Min Gong Yuan

人民公園城市案内

**広州古城のちょうどへその部分に位置する人民公園
このあたりは広州に政治の中心があった
1920年代に開発が進んだ**

解放路／解放路★☆☆

㊗ jiě fàng lù ㊗ gáai fong[2] lou[3]

かいほうろ／ジエファンルウ／ガアイフォンロウ

越秀山から珠江へ続く広州南北の大動脈の解放路。もともと明清時代から広州有数の通りで、大北門から伸びる大北門直街(大北直街)、帰徳門直街などと呼ばれた。越秀山西側の大北門と、東側の小北門へ続く通りが広州の主要道路で、そこから続くこの通りにはかつて広州名物の四牌楼が立っていた(恵福西路と大徳路と交わるところに、4つの牌楼が見られた)。1930年に馬路となり、中華北路と呼ばれ、新たに中軸線となった起義路から海珠広場へ続く道とともに広州古城を南北に結んだ。1949年、中国人民解放軍は大北路から市内に入り、広州市を解放したため、解放路と名づけられて現在にいたる。東西に走る中山路、大徳路を基点に解放北路、解放中路、解放南路となる。

人民公園／第一公园旧址★☆☆

㊗ dì yī gōng yuán jiù zhǐ ㊗ dai[3] yat[1] gung[1] yún gau[3] jí

じんみんこうえん／ディイイゴォンユゥエンジィウチイ／ダイヤッゴォンユウンガウジイ

越秀山、中山紀念堂から続く広州中軸線上に整備された人民公園(第一公園旧址、中央公園)。古く隋代に衙門官邸があり、元代にも監察官庁の広東道粛政廉訪使署がこの地にあっ

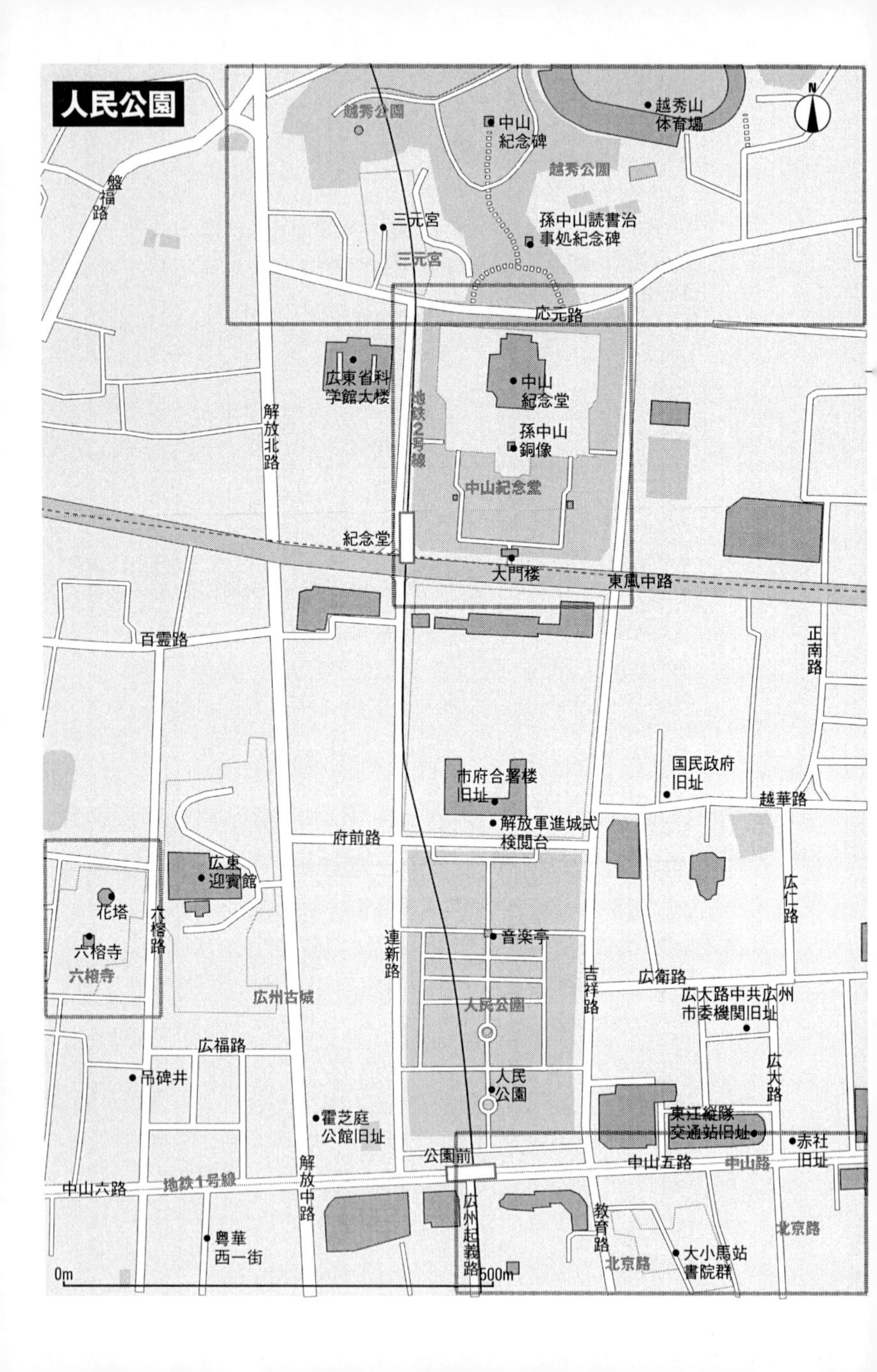
人民公園
越秀公園
中山
紀念碑
越秀山
体育場
越秀公園
盤
福
路
三元宮
孫中山読書治
事処紀念碑
三元宮
応元路
広東省科
学館大楼
中山
紀念堂
解
放
北
路
地鉄2号線
孫中山
銅像
中山紀念堂
紀念堂
大門楼
東風中路
百霊路
正
南
路
国民政府
旧址
市府合署楼
旧址
越華路
解放軍進城式
検閲台
府前路
広東
迎賓館
花塔
六榕寺
六
榕
路
六榕寺
連
新
路
音楽亭
広
仁
路
吉
祥
路
広衛路
広州古城
人民公園
広大路中共広州
市委機関旧址
広福路
吊碑井
人民
公園
広
大
路
霍芝庭
公館旧址
東江縦隊
交通站旧址
赤社
旧址
解
放
中
路
公園前
中山五路
中山路
中山六路
地鉄1号線
広
州
起
義
路
教
育
路
北京路
粤華
西一街
大小馬站
書院群
北京路
0m
500m

た。その後も、明代には都指揮使司署、南明の紹武政権王宮、清代に平南王府と広東巡撫署がおかれるなど、ここは1500年以上も広州(行政府)の中心地であった。辛亥革命後の1918年、孫文はこの王朝支配の象徴的場所を人びとのための公園とすることに決めた。そして1920年に人びとの集まる公園となり、1921年に「第一公園」と名づけられた。人民公園は楊錫宗によって設計され、音楽亭が立ち、イタリア庭園の

★★★

越秀公園／越秀公园 ユェシィウゴンユェン／ユッサァウゴォンユウン

中山紀念堂／中山纪念堂 チョンシャンジィニェンタン／ジュンサアンゲエイニィントン

広州古城／广州古城 グゥアンチョウグゥチャン／グゥオンジョウグウシン

北京路／北京路 ベイジィンルウ／バッギインロウ

花塔／花塔 フゥアタア／ファアタアッ

★★☆

孫中山銅像／孙中山先生铜像 スゥンチョンシャンシェンシャントォンシィアン／シュゥンジュンサアンシィンサアントゥンジュゥン

中山路／中山路 チョンシャンルウ／ジュンサアンロウ

中山紀念碑／中山纪念碑 チョンシャンジィニェンベイ／ジョンサアンゲエイニンベイ

三元宮／三元宫 サンユェンゴン／サアンユンゴォン

大小馬站書院群／大小马站书院群 ダアシャオマアチャアンシュウユゥエンチュン／ダアイシイウマアジャアムシュウユウンクワン

六榕寺／六榕寺 リィウロンスウ／ロクヨンジイ

★☆☆

人民公園／第一公园旧址 ディイイゴォンユゥエンジィウチイ／ダイヤッゴォンユウンガウジイ

市府合署楼旧址／市府合署楼旧址 シイフウハアシュウロォウジィウチイ／シイフウハッチュウラウガウジイ

解放軍進城式検閲台／解放军进城式检阅台 ジィエファンジュンジィンチェンシイジィアンユゥエタァイ／ガアイフォングアンジョンシンシッギインユットイ

霍芝庭公館旧址／霍芝庭公馆旧址 フゥオチイティンゴォングゥアンジイチイ／フォッジイティングォングアンガオジイ

広東省科学館大楼／广东科学馆大楼 グゥアンドォンカアシュエグゥアンダアロォウ／グゥオンドォンフォオホクグウンダアイラオ

東風路／东风路 ドォンフェンルウ／ドンフォンロウ

解放路／解放路 ジエファンルウ／ガアイフォンロウ

孫中山読書治事処紀念碑／孙中山读书治事处纪念碑 スゥンチョンシャンドゥシュウチイシイチュウジイニィエンベェイ／シュンジュンサアンドクシュウジイシイチュウゲイニンベェイ

越秀山体育場／越秀山体育场 ユゥエシィウシャンティユウチャン／ユッサウサアンタァイユッチャン

中山紀念堂広場／中山纪念堂广场 チョンシャンジイニィエンタァングゥアンチャアン／ジュンサアン

大門楼／大门楼 ダアメェンロォウ／ダイムンラオ

広東迎賓館／广东迎宾馆 グゥアンドォンイィンビィングゥアン／グゥオンドォンインバングウン

吊碑井／吊碑井 ディアオベェイジィン／ディウベエイジェエン

粵華西一街／粤华西一街 ユゥエフゥアシイイイジィエ／ユッワァサアイヤッガアイ

広大路中共広州市委機関旧址／广大路中共广州市委机关旧址 グゥアンダアルウチョンゴォングゥアンチョウシイウェイジイグゥアンジィウチイ／グゥオンダアイロウジュウングゥングゥオンジョウシイワアイゲエイグワアンガウジイ

赤社旧址／赤社旧址 チイシェエジィウチイ／チェクセエガァオジイ

東江縦隊交通站旧址／东江纵队交通站旧址 ドォンジィアンゾォンドゥイジィアオトォンチャンジィウチイ／ドゥンゴオンジュンドゥイガアウトゥンジャアムガオジイ

国民政府旧址／国民政府旧址 グゥオミィンチョンフウジィウチイ／グゥオクマンジィンフウガオジイ

起義路／起义路 チイイイルウ／ヘエイイイロウ

黄色の瑠璃瓦が印象的な市府合署楼旧址

広州中軸線上に位置する人民公園

要素がとり入れられている。公園北側に広州市政府が位置し、ちょうど北京の故宮と天安門広場に対応する。

亜熱帯の花が咲く街

亜熱帯性の暖かい気候、高い湿度をもつ中国華南の中心都市、広州。1年中さまざまな花で彩られ、3～4月ごろにはキワタノキ(市花)が真っ赤な花を咲かせるほか、椰子やガジュマル、南国特産品の茘枝なども見られる(宋代、広州近郊には100種類もの茘枝が実っていたという)。こうしたことから広州は、「花城」の別名でも知られ、春節、元宵、清明、端午、中秋、重陽、冬至、大晦日などで花市が行なわれていた。とくに春節を迎える大晦日の「迎春花市(除夕花市)」が有名で、広州の人が年を越す前に出かけた花市は、現在の北京路財庁前がその舞台だった。一方で高温多湿のために家畜や防虫、病気の心配があり、長らく嶺南は流罪の地ともされていた。

市府合署楼旧址／市府合署楼旧址★☆☆

㊗ shì fŭ hé shŭ lóu jiù zhĭ ㊣ si, fú hap³ chyu, lau⁴ gau³ jí

しふごうしょろうきゅうし／シイフウハアシュウロォウジィウチイ／シイフウハッチュウラウガウジイ

屋根に黄色の瑠璃瓦、門楼には巨大な赤の柱が見える、堂々とした宮殿式建築の市府合署楼旧址。林克明による設計で、幅88m、高さ33.3m、5層からなる建築は1934年に完成し、広州市の政府機関が入居する(1949年10月に広州が解放されると、広州市人民政府が入った)。市政府、省政府など、このあたりには広州の官僚機構が集まっている。

解放軍進城式検閲台／解放军进城式检阅台★☆☆

(北) jiĕ fàng jūn jìn chéng shì jiăn yuè tái (広) gáai fong² gwan¹ jeun² sing⁴ sik¹ gím yut³ toi⁴

かいほうぐんしんじょうしきけんえつだい／ジィエファンジュンジィンチェンシイジィアンユゥエタァイ／ガアイフォングアンジョンシンシッギインユットイ

広州市人民政府の門前に残る解放軍進城式検閲台。1949年の広州解放(10月14日)後の11月11日、人民解放軍はここで入城式と解放祝いを行なった。そのとき20万人を超す人たちが集まったという。解放軍進城式検閲台は、月台ともいい、幅34m、長さ8mで、市府合署楼旧址の一部を構成する。

霍芝庭公館旧址／霍芝庭公馆旧址★☆☆

㊗ huò zhī tíng gōng guǎn jiù zhǐ ㊗ fok² ji¹ ting⁴ gung¹ gún gau³ jí

かくしていこうかんきゅうし／フゥオチイティンゴォングゥアンジイチイ／フォッジイティングォングアンガオジイ

清朝末期から中華民国時代の激動の時代を生き抜いた霍芝庭（1877〜1939年）の旧居。霍芝庭は広州近郊の南海出身で、1910年、清朝両広総督岑春煊が新設した軍用物資を集める父親を助けながら商売を学んでいった。1915年、広州でタバコやギャンブル産業が成立すると、霍芝庭は商才を発揮し、この地に広東で最初の賭博場を開設して成功した（1931年、広東軍閥の陳済棠は、広州のタバコと賭博の独占権をあたえ、霍芝庭は莫大な利益を得た）。霍芝庭公館旧址は中華民国時代の建築で、アールデコ様式、幅19m、奥行31m、前座は4階建て半、後座は2階建てとなっている。

廣州市人民政府

Bei Jing Lu

北京路城市案内

中原から離れていたゆえに、独自の文化が花開いた広州
北京路は北京の王府井や上海の南京路にあたり
仏教寺院や書院、史跡も多く残る

広州古城／广州古城★★★

㊗ guǎng zhōu gǔ chéng ㊎ gwóng jau[1] gú síng[4]

こうしゅうこじょう／グゥアンチョウグゥチャン／グゥオンジョウグウシン

2000年以上にわたって続く広州古城は、越秀山（白雲山）を背後に、珠江を前にし、北京路あたりに都市の中心があった。秦の始皇帝が紀元前214年に南海郡をこの地においたのが広州のはじまりで、現在の北京路から東の芳草街に、秦の将軍任囂による任囂城があった。その後、趙佗のつくった南越城は西は教育路、南は西湖路へと広がり、中心の皇城は北京路の財庁前に位置した。当時の広州には、番山（中山図書館旧址北の番山亭）と禺山（北京路の西）というふたつの山がそびえていたことから、「番禺」の名称で知られていた。中華全体から見れば、広州古城を中心とする嶺南は、文化の果てる左遷の地であったが、唐代に入ると、海上交易の拠点という性格が顕著になってきた。唐末の917年、清海軍節度使劉龑が独立して南漢（五代十国）を樹立し、南越のとき以来、広州を中心とする王国の都（興王府）として栄えた（この時代、広州は最高の繁栄を見せ、番山と禺山も平らになった）。続く宋元時代は、唐代の城にくわえて東城、西城が増築され、これらをあわせて広州三城と呼ばれた。明代の1380 年、3つの城をあわせて、北側の越秀山上の鎮海楼を頂点とする明清時代の広州古城の姿ができあがった。明清時代、広州の街は南の新城、城壁外の西関、

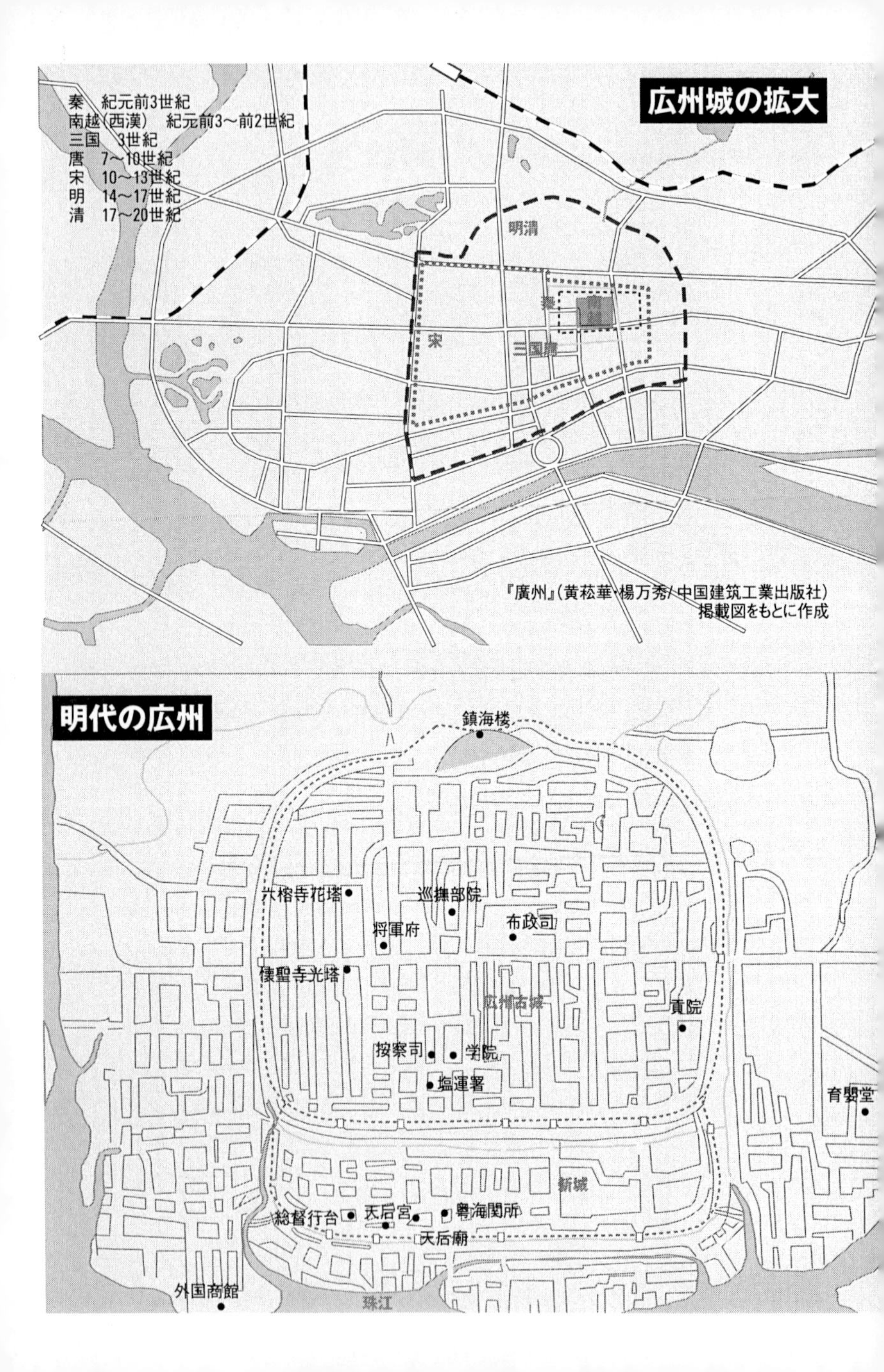
広州城の拡大
秦　紀元前3世紀
南越（西漢）　紀元前3～前2世紀
三国　3世紀
唐　7～10世紀
宋　10～13世紀
明　14～17世紀
清　17～20世紀
明清
宋
三国唐
『廣州』（黄菘華・楊万秀/中国建筑工業出版社）
掲載図をもとに作成
明代の広州
鎮海楼
六榕寺花塔
巡撫部院
将軍府
布政司
懐聖寺光塔
広州古城
貢院
按察司
学院
塩運署
育嬰堂
新城
総督行台
天后宮
粤海関所
天后廟
外国商館
珠江

南関というように城外に拡大し、十三行や沙面というように広州古城の繁栄が、より珠江の港に近いところに遷っていった。その後、孫文(1866〜1925年)が拠点をおき、清末民初の辛亥革命が広州を舞台に行なわれたことから、広州には孫文ゆかりの地や革命史跡がいたるところに残っている。このように紀元前から繁栄してきた広州は、2000年以上も都市が持続する中国有数の古都として知られる。歴代王朝の都がおかれた広州古城は、漢代の南越国、五代十国の南漢、明滅亡後の南明といった地方政権の都にもなり、長らく北京路界隈が広州古城の中心となっていた。

中山路／中山路★★☆

㊥ zhōng shān lù ㊦ jung[1] saan[1] lou[3]

ちゅうざんろ／チョンシャンルウ／ジュンサアンロウ

広州の中心部を東西に走る大動脈で、広州古城を越えて西は西関、東は東山にまで伸びる中山路。かつて広州古城の西門と大東門を結ぶ通衢大街、その後、恵愛直街といい、城隍廟、清代の布政司、巡撫部院など、多くの衙門や官吏の役所が集まっていた(唐代には、この通りの南側に蕃坊がおかれていて、珠江は今よりも北側を流れていた)。1911年の辛亥革命以後、孫文(孫中山)を記念して中山路という名前になり、大東門あたりが中山四路、北京路が中山五路、西門あたりが中山六路というように通りが変わっていく。大型商業店舗の集まる広州屈指の通りとなっている。

北京路／北京路★★★

㊥ běi jīng lù ㊦ bak[1] ging[1] lou[3]

ぺきんろ／ベイジィンルウ／バッギインロウ

紀元前3世紀の南越国以来、歴代王朝の官衙(行政府)がおかれ、広州の政治、経済、文化の中心地となってきた北京路(「岭南之心、広府源地」)。宮城は通りの北側、そこから南に大通りが伸び、広州の中心軸を形成してきた。唐代以前、このあ

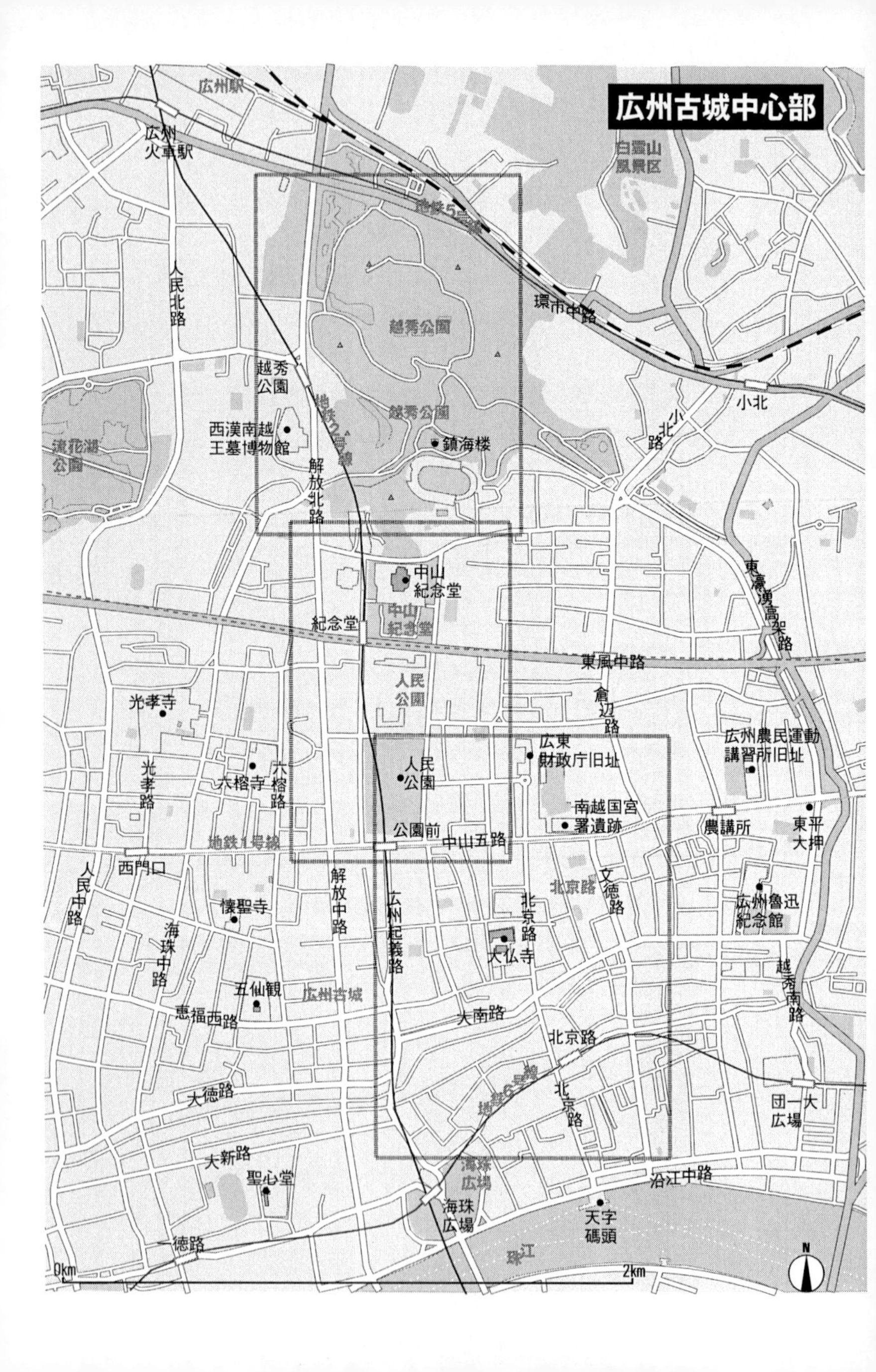

広州古城中心部
広州駅
広州火車駅
白雲山風景区
地鉄5号線
環市中路
越秀公園
人民北路
越秀公園
西漢南越王墓博物館
流花湖公園
鎮海楼
地鉄2号線
解放北路
小北
小北路
中山紀念堂
紀念堂
東風中路
東濠涌高架路
人民公園
光孝寺
倉辺路
広東財政庁旧址
広州農民運動講習所旧址
光孝路
六榕寺
六榕路
南越国宮署遺跡
地鉄1号線
公園前
中山五路
農講所
東平大押
西門口
人民中路
解放中路
北京路
文徳路
懐聖寺
広州起義路
北京路
広州魯迅紀念館
海珠中路
大仏寺
五仙観
広州古城
越秀南路
恵福西路
大南路
北京路
地鉄6号線
北京路
大徳路
団一大広場
大新路
海珠広場
沿江中路
聖心堂
海珠広場
天字碼頭
一徳路
珠江
0km
2km
N

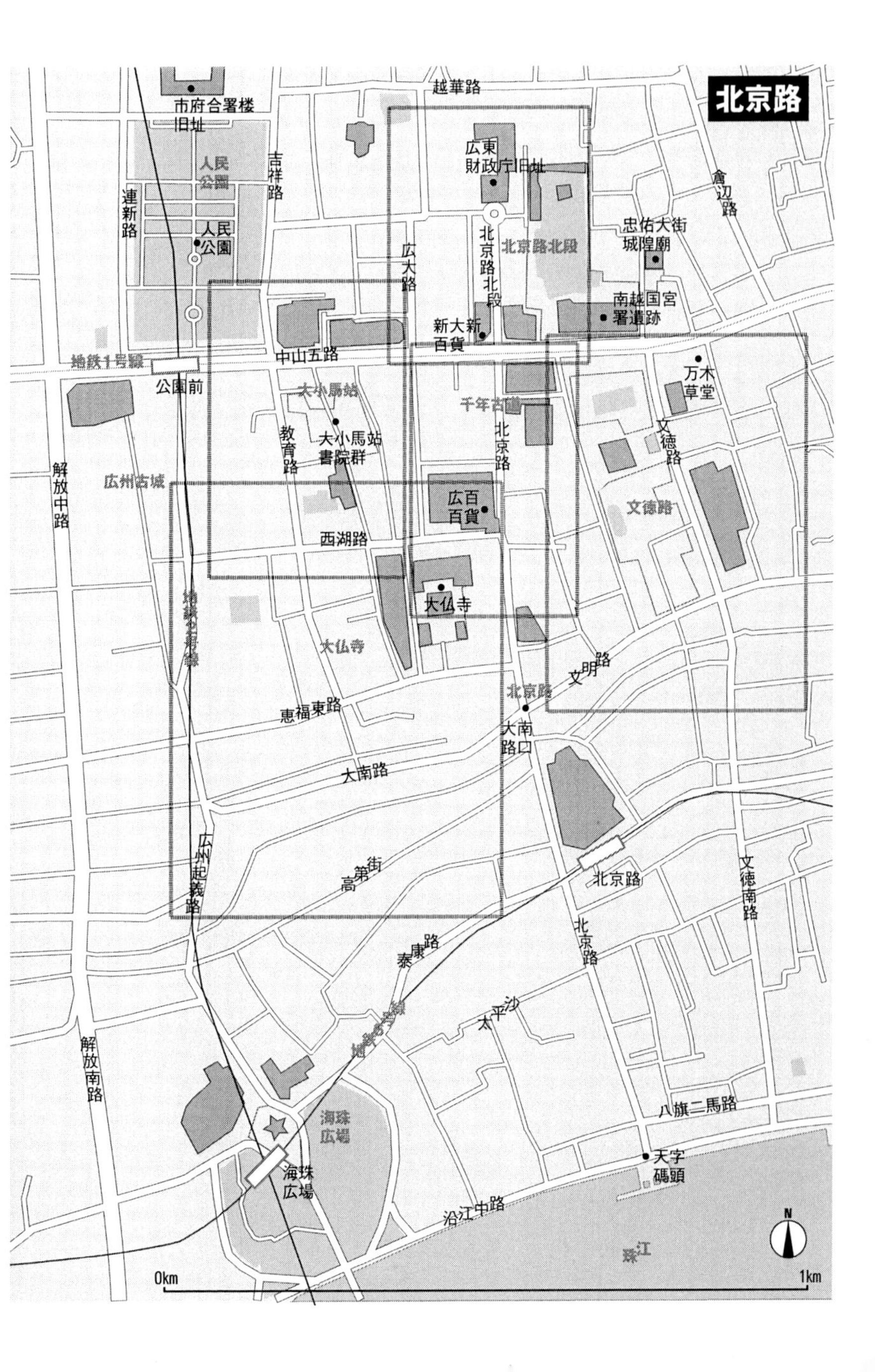
北京路
越華路
市府合署楼旧址
人民公園
吉祥路
連新路
人民公園
広東財政庁旧址
倉辺路
忠佑大街城隍廟
北京路北段
北京路北段
広大路
南越国宮署遺跡
新大新百貨
中山五路
地鉄1号線
公園前
万木草堂
大小馬站
千年古道
教育路
大小馬站書院群
北京路
文徳路
解放中路
広州古城
広百百貨
文徳路
西湖路
大仏寺
大仏寺
文明路
北京路
恵福東路
大南路口
大南路
広州起義路
北京路
高第街
文徳南路
泰康路
北京路
太平沙
解放南路
海珠広場
八旗二馬路
海珠広場
天字碼頭
沿江中路
珠江
0km
1km
N

たりは低湿地だったが、北宋が南関を滅ぼしてから南の城壁がとりこわされ、1244年、そこにふたつの門をもつ双門楼（拱北楼）が建てられて以後、北京路は「双門底」の名前で知られていた（南関時代、南門の両側にある番山と禺山を低くして、そこに清海軍楼を建て、その南に道が続いていた。やがて改建され、象闕、そして双門楼となり、この双門楼＝拱北楼の場所は北京路と西湖路の交わる地点

★★★

越秀公園／越秀公园 ユェシィウゴンユェン／ユッサァウゴォンユウン

鎮海楼（広州博物館）／镇海楼 チェンハイラァウ／ジャンホイラウ

西漢南越王墓博物館／西汉南越王墓博物馆 シィハンナンユエワンムウボオウウガン／サァイホォンナアムユッウォンモウボッマッゴオン

中山紀念堂／中山纪念堂 チョンシャンジィニェンタン／ジュンサアンゲエイニィントン

広州古城／广州古城 グゥアンチョウグゥチャン／グゥオンジョウグウシン

北京路／北京路 ベイジィンルウ／バッギインロウ

大仏寺／大佛寺 ダアフォオスウ／ダアイファッジイ

南越国宮署遺跡／南越国宫署遗址 ナァンユゥエグゥオゴンシュウイイチイ／ナアンユッグゥオッグウンチュウワイジッ

光孝寺／光孝寺 グアンシャオスウ／グゥオンハアウジイ

懐聖寺／怀圣寺 ファイシェンスウ／ワアイシィンジイ

★★☆

中山路／中山路 チョンシャンルウ／ジュンサアンロウ

恵福東路／惠福东路 フイフウドォンルウ／ワイフッドォンロウ

大小馬站書院群／大小马站书院群 ダアシャオマアチャアンシュウユゥエンチュン／ダアイシイウマアジャアムシュウユウンクワン

北京路北段／北京路北段 ベェイジィンルウベェイドゥアン／バッギンロウバッデュン

広東財政庁旧址／广东财政厅旧址 グゥアンドォンツァイチェンティンジィウチイ／グゥオンドォンチョイジィンテエンガオジイ

忠佑大街城隍廟／忠佑大街城隍庙 チョンヨォウダアジエチェンフゥアンミィアオ／ジュウンヤオダアイガアイシンウォンミィウ

万木草堂／万木草堂 ワンムゥツァオタン／マアンムッチョオウトン

広州農民運動講習所旧址（番禺学宮）／广州农民运动讲习所旧址 グゥアンチョウノンミンユンドンジィアンシィシュオジィウチイ／グゥオンジョウヌンマンワンドゥンゴオンジャアッソオガウジイ

東平大押／东平大押 ドォンピンダアヤア／ドォンペンダアイアアッ

広州魯迅紀念館／广州鲁迅纪念馆 ガンチョウルゥシュンジイニィエングゥアン／グゥオンジョウラァウシュンゲエイニングウン

六榕寺／六榕寺 リィウロンスウ／ロクヨンジイ

五仙観／五仙观 ウウシィアングゥアン／ンンシイングウン

★☆☆

西湖路／西湖路 シイフウルウ／サアイウウロウ

広百百貨／广百百货 グゥアンバァイバァイフゥオ／グゥオンバアッバアッフォオ

新大新百貨／新大新百货 シィンダアシィンバァイフゥオ／サアンダアイサアンバアッフォ

起義路／起义路 チイイイルウ／ヘエイイイロウ

大南路口／大南路口 ダアナァンルウコォウ／ダアイナアンロウハウ

文徳路／文德路 ウェンダァルウ／マンダッラァウ

東風路／东风路 ドォンフェンルウ／ドンフォンロウ

解放路／解放路 ジエファンルウ／ガアイフォンロウ

人民公園／第一公园旧址 ディイイゴォンユゥエンジィウチイ／ダイヤッゴォンユウンガウジイ

市府合署楼旧址／市府合署楼旧址 シイフウハアシュウロォウジィウチイ／シイフウハッチュウラウガウジイ

恵福西路／惠福西路 フゥイフウシイルウ／ワァイフッサアイロウ

人民路／人民路 レンミィンルウ／ヤンマンロォウ

にあった)。北京路がしばしば「千年古道」とたたえられるのは、宋代以来、古玩玉器をあつかう店や商店がならび、商業が盛んな通りとして知られたこの通りの歴史による。広州へ出向した官吏は、珠江の碼頭(天字碼頭)から陸にあがり、北京路南端の大南門を通って、この「天街(北京路)」を通って官衙へおもむいたという。明清以来、北段を「双門底上街」、南段を「双門底下街」と呼ぶようになり、またあたりには承宣直街、双門底、雄鎮直街、永清街といった通りが入り組んで、繁華街を形成していた。1911年の辛亥革命後、この地をおさめた胡漢民が双門底を「漢民路」と名づけ、また「永漢路」と名前が変わり、1966年に現在の北京路という名称となった。書店、文房四宝、骨董品などをあつかう店、また花市でも有名で、2000年以上同じ場所で繁栄を続ける稀有な街でもある。長さ1450mを超す北京路は、1997年から歩行者天国、2014年にあたりは総合的な文化旅游区となって現在にいたる。新大新公司、広州百貨大厦、太白商場といった百年老店がならぶほか、中華民国時代以来の騎楼が続き、多くの広州人が往来する。

北京路の構成

　南北に走る北京路を中心に、東の倉辺路、文徳路、西の広州起義路、吉祥路、北の越華路、南の大南路あたり一帯を北京路文化旅游区と呼ぶ。北京路は南越国以来の行政中心地であり、中山路を軸に北京路北段と北京路南段にわけられる。北段(北京路C区)に南越国宮署遺址と城隍廟、広東財政庁旧址などがあり、このあたりが2000年のあいだ広州の政治の中心地であった。一方、南段(北京路A区)は「千年古道」と呼ばれ、ちょうど東西の西湖路と交わる地点に拱北楼があり、このあたりが店舗が林立する商業中心地だった。現在も最大の広百百貨が位置するほか、その向かいには壮大なたたずまいの大仏寺(北京路D区)が立っていて、大仏寺の西隣の光明広場には南越国時代の水閘遺址が残っている。北京路東の市立中山図書館旧址あたりにかつて府学が位置し、清朝時代に官吏や文人の集まった文徳路(北京路B区)が走る。また西湖路の南側を並行して伸びる恵福東路は歩行街で、広州市民向けの料理店や老舗店、小吃店がずらりとならんでいる。北京路に太平沙という地名が残っているように、300年以上前、このあたりは珠江の沙州であった。

大型店舗が集まる一大商圏

大型店舗が集まり、広州最大の商圏を構成する北京路一帯。北京路は、地下鉄1号線(縦の中軸線)と2号線(横の中軸線)が交わる広州のへそにあたる「公園駅」を最寄り駅のひとつとする。この公園駅と結ばれているのが「捷登都会広場」で、映画館やファッション・ブランドが入居する。その東側に地上13階、地下4階の「五月花広場」が立ち、オフィスやショッピングモールが一体となっている。そこから北京路の入口まで来ると、1914年に蔡昌、蔡興兄弟が恵愛中路(今の中山五路)の土地を買って建てた「新大新公司」がそびえる(広州屈指の老舗で、陳列販売、定価販売、ひとつのビルに多くの店舗が入居する近代型百貨店で、新新、先施、永安とともに広州四大百貨公司と呼ばれた)。その反対側の北京路南段にはブレスレットやネックレスなど、宝石や玉器ブランド店が多く入居する「広百黄金珠宝大厦」が立つ。北京路を南に進むと、広州でもっとも人が集まる西湖路との合流点に広州最大のショッピングモール「広百百貨」が位置する。広百百貨から西湖路に進み、大仏寺西側に隣接するのが「光明広場」。娯楽、ファッション、グルメ、ショッピングの集まる総合ショッピングモールで、敷地内に南越国木構水閘遺址を抱えることも特徴とする。また北京路を軸に、ちょうど東側に地上10階、地下5階からなる「名盛広場(天河城百貨)」があり、各種店舗のほか中華料理とファーストフード店が入居する。これらの大型店舗を結ぶように、南北

広東料理を出す店がずらりとならぶ

長らく広州の中心地であった北京路

食は広州に在り(食在広州)と言われるほどの食の都

広州古城の中心北京路、明清時代は双門底の名前で知られた

の北京路と東西の西湖路、および恵福東路が歩行街となっていて、小吃店や地元の人たちが通う店舗がならぶ。

通り名に名前を残す

広州伝統中軸線の北京路は、長らく双門底という名前で親しまれてきた。清朝時代には北京路北段を双門底上街、南段を双門底下街と呼び、あたりには承宣直街、永清街などが位置した。その後、中華民国時代の1920年に広州城壁がとり壊され、(永清街ならぬ)永漢路と名づけられた。これは名目上この地にあった清王朝の永清路に代わって、永遠に「漢」が続くようという意味であった。しかし実は、この改名には当時、広東省をおさめる楊永泰の隠された意図があったという。本来、通りに名前を残すのは歴史上の故人に許されたものであり、楊永泰は北京路近くの馬路を「泰康路」と名づけた。こうして永漢路と泰康路の名前をあわせて「(楊)永泰」という名前が残ることになった(北京路と文明路のまじわる地点に立つ永漢電影院は、当時の永漢路からとられている)。その後も、1936年に広州の有力者胡漢民の名前をとった漢民路、1945年にまた漢民路は永漢路と呼ばれた。1966年以後、北京路となり、現在にいたるが、たびたび名前の変わるところが、この通りをめぐる権力や重要性を示していると言える。

広州の粤文化

広東省や広州で見られる独特の文化を、粤文化とも、嶺南文化ともいい、政治の中心であった北京から遠く離れた広州の立地が、この街の文化や性格に強い影響をあたえている。華北では異民族の襲来、廃仏運動や文革によって、しばしば文化や伝統が断絶したが、広州や華南ではとだえることなく受け継がれてきたものがあった。たとえば獅子舞は、華北ではすたれたが、広州をはじめとする南中国では今でも行なわれている。また龍母崇拝は、広州西江流域から起こったものだとされ、大小の龍母廟が残る（現在でもドラゴン・ボート龍舟による競漕が行なわれている）。また粤劇などで使う衣装、刺繍の手工芸、象牙彫刻、木彫り細工、調度品など、広州独自の華やかな文化が見られる。広州を流れる珠江には20世紀なかばまで水上居民が暮らしていたが、現在は陸地にあがっている。

北京路界隈には中華老字号という老舗が集まる

1000年のあいだにぎわいの絶えない千年商都

古い時代の広州古城の様子が模型で再現されていた

大型ショッピングモールがいくつもならぶ街並み

Qian Nian Gu Dao

千年古道城市案内

広州の中軸線である千年古道
中山路の南側にある北京路南段部分で
このエリアを北京路A区ともいう

北京路千年古道遺跡／北京路千年古道遗址★★☆

㊗ běi jīng lù qiān nián gǔ dào yí zhǐ ㊣ bak[1] ging[1] lou[3] chin[1] nin[4] gú dou[3] wai[4] jí

ぺきんろせんねんこどういせき／ベイジィンルウチィエンニィエングウダァオイイチイ／バッギインロウチィンニングウドウワイジイ

広州の歴史と北京路千年(2000年)の歩みを伝える北京路千年古道遺跡。2002年、北京路を整備する途中に、大量の砂岩とともに南越国の瓦片、古代の城壁や幾層もの断面が現れた。そこには深さ3.5mの地点にある「唐」、厚さ20cmの2層からなる「南漢」、1.3～2.3mの深さであわせて4層からなる「宋元」、地表から1mの深さの「明清」、0.5mの深さで石におおわれた「民国」というように、各時代の11層に重なった道路の遺構が現れた(また北宋から明清時代にいたる5層の拱北楼跡も出土した)。この千年古道遺跡は長さ44mで、幅3.8mの規模で、2003年、歩行街の中央で古道遺跡として閲覧できるように整備された。

中華書局広州分局旧址／中华书局广州分局旧址★☆☆

㊗ zhōng huá shū jú guǎng zhōu fēn jú jiù zhǐ ㊣ jung[1] wa[4] syu[1] gúk gwóng jau[1] fan[1] guk[3] gau[3] jí

ちゅうかしょきょくこうしゅうぶんきょくきゅうし／チョンフゥアシュウジュウグゥアンチョウフェンジュウジィウチイ／ジュウンワシュウグウッグゥオンジョウファンガッガウジイ

中華書局は1912年に上海で設立された出版社で、同年冬にここ広州でも分局(支店)が設立された。この中華書局広州分局旧址は1935年に建てられ、レンガを積み重ねたたたずまいが中華民国時代の建築様式をよく伝える。北京路に面

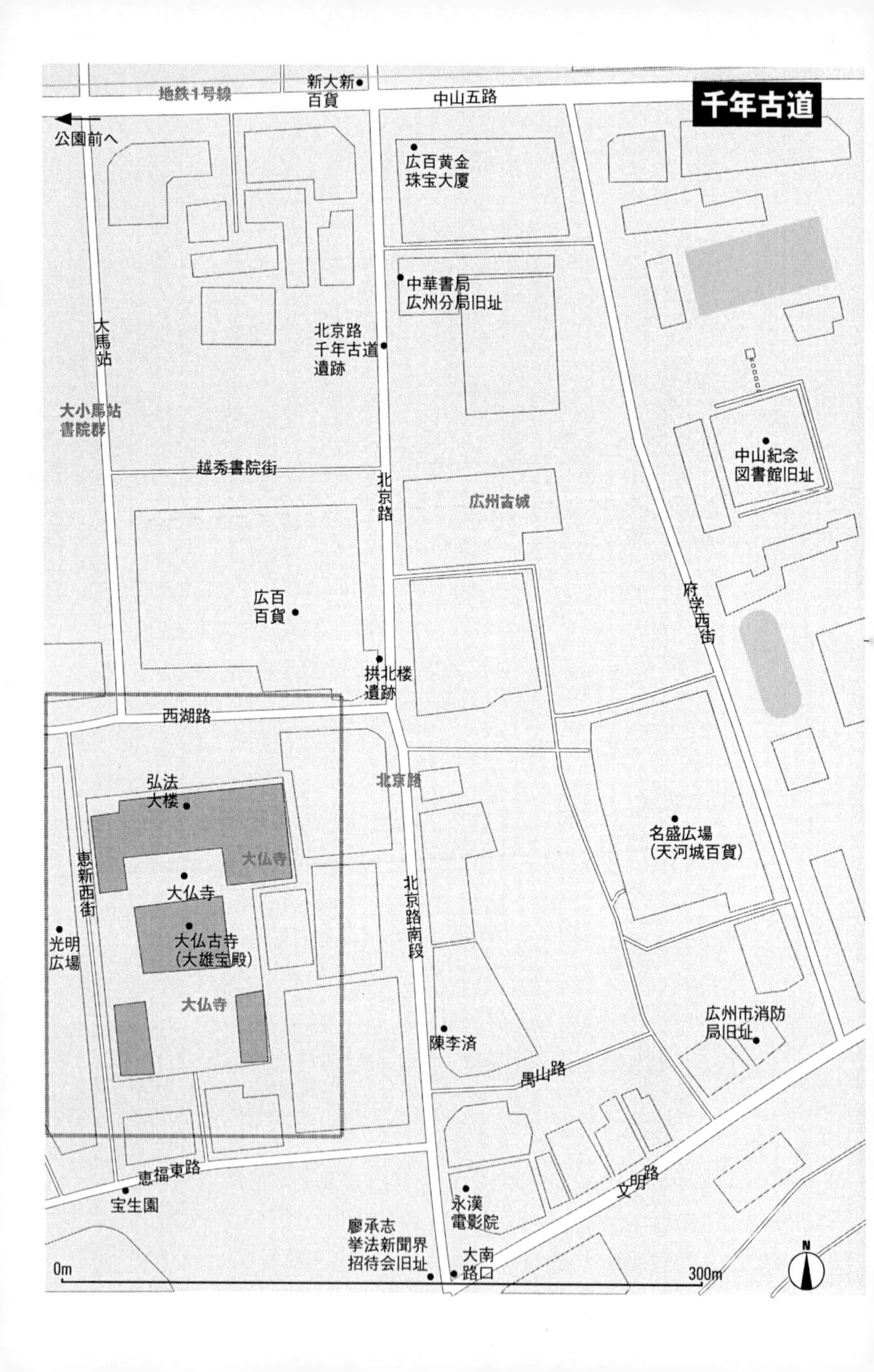
千年古道
地鉄1号線
新大新百貨
中山五路
公園前へ
広百黄金珠宝大厦
中華書局広州分局旧址
北京路千年古道遺跡
大馬站
大小馬站書院群
越秀書院街
北京路
広州古城
中山紀念図書館旧址
府学西街
広百百貨
拱北楼遺跡
西湖路
北京路
弘法大楼
大仏寺
大仏寺
恵新西街
大仏古寺（大雄宝殿）
大仏寺
光明広場
北京路南段
名盛広場（天河城百貨）
広州市消防局旧址
陳李済
禺山路
恵福東路
宝生園
文明路
永漢電影院
廖承志挙法新聞界招待会旧址
大南路口
0m
300m
N

する近代建築の代表的存在でもあり、幅13m、奥行き51m、6階建てとなっている（1階、2階は騎楼と呼ばれる雨をさけるためのアーケードとなっていて、高さ6m）1949年の解放後に中華書局は広州から撤退し、建物は広州市の管理となった。その後、1954年、新華書店から子供向け書店になるなど変遷した。

拱北楼遺跡／拱北楼遗址★☆☆

㊗ gǒng běi lóu yí zhǐ ㊜ gúng bak[1] lau[4] wai[4] ji

こうほくろういせき／ゴォンベェイロォウイイチイ／グウンバッラァウワイジイ

　広州古城のちょうど中心に立つこの街の象徴的建築であった拱北楼遺跡。拱北楼の前身は、唐代の906年に建てられ、清海軍節度使（劉龑）が暮らした象闕で、その正門を清海軍楼（青年文化宮付近）と呼んだ。その後、広州を都とした南漢から宋代へと時代は遷り、南宋の1244年に拱北楼は拡張さ

★★★

北京路／北京路 ベイジィンルウ／バッギインロウ
大仏寺／大佛寺 ダアフォオスウ／ダアイファッジイ
広州古城／广州古城 グゥアンチョウグゥチャン／グゥオンジョウグウシン

★★☆

中山路／中山路 チョンシャンルウ／ジュンサアンロウ
北京路千年古道遺跡／北京路千年古道遗址 ベイジィンルウチィエンニィエングウダァオイイチイ／バッギインロウチィンニングウドウワイジイ
弘法大楼／弘法大楼 ホォンファアダアロォウ／ワンファッダアイラァウ
恵福東路／惠福东路 フイフウドォンルウ／ワイフッドォンロウ
大小馬站書院群／大小马站书院群 ダアシャオマアチャアンシュウユゥエンチュン／ダアイシイウマアジャアムシュウユウンクワン

★☆☆

中華書局広州分局旧址／中华书局广州分局旧址 チョンフゥアシュウジュウグゥアンチョウフェンジュウジィウチイ／ジュウンワシュウグウクグゥオンジョウファンガッガウジイ
拱北楼遺跡／拱北楼遗址 ゴォンベェイロォウイイチイ／グウンバッラァウワイジイ
広百百貨／广百百货 グゥアンバァイバァイフゥオ／グゥオンバアッバアッフォオ
陳李済／陈李济 チェンリイジイ／チャンレイジャイ
大南路口／大南路口 ダアナァンルウコォウ／ダアイナアンロウハウ
永漢電影院／永汉电影院 ヨォンハァンディエンイィンユゥエン／ウィンホンディンイインユウン
大仏古寺（大雄宝殿）／大佛古寺 ダアフウグウスウ／ダアイファッグウジイ
西湖路／西湖路 シイフウルウ／サアイウウロウ
宝生園／宝生园 バオシェンユゥエン／ボウサアンユン
新大新百貨／新大新百货 シィンダアシィンバァイフゥオ／サアンダアイサアンバアッフォ
中山紀念図書館旧址／市立中山图书馆旧址 シイリイチョンシャントゥシュウグゥアンジィウチイ／ジョンサアンゲエイニントウシュウグウンガウジイ
広州市消防局旧址／广州市消防局旧址 グゥアンチョウシイシィアオファンジウジィウチイ／グゥオンジョウシイシイウフォンゴッガウジイ

れ、上に楼閣、下に左右ふたつの門があったことから、北京路は「ふたつの門をもつ拱北楼(双門楼)に通じる場所」を意味する「双門底」と呼ばれるようになった。元代の1316年に楼閣のうえに、銅壺滴漏がおかれいたといい、明清という時代をへて楼閣は大きくなり、譙楼とも、鼓楼とも呼ばれた。第2次アヘン戦争期間中に英仏軍が侵攻し、北京路の商店とともに拱北楼も破壊をこうむった。2002年に抱鼓石が発掘され、北京路と西湖路の交わるこの地は、現在も百貨大厦が立つなど、広州で一番の立地であると言える。

広百百貨/广百百货★☆☆

㊗ guǎng bǎi bǎi huò ㊘ gwóng baak[2] baak[2] fo[2]

こうひゃくひゃっか/グゥアンバァイバァイフゥオ/グゥオンバアッバアッフォオ

南北を走る北京路と、東西を走る西湖路の交わる広州でもっともにぎわう地点(北京路こと双門底の由来となった双門の拱北楼跡)に立つ広百百貨。専門店、卸売り店、化粧品や電化製品、ブランド、スポーツ、ファッション店などが入居する大規模商業施設で、広州の情報の発信地にもなっている。

陳李済/陈李济★☆☆

㊗ chén lǐ jì ㊘ chan[4] lei, jai[2]

ちんりせい/チェンリイジイ/チャンレイジャイ

明万暦年間の1600年から続き、北京同仁堂、杭州胡慶余堂とならぶ漢方店の陳李済。広東南海人李升佐が広州大南門(北京路)でわずか一間の漢方薬店をはじめ、ある日、珠江沿いの碼頭でまとまった銀を偶然見つけ、それを正直に落とし主の陳体全に返した。李升佐の正直な行ないに感動した落とし主の陳体全は、その銀の半分を李升佐の漢方薬店に投資し、「存心済世(性善説に立って、世を救済する)」を意味する「陳李済」の暖簾をかかげた。陳李済は清朝、民国、現代と繁盛を続け、清の同治帝が陳李済の追風蘇合丸を服薬していたことでも知られる。

騎楼は広東省や福建省、台湾、東南アジアで共通して見られる

幾層もの時代の足跡を積み重ねる北京路千年古道遺跡

ふたつの門(双門底)をもつ拱北楼は広百百貨あたりに立っていた

大南路口／大南路口★☆☆

㊇ dà nán lù kǒu ㊄ daai³ naam⁴ lou³ háu

だいなんろこう／ダアナァンルウコォウ／ダアイナアンロウハウ

北京路文化旅游区の南北の中軸線である北京路と大南路と、東西を走る文明路が交差する地点が大南路口。かつて大南門が立ち、ここが広州古城の正門にあたった(明清時代はさらにその南側に新城があった)。このあたりは明清時代に庶民の活力で大いににぎわい、近代にも北京路、文明路界隈は広州最高の繁栄を見せていた。華南特有の建築であるアーケード式の騎楼が続き、周囲には映画館やショッピングモールが立つ。

永漢電影院／永汉电影院★☆☆

㊇ yǒng hàn diàn yǐng yuàn ㊄ wing, hon² din³ yíng yún

えいかんでんえいいん／ヨォンハァンディエンイィンユゥエン／ウィンホンディンイインユウン

北京路と文明路の交差点に立つ映画館の永漢電影院。1927年に建てられた歴史をもち、当時の北京路の名称永漢路から永漢電影院と名づけられた(当時の広東省の政治家楊永泰にちなむ)。中国映画は1905年にはじまり、上海を中心としたが、広州の永漢電影院は黎明期から続く中国を代表する映画館にあげられる。広州の知識人が、この映画館で反帝国主義や抗日の映画を上映した。

廖承志挙法新聞界招待会旧址／廖承志举办新闻界招待会旧址★☆☆

㊇ liào chéng zhì jǔ bàn xīn wén jiè zhāo dài huì jiù zhǐ ㊄ liu³ sing⁴ ji² géui baan³ san¹ man⁴ gaai² jiu¹ doi³ wui³ gau³ jí

りょうしょうしきょほうしんぶんかしょうたいかいきゅうし／リィアオチェンチイジュウバァンシィンウェンジエチャオダァイフゥイジィウチイ／リウシンジイガイバアンサンマンガアイジウドイウイガウジイ

日本生まれの中国の政治家で、日本とも関係の深い廖承志(1908～83年)ゆかりの廖承志挙法新聞界招待会旧址。廖承志は1925年に中国共産党に入党し、1932年、国民党に逮捕、釈放、その後の1937年に日中戦争がはじまると香港を中心に活動した。1938年、国民党は中国共産党系組織の解散を発表し、「新華社日報」を3日間停止させた。そのとき国民党はこの建物のレストランで行なわれていたレセプションを妨害するために、秘密捜査官を派遣したが、廖承志は冷静に場をとりなし、『義勇軍進行曲』（共産党の軍歌で、現在の中国国歌）が高らかに歌われたという。大南路口に位置し、6階建ての近代建築となっている。

北京路の中心に位置する中華書局広州分局旧址

BURGER KING
BURGER KING
BLUE BEAR 蓝熊鲜奶
東

Da Fo Si

大仏寺城市案内

北京路文化旅游区のうち北京路D区に位置する大仏寺
1000年の歴史をもつ古寺の伝統を受け継いで
21世紀に入ってから巨大な弘法大楼が現れた

大仏寺／大佛寺★★★

㊗ dà fó sì ㊘ daai3 fat3 ji3

だいぶつじ／ダアフォオスウ／ダアイファッジイ

　嶺南仏教の名刹で、北京路千年を代表する仏教寺院の大仏寺。広州を都とした五代十国の南漢時代（917～971年）に建てられた歴史をもち、その後、宋、元、明代に拡建し、清初には広府五大叢林のひとつとなった。南漢の劉龑は深く仏教に帰依していて、都広州を東南西北の4つのエリアにわけ、それぞれ7つずつ、あわせて天の二十八宿（中国星座）に対応する南漢二十八寺を建立した。そして南漢二十八寺のひとつ新蔵寺が大仏寺の前身で、その後、荒廃と再建を繰り返した。明代、龍蔵寺と呼ばれて広大な寺域をもっていたこの寺も、清初（1649年）の戦火で焼けてしまった。当時、広州をおさめた平南王尚可喜（1604～76年）は、ベトナムの安南王父子を広州拱北楼に招いて、そのなかで仏教僧が仏教寺院（大仏寺）建立のための木材を求め、1663年に良質な楠木が広州に届いた（清朝が中国統一を進めるなかで、尚可喜は耿継茂とともに広東省を制圧し、耿継茂が福建に移駐すると広東に駐留して三藩のひとつ平南王となった）。こうして清朝皇帝を祝福するための仏教寺院が重建され、大雄宝殿におかれた高さ6m、重さ10トンの3体の大仏像から、寺院名の大仏寺が名づけられた。拱北楼（双門底）近くにあるこの大仏寺は清朝雍正帝時代、寺のなかで皇帝

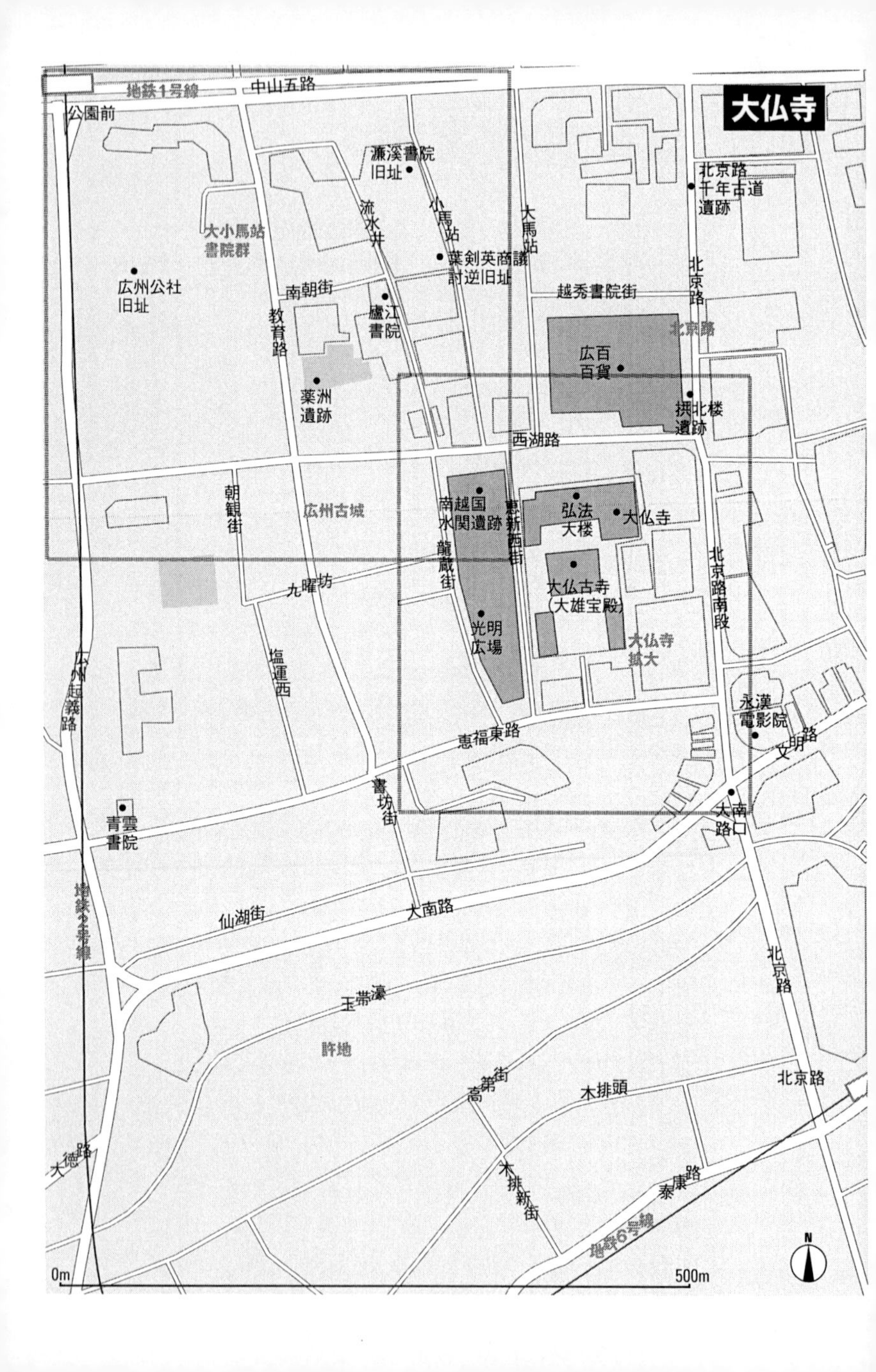
大仏寺
地鉄1号線
中山五路
公園前
濂溪書院
旧址
北京路
千年古道
遺跡
流水井
小馬站
大馬站
大小馬站
書院群
葉剣英商議
討逆旧址
広州公社
旧址
南朝街
北京路
越秀書院街
教育路
盧江
書院
北京路
広百
百貨
薬洲
遺跡
拱北楼
遺跡
西湖路
朝観街
南越国
水関遺跡
恵新西街
弘法
大楼
大仏寺
広州古城
龍蔵街
大仏古寺
(大雄宝殿)
九曜坊
北京路南段
光明
広場
大仏寺
拡大
塩運西
広州起義路
永漢
電影院
文明路
恵福東路
書坊街
大南
路口
青雲
書院
地鉄2号線
仙湖街
大南路
北京路
玉帯濠
許地
高第街
木排頭
北京路
大徳路
木排新街
泰康路
地鉄6号線
N
0m
500m

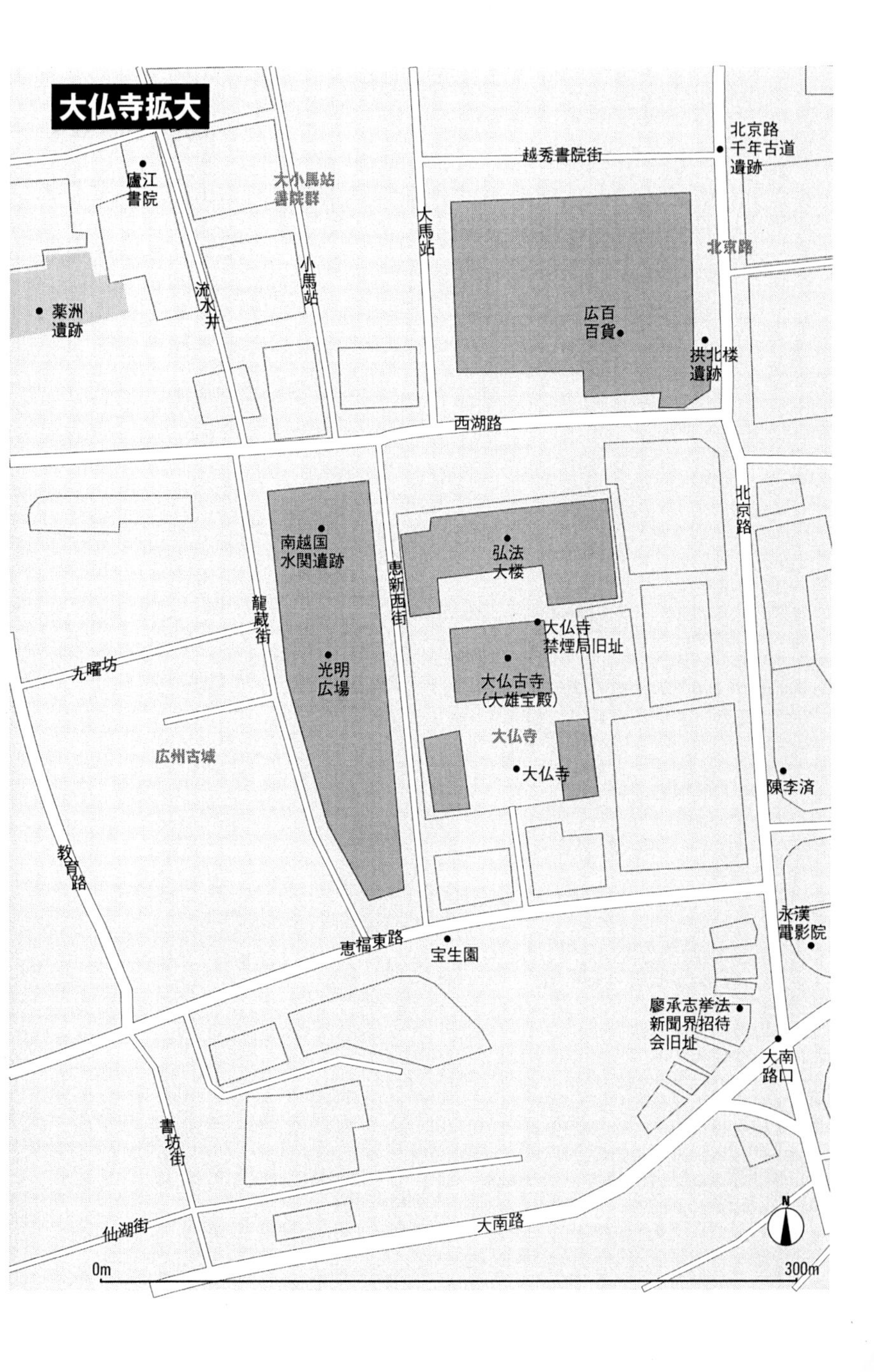

大仏寺拡大
越秀書院街
北京路
千年古道
遺跡
盧江
書院
大小馬站
書院群
大馬站
北京路
小馬站
流水井
薬洲
遺跡
広百
百貨
拱北楼
遺跡
西湖路
北京路
南越国
水関遺跡
弘法
大楼
恵新西街
龍蔵街
大仏寺
禁煙局旧址
光明
広場
大仏古寺
(大雄宝殿)
九曜坊
大仏寺
広州古城
大仏寺
陳李済
教育路
永漢
電影院
恵福東路
宝生園
廖承志挙法
新聞界招待
会旧址
大南
路口
書坊街
仙湖街
大南路
N
0m
300m

の命を伝える宜諭亭がおかれ、北京と広州を結ぶ役割を果たした（大仏寺、光孝寺、華林寺、海幢寺と、今はない長寿寺が清初の広州五大叢林だった）。西湖路と恵福東路のあいだに伽藍が位置し、壮大なたたずまいの9層の弘法大楼、鐘楼、鼓楼、天王殿、大雄宝殿、毘盧殿とともに、山門には「大道有岸、佛法無辺」の文言が見える。

★★★

大仏寺／大佛寺 ダアフォオスウ／ダアイファッジイ

北京路／北京路 ベイジィンルウ／バッギインロウ

広州古城／广州古城 グゥアンチョウグゥチャン／グゥオンジョウグウシン

★★☆

弘法大楼／弘法大楼 ホォンファアダアロォウ／ワンファッダアイラァウ

大仏古寺（大雄宝殿）／大佛古寺 ダアフウグウスウ／ダアイファッグウジイ

恵福東路／惠福东路 フイフウドォンルウ／ワイフッドォンロウ

大小馬站書院群／大小马站书院群 ダアシャオマアチャアンシュウユゥエンチュン／ダアイシイウマアジャアムシュウユウンクワン

北京路千年古道遺跡／北京路千年古道遗址 ベイジィンルウチィエンニィエングウダァオイイチイ／バッギインロウチィンニングウドウワイジイ

中山路／中山路 チョンシャンルウ／ジュンサアンロウ

★☆☆

大仏古寺（大雄宝殿）／大佛古寺 ダアフウグウスウ／ダアイファッグウジイ

大仏寺禁煙局旧址／大佛寺禁烟局旧址 ダアフォオスウジィンイェンジュウジィウチイ／ダアイファッジィガンインガッガウジイ

西湖路／西湖路 シイフウルウ／サアイウウロウ

南越国水関遺跡／南越国木构水闸遗址 ナァンユゥエグゥオムウゴォウシュイチャアイイチイ／ナアンユッグッオッムッカウソイジャッワイジイ

拱北楼遺跡／拱北楼遗址 ゴォンベェイロォウイイチイ／グウンバッラァウワイジイ

広百百貨／广百百货 グゥアンバァイバァイフゥオ／グゥオンバアッバアッフォオ

陳李済／陈李济 チェンリイジイ／チャンレイジャイ

大南路口／大南路口 ダアナァンルウコォウ／ダアイナアンロウハウ

永漢電影院／永汉电影院 ヨォンハァンディエンイィンユゥエン／ウィンホンディンイインユウン

廖承志挙法新聞界招待会旧址／廖承志举办新闻界招待会旧址 リィアオチェンチイジュウバァンシィンウェンジエチャオダァイフゥイジィウチイ／リウシンジイガイバアンサンマンガアイジウドイウイガウジイ

宝生園／宝生园 バオシェンユゥエン／ボウサアンユン

青雲書院／青云书院 チィンユゥンシュウユゥエン／チィンワンシュウユウン

濂渓書院旧址／濂溪书院旧址 リィエンシイシュウユゥエンジィウチイ／リムカイシュウユウンガオジイ

葉剣英商議討逆旧址（曾氏書院）／叶剑英商议讨逆旧址 イエジィアンイィンシャンイイタァオニイジィウチイ／イッギンイインショオンイイトオウイッガオジイ

盧江書院／庐江书院 ルウジィアンシュウユゥエン／ロウゴオンシュウユウン

薬洲遺跡／药洲遗址 ヤァオチョウイイチイ／ユッジョウワイジイ

起義路／起义路 チイイイルウ／ヘエイイイロウ

広州公社旧址／广州公社旧址 グゥアンチョウゴォンシェエジィウチイ／グゥオンジョウグウンセエガウジイ

大仏寺の歴史

南漢時代（917～971年）に建てられた仏教寺院の南漢二十八寺も、儒教を重んじる宋代に入ると、徐々に放棄された。元代に福田庵として再建され、明代に拡大されて龍蔵寺と名づけられたが、仏教の衰退とともにこの地は官吏の公署となっていた。大仏寺そばの龍蔵街は、龍蔵寺に由来する。清初期の1649年、平南王尚可喜、靖南王耿継茂が南征し、1650年に広州は陥落して、龍蔵寺（公署）は兵火で焼かれた（「両王入粤」）。その後、尚可喜はベトナムの安南王父子を拱北楼に招き、その酒宴のなかで仏僧が大仏寺再建のための木材を求めたことで、1663年、ベトナムから広州へ太さ2m、高さ10mを超す良質な楠木が届いた。こうして龍蔵寺の跡地に大仏寺が再建され、平南王尚可喜は仏教に帰依して、全盛期の大仏寺の伽藍は北京路、龍蔵街、南は恵福東路まで広がっていた。太平天国が起こると大仏寺の敷地はまた官吏の役所となり、中華民国時代の1922年、大仏寺に善後局がおかれ、北伐の資金調達のために大仏寺の資産も競売にかけられた（封建的なもの、迷信的なものが否定され、仏教も弾圧された）。1949年に新中国が建国されたとき、大仏寺には十数人の僧侶がいて、紙傘や紙箱をつくりながら日銭を稼いでいたという。やがてこれらの仏僧も大仏寺から追放され、仏像も解体されてしまった。こうしたなか、1978年から改革開放がはじまると、1986年に大仏寺が再建され、仏教僧も再誘致された。

弘法大楼／弘法大楼★★☆

㊗ hóng fǎ dà lóu ㊛ wang⁴ faat² daai³ lau⁴

こうほうだいろう／ホォンファアダアロォウ／ワンファッダアイラァウ

西湖路に面した大仏寺のファザードにあたり、新たな大仏寺の顔として、5年がかりで2016年に完成した弘法大楼。地上7階、地下2階からなる9層の建築は、古楼閣を模して設計され、広州北側の越秀山鎮海楼と対峙するように堂々としたたたずまいを見せる。この弘法大楼の伽藍は、平面ではなく垂直（縦）に展開し、1、2階は毘盧殿、3階は大礼堂、4階は念仏堂、5階は蔵書23万あまりを抱える仏教図書館、6、7階は瞑想や修行のできる禅堂と万仏閣となっている。山門に示された「大道有岸、佛法無辺」の言葉の通り、弘法大楼という名称は仏法があまねくひろまっていくところ（弘法）からつけられている。この弘法大楼の落成にあたって、漢の武帝時代より南海から東南アジア、スリランカ、インドへいたる海のシルクロードの拠点であった広州の性格をふまえて、東南アジアやスリランカの仏僧が招かれた。夜にはまばゆい光を放つ。

大仏古寺（大雄宝殿）／大佛古寺★☆☆

㊗ dà fú gŭ sì ㋫ daai[3] fat[3] gú ji[3]

だいぶつこじ（だいゆうほうでん）／ダアフウグウスウ／ダアイファッグウジイ

大仏寺弘法大楼の奥に残る古いたたずまいをした大仏古寺。この寺院の本殿にあたることから大雄宝殿、大仏寺大殿ともいう。大仏寺は南漢（917〜971年）時代に建てられ、その後、宋、元、明代と荒廃と再建を繰り返し、清初の1663年に現在の姿となった。そのとき平南王尚可喜（1604〜76年）が拱北楼で安南王父子を招いて酒宴を開き、ベトナムの木材を求め、太さ2m、高さ10mを超す質の高い楠木が届いたことで、この大仏古寺が建てられた。そして、この大雄宝殿に高さ6m、重さ10トンという巨大な釈迦牟尼仏（大仏）が安置され、それまでの龍蔵寺という名称から、大仏寺という新しい名前になった。中華民国時代（20世紀）に入ると、住宅を再建するために大仏寺の資産が売却され、この大仏古寺（大雄宝殿）だけが残ることになった。その後、1965年にはじまる文化大革命のときに大仏寺の大仏も破壊されそうになったが、当時の首相周恩来の指示で珠江南岸に運び出されたために救われた。1990年代に大仏古寺が再建されたとき、大仏もまたここに安置され、中央に釈迦牟尼仏、左右に阿弥陀如来

こちらは清代以来の大仏古寺（大雄宝殿）

仏教が篤く信仰された南関時代より伝統が受け継がれている

紀元前の水門跡が残る南越国水関遺跡

弘法大楼にまつられた仏さま、伽藍は垂直に展開する

大仏寺の新たな顔となった弘法大楼

と弥勒菩薩が鎮座している。3体はそれぞれ異なる仕草で、過去、現在、未来を示すといい、「嶺南大仏の冠」とたたえられる。

大仏寺禁煙局旧址／大佛寺禁烟局旧址★☆☆

㊗ dà fó sì jìn yān jú jiù zhǐ ㊗ daai3 fat3 ji3 gam2 yin1 guk3 gau3 ji

だいぶつじきんえんきょくきゅうし／ダアフォオスウジィンイェンジュウジィウチイ／ダアイファッジィガンインガッガウジイ

アヘン戦争(1840～42年)は、中国特産品の茶を輸入することで出た貿易赤字を相殺するため、イギリスが中国にアヘンを輸出したことで起こった。19世紀当時、外国との対外窓口のあった広州では、アヘン吸引者があふれていて、福建省出身の官吏林則徐(1785～1850年)はアヘン禁煙論を上奏して皇帝に認められ、アヘン問題に全権をもつ欽差大臣としてこの問題にあたった。1839年、珠江をさかのぼって天字碼頭から広州に上陸した林則徐は、街の中心部の大仏寺に禁煙局をおいた。林則徐は事態を調べるために身分をいつわって、街のいたるところに潜入し、広東各地のアヘン吸引道具を集めさせた。そして、薬を配る一方で、イギリスにアヘンをもちこまないように強い態度でのぞんだ。林則徐のアヘン政策は効果をあげたが、のちにイギリスは軍艦外交で対抗し、アヘン戦争に突入した。

西湖路／西湖路★☆☆

㊗ xī hú lù ㊗ sai1 wu4 lou3

せいころ／シイフウルウ／サアイウウロウ

北京路から西に伸びる西湖路は、広百百貨、光明広場などの大型ショッピングモールや大仏寺が集まり、広州最大の繁華街をつくる。西湖路という通り名は、広州に都をおいた南漢(917～971年)の離宮があった西湖(薬洲)からつけられている(西湖近くの西湖路は、ちょうど南漢興王府の南壁にあたった)。1932年に馬路となり、長さ461m、幅13mで、春節には迎春花市が行なわれる。南越国水関遺跡が残ることからも、かつてはこの地が珠江と面した場所だったと考えられている。また通りの北側には大小馬站書院群が残っている。

南越国水関遺跡／南越国木构水闸遗址★☆☆

㊗ nán yuè guó mù gòu shuǐ zhá yí zhǐ 広 naam4 yut3 gwok2 muk3 kau2 séui jaap3 wai4 jí

なんえつこくすいかんいせき／ナァンユゥエグゥオムウゴォウシュイチャアイイチイ／ナアンユッグッオッムッカウソイジャッワイジイ

南越国水関遺跡は、珠江の水を広州城内に吸水するための水利施設で、今から2000年以上前につくられた（ここは番禺城、南の城壁でもあり、珠江の北岸にあたった）。珠江の潮があがると水門を下げて、潮が街に逆流してくるのを防ぎ、雨季には水門を開いて街の外に水を排出した。木製の杭を打ち込んで運河の壁を補強してあるが、その木は2000年以上も腐っていないことが特筆される。閘の広さは5m、南北35mで、南が低く、北が高くなっていて、「八」の字型で開いている。恵福東路、光明広場の地下で2000年に発見され、光明広場は1階全体が遺産博物館となっている。南越国時代のもののほか、後漢、晋、南朝、唐、宋などの遺構も発見されている。

恵福東路／惠福东路★★☆

㊗ huì fú dōng lù 広 wai3 fuk1 dung1 lou3

けいふくとうろ／フイフウドォンルウ／ワイフッドォンロウ

中華老字号が集まり、美食街として知られる長さ280m、幅21mの歩行街、恵福東路。明代、広州巡撫の夫人が難産になったとき、巡撫の夢に仙人が出てきて、「金花娘娘（金花神）を探すように」とつげられた。巡撫は恵福東路で金花神を見つけ、母子の安全を祈ると、夫人は無事出産した。そして金花娘娘（金花神）をまつる金花廟を建て、この廟は恵福祠ともいったことから、恵福巷となった。大仏寺の前面にあたるこの通りは清代には寺前街といい、民国時代の1919年に馬路となった。恵福東路と近くの塩運西正街（清朝の塩運司所があった）には1930年代に建てられた欧風建築、また騎楼が残っている。

宝生園／宝生园★☆☆

㊗ bǎo shēng yuán ㊗ bóu saang¹ yun⁴

ほうしょうえん／バオシェンユゥエン／ボウサアンユン

1924年、南海の教師であった梁少川がつくった広東養蜂場をはじまりとする宝生園。1930年代にここ北京路に進出し、近代養蜂の先がけの広州蜂蜜店として知られた。カルシウムが豊富な蜂蜜、ライチの蜂蜜、ロイヤルゼリーなどをあつかい、宝生園は養蜂から加工、生産、販売までを行なっている。

青雲書院／青云书院★☆☆

㊗ qīng yún shū yuàn ㊗ ching¹ wan⁴ syu¹ yún

せいうんしょいん／チィンユゥンシュウユゥエン／チィンワンシュウユウン

1671年、肇慶を本拠とする梁氏によって、広州に建てられた青雲書院(千乗侯祠)。広東省の梁姓宗族が、広州での科挙に参加するときに、ここに宿泊し、一族の税務や訴訟などもあつかった。七十二賢(孔子の弟子)のひとり叔魚公こと千乗侯がまつられていることから、千乗侯祠ともいう。奥に中庭が連なる開放的な嶺南様式の祠堂で、幅は14.5m、奥行は36.6mになる(1918年の起義路建設にあたって、この青雲書院を通って道路が走ることになり、規模が小さくなった)。書院内は石彫り、炭彫り、木彫りなどで彩られ、現在は茶器や漆器のほか現代美術も展示されている。

夜にはライトアップされて鮮烈な光を放つ

広州を代表する美食街となっている恵福東路

北京路から西湖路あたりにかけてがもっともにぎわっている

Da Xiao Ma Zhan

大小馬站城市案内

**文人たちが集まった書院がならぶ大小馬站書院群
路地裏には明清時代を思わせる光景が続くほか
近代広州ゆかりの起義路や広州公社旧址も残る**

大小馬站書院群／大小马站书院群★★☆

㊗ dà xiǎo mǎ zhàn shū yuàn qún ㊖ daai[3] síu ma, jaam[3] syu[1] yún kwan[4]

だいしょうまたんしょいんぐん／ダアシャオマアチャアンシュウユゥエンチュン／ダアイシイウマアジャアムシュウユウンクワン

北京路と並行して走り、西湖路と交差する路地の大馬站と小馬站には、清代、いくつも書院が建てられ、それらが大小馬站書院群と総称されている。馬站という名称は、宋代、このあたりに馬軍を駐屯させる馬兵站があったことにちなみ、流水井や南朝街といった地名の路地も残っている。大小馬站書院群として書院が密集しているのは、広州で行なわれた科挙に合格すれば、富と名声が得られるためで、広東省内の出自を同じくする同姓宗族が次々と書院を建て、受験のための宿泊や互助組織として活用された。科挙が興隆期に入った清代、広州にある書院の数は全国有数だったと言われ、とくに広東府学にも近い大馬站と小馬站に書院が集まっていた。清末の科挙廃止にともなって大小馬站書院群も廃れたが、近年になって復興が進んだ。大馬站が長さ276m、幅4m、小馬站が長さ258m、幅3mの路地で、廬江書院、考亭書院、冠英書院、曾氏書院(葉剣英商議討逆遺址)、濂溪書院(周家祠)、見大書院などが残っている。

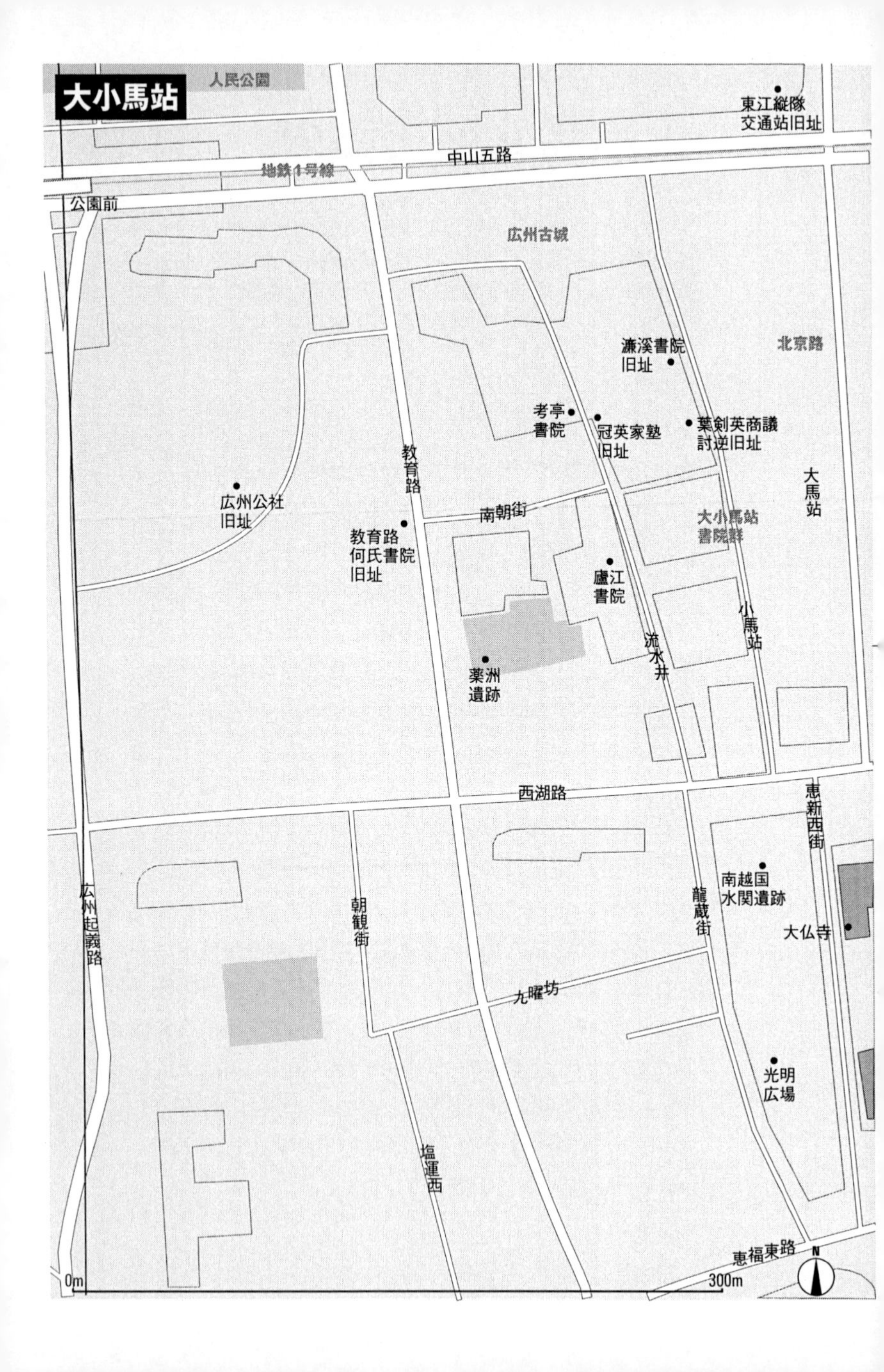
大小馬站
人民公園
東江縦隊
交通站旧址
中山五路
地鉄1号線
公園前
広州古城
濂溪書院
旧址
北京路
考亭
書院
冠英家塾
旧址
葉剣英商議
討逆旧址
教育路
大馬站
広州公社
旧址
南朝街
大小馬站
書院群
教育路
何氏書院
旧址
盧江
書院
小馬站
流水井
薬洲
遺跡
西湖路
恵新西街
南越国
水関遺跡
広州起義路
朝観街
龍蔵街
大仏寺
九曜坊
光明
広場
塩運西
恵福東路
0m
300m
N

考亭書院／考亭书院★☆☆

㊥ kǎo tíng shū yuàn ㊟ háau ting4 syu1 yún

こうていしょいん／カァオティンシュウユゥエン／ハアウテンシュウユウン

宋代に朱子学を大成した学者朱熹(1130～1200年)につらなる系譜をもつ朱氏の考亭書院。朱熹の一族は南遷して福建省北部(建陽)に竹林精舎を建て、晩年の朱熹は政治から離れて講学を行なった。その後、竹林精舎は1244年に南宋皇帝理宗から考亭書院の扁額をたまわったが、元の侵攻を受けて、朱一族は新寧(現在の台山)に移住し、やがて広州のこの地に書院を建てた(儒教での朱熹の地位が高まり、書院の数も増えていった)。3層、高さ13mで、南側には照壁があり、その奥に中庭がつらなる三進祠堂となっている。朱熹をまつる朱家祠でもある。

★★★

広州古城／广州古城 グゥアンチョウグゥチャン／グゥオンジョウグウシン

北京路／北京路 ベイジィンルウ／バッギインロウ

大仏寺／大佛寺 ダアフォオスウ／ダアイファッジイ

★★☆

大小馬站書院群／大小马站书院群 ダアシャオマアチャアンシュウユゥエンチュン／ダアイシイウマアジャアムシュウユウンクワン

中山路／中山路 チョンシャンルウ／ジュンサアンロウ

恵福東路／惠福东路 フイフウドォンルウ／ワイフッドォンロウ

★☆☆

考亭書院／考亭书院 カァオティンシュウユゥエン／ハアウテンシュウユウン

冠英家塾旧址／冠英家塾旧址 グゥアンイィンジィアシュウジィウチイ／グゥンイインガアソックガオジイ

濂溪書院旧址／濂溪书院旧址 リィエンシイシュウユゥエンジィウチイ／リムカイシュウユウンガオジイ

葉剣英商議討逆旧址(曾氏書院)／叶剑英商议讨逆旧址 イエジィアンイィンシャンイイタァオニイジィウチイ／イッギンイインショオンイイトオウイッガオジイ

廬江書院／庐江书院 ルウジィアンシュウユゥエン／ロウゴオンシュウユウン

教育路何氏書院旧址／教育路何氏书院旧址 ジィアオユウルウハアシイシュウユゥエンジィウチイ／ガアウユッロウホウシイシュウユウンガオジイ

薬洲遺跡／药洲遗址 ヤァオチョウイイチイ／ユッジョウワイジイ

起義路／起义路 チイイイルウ／ヘエイイイロウ

広州公社旧址／广州公社旧址 グゥアンチョウゴォンシェエジィウチイ／グゥオンジョウグウンセエガウジイ

西湖路／西湖路 シイフウルウ／サアイウウロウ

南越国水関遺跡／南越国木构水闸遗址 ナァンユゥエグゥオムウゴォウシュイチャアイイチイ／ナアンユッグゥオッムッカウソイジャッワイジイ

人民公園／第一公园旧址 ディイイゴォンユゥエンジィウチイ／ダイヤッゴォンユウンガウジイ

東江縦隊交通站旧址／东江纵队交通站旧址 ドォンジィアンゾォンドゥイジィアオトォンチャンジィウチイ／ドゥンゴオンジュンドゥイガアウトゥンジャアムガオジイ

冠英家塾旧址／冠英家塾旧址★☆☆

㊗ guān yīng jiā shú jiù zhǐ ㊗ gun[1] ying[1] ga[1] suk[3] gau[3] ji

かんえいかじゅくきゅうし／グゥアンイィンジィアシュウジィウチイ／グゥンイインガアソックガオジイ

冠英家塾旧址は、考亭書院と路地をはさんで立つ保存状態のよい書院建築。広東省江門市台山に本拠をもつ馬家一族によるもので、清朝同治年間(1856～75年)に創建された。馬家祠、冠英別墅、冠英書塾ともいう。

濂溪書院旧址／濂溪书院旧址★☆☆

㊗ lián xī shū yuàn jiù zhǐ ㊗ lim[4] kai[1] syu[1] yún gau[3] ji

れんけいしょいんきゅうし／リィエンシイシュウユゥエンジィウチイ／リムカイシュウユウンガオジイ

北宋時代の1068年、廬山蓮花洞に建てられた濂溪書院につらなる周家の濂溪書院旧址。広東省の地方官吏をつとめた周敦頤は多くの業績を残し、1175年に周敦頤を記念して広州府武安街転運司署旧址に建てられた濂溪書院を前身とする。その濂溪書院は元代に破壊をこうむり、明代、越秀山下で再建された。その後、清朝康熙年間(1654～1722年)に周敦頤の子孫が小馬站に濂溪書院を重建したのが現在の濂溪書院旧址で、三路、三線からなる祠堂建築で、周氏の家廟でもある。

葉剣英商議討逆旧址(曾氏書院)／叶剑英商议讨逆旧址★☆☆

㊗ yè jiàn yīng shāng yì tǎo nì jiù zhǐ ㊗ yip[3] gim[2] ying[1] seung[1] yi, tóu yik[3] gau[3] ji

ようけんえいしょうぎとうぎゃくきゅうし(そうししょいん)／イエジィアンイィンシャンイイタァオニイジィウチイ／イッギンイインショオンイイトオウイッガオジイ

大小馬站書院群のひとつ曾家祠(曾姓祠堂、崇聖公祠、曾氏書院)は、葉剣英商議討逆旧址として開館している。孫文を中心とする政府が広州にあったが、1922年、陳炯明のクーデターによって孫文は広州を追われた。一方、孫文のもとにいた葉剣英(1897～1986年)はここ曾家祠で、密かに陳炯明を攻撃する計画を話しあい、海外の華僑や香港へ電報を打った(その後、孫文は広州に返り咲いた)。やがて葉剣英は中国共産党に入党し、要職をつとめることになった。葉剣英商議討逆旧址は幅

大小馬站書院群へ続く路地、文化の香りがする街並み

近代広州の歴史が刻まれた広州公社旧址

南関時代の離宮がここにあった、薬洲遺跡

西湖路からなかに入ったところにある廬江書院（嶺南金融博物館）

23.55m、深さ9.9mで、レンガづくりの建築となっている。

盧江書院／庐江书院★☆☆

㊗ lú jiāng shū yuàn ㊎ lou⁴ gong¹ syu¹ yún

ろこうしょいん／ルウジィアンシュウユゥエン／ロウゴオンシュウユウン

盧江書院は、大小馬站書院群のなかでもっとも美しい建築にあげられ、広州と肇慶の何氏による宗祠であることから、何家祠ともいう。何氏は南宋から清朝まで文人や官吏を輩出してきた由緒正しい家柄で、盧江書院は1808年に建てられたあと、何度か改修されている。幅11.6m、奥行41.8mで、門楼から中堂、後堂、魁星楼へと続いていく。現在は嶺南金融博物館として開館していて、清代の広州十三行貿易時代に生まれた銀行、保険、証券といった金融についての展示が見られる。

教育路何氏書院旧址／教育路何氏书院旧址★☆☆

㊗ jiào yù lù hé shì shū yuàn jiù zhǐ ㊎ gaau² yuk³ lou³ ho⁴ si³ syu¹ yún gau³ jí

きょういくろかししょいんきゅうし／ジィアオユウルウハアシイシュウユゥエンジィウチイ／ガアウユッロウホウシイシュウユウンガオジイ

教育路何氏書院旧址は、清代、梅州の何氏の建てた書院で、(盧江書院と異なる)もうひとつの何氏書院として知られる。幅11m、奥行29mで三間三進の建築で、双鸞書院ともいう。1938年に日本軍が広州を爆撃した廃墟のなかから掘り出された「何氏書院」の扁額が設置されている。

薬洲遺跡／药洲遗址★☆☆

㊗ yào zhōu yí zhǐ ㊎ yeuk³ jau¹ wai⁴ jí

やくしゅういせき／ヤァオチョウイイチイ／ユッジョウワイジイ

五代十国時代、広州に都をおいた南漢(917～971年)の御苑を前身とする薬洲遺跡。919年、南漢王劉龑がこの一帯(西湖路、教育路)にもともとあった天然池沼を、罪人に工事をあたらせ、約1600m続く西湖が開削された。この王宮庭園は南漢興王府の南壁に面していて、その中心に仙湖(西湖)があり、御苑内には9つの名石がおかれ、九曜園と名づけられた。また劉龑は湖中の島に多くの薬用材料(漢方薬のもと)を植え、錬金術師を集めて練炭や仙薬をつくらせ、不老不死の術を求めた。薬洲という名前は、ここに方士を集めて仙丹をねったことに由来する。米芾、翁方綱、阮元、陳澧といった文人がこの庭園で、茶を飲み、船を浮かべたという。明代、「薬洲春暁」として羊城八景にもあげられていたが、やがて水源が遮断されて湖は縮小し、西湖路という地名が残るばかりとなっていた。こうしたなか1993年に再建され、五代十国南漢の門楼、碑廊を今に伝える薬洲遺跡となっている。

起義路／起义路★☆☆

㊗ qǐ yì lù 広 héi yi³ lou³

きぎろ／チイイイルウ／ヘエイイイロウ

人民公園から南に伸び、広州中軸線にあたる起義路。1911年の辛亥革命以後、広州の街の構造は大きく変わり、長さ525m、幅27mの起義路が新たな中軸線(近代中軸線)として整備された。1919年当初、この通りは維新路と呼ばれていたが、1948年に中正路となり、1966年に起義路となった。それは1927年、この地でソビエト政府を樹立した広州起義(広州コミューン)が起こったことに由来する。起義路の両側には騎楼が残り、道は珠江に面する海珠広場まで伸びている。

広州公社旧址／广州公社旧址★☆☆

㊗ guǎng zhōu gōng shè jiù zhǐ 広 gwóng jau¹ gung¹ se, gau³ jí

こうしゅうこうしゃきゅうし／グゥアンチョウゴォンシェエジィウチイ／グゥオンジョウグウンセエガウジイ

中華民国時代の1927年12月11日、張太雷、蘇兆徴、葉挺、葉剣英、コミンテルン代表H・ノイマンなどが広州起義を行なった広州公社旧址。広州起義(広州コミューン)とは、「土地を農民へ」「労働者に食物を」「すべての権力をソビエトへ」をスローガンとするソビエト政権を樹立したことで、のちの新中国につながるものとして歴史的に評価されている。広州起義では公安局を占領し、人民政府(広州公社)が樹立されたが、国民党の反撃を受けて3日間で崩壊した。広州公社旧址は黄色の外観をもつ2階建ての建物で、平面は凹型プランをもっている。1959年、広東革命歴史博物館として開館した。

天河城百货
天河城百货
Cabbeen
奔腾T99
万元起
斗米 APP
斗米一下
马上入职
禮記餅家
禮記餅家
ANTA SPOR
东方眼镜
社会主
民
富强
自由

Bei Jing Lu Bei Duan

北京路北段城市案内

中山路より北側を北京路C区という
南越国の王宮があったのもこのあたりで
こちらは広州の政治の中心がおかれてきた

北京路北段／北京路北段★★☆

㊗ běi jīng lù běi duàn ㊗ bak[1] ging[1] lou[3] bak[1] dyun[3]

ぺきんろほくだん／ベェイジィンルウベェイドゥアン／バッギンロウバッデュン

広東財政庁旧址からまっすぐ南に伸びる北京路北段。中山五路より南のエリア(洪北楼のあった)が1000年にわたって商業地として栄えてきたのに対して、北段は南越国時代より2000年のあいだ政治や行政の中心地であった。とくに中華民国時代、広東財政庁旧址を中心とした行政府がおかれ、孫中山、蒋介石、宋子文、魯迅といった人たちゆかりの場所でもある。北京路北段の両脇には左右対称に3～5階建ての建築がならび、3.5mほどの幅の騎楼が続いていて、20世紀初頭のたたずまいを残している。北京路南段とのあいだを走る中山五路は、かつて恵愛路と呼ばれていた。

新大新百貨／新大新百货★☆☆

㊗ xīn dà xīn bǎi huò ㊗ san[1] daai[3] san[1] baak[2] fo[2]

しんだいしんひゃっか／シィンダアシィンバァイフゥオ／サアンダアイサアンバアッフォ

北京路と中山五路の交わる最高の立地に立つ新大新百貨。広州でもっとも由緒正しいショッピングモールで、オーストラリア華僑の蔡昌、蔡興が1914年に開業した(1912年に香港で最初に開業し、好調であったため広州にも進出した)。小売のほかに屋上遊芸場、酒や飲みものを出す店、写真、浴室、理髪店、

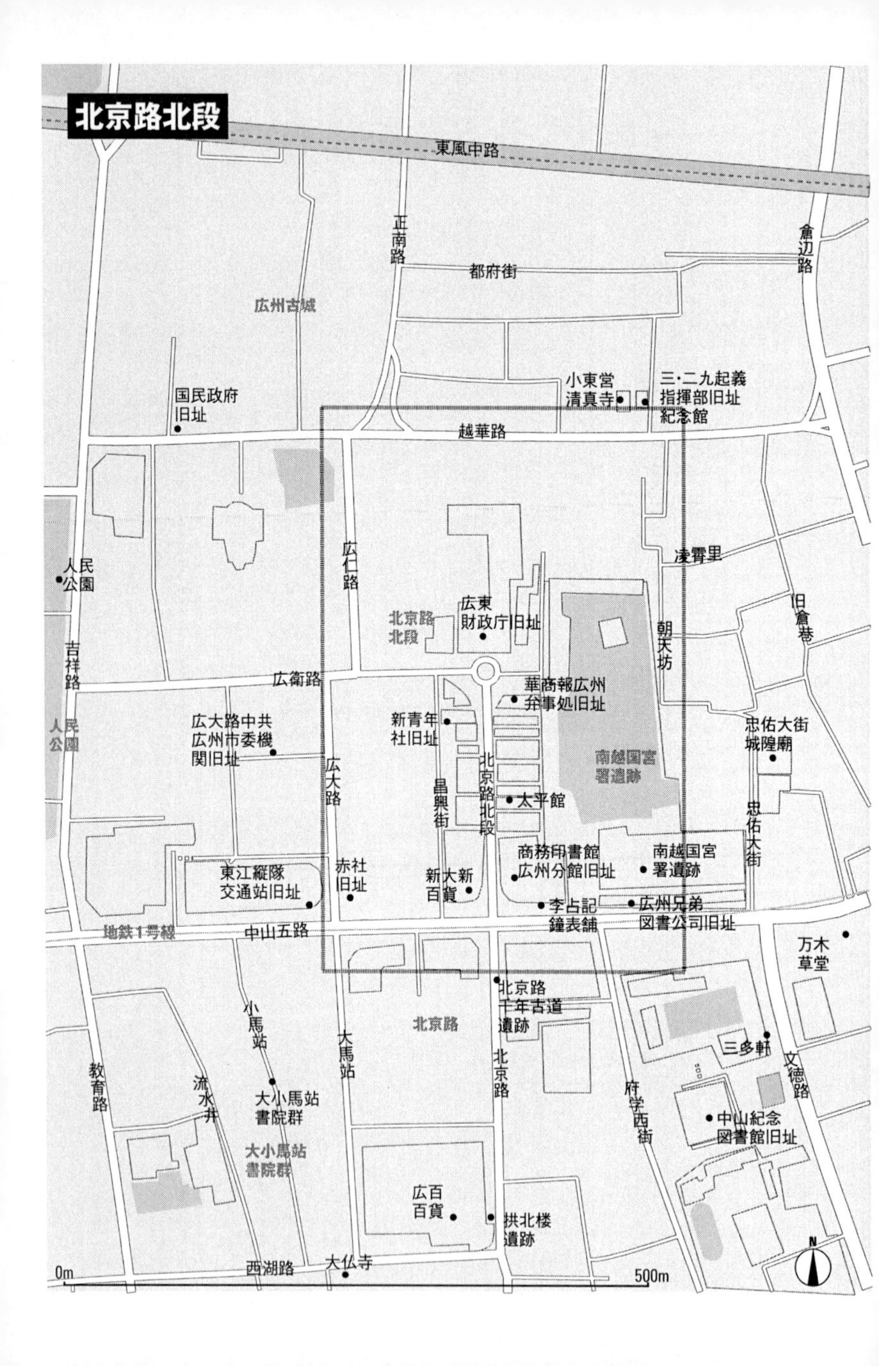
北京路北段
東風中路
正南路
都府街
倉边路
広州古城
小東営
清真寺
三・二九起義
指揮部旧址
紀念館
国民政府
旧址
越華路
広仁路
凌霄里
人民
公園
旧倉巷
広東
財政庁旧址
北京路
北段
朝天坊
吉祥路
広衛路
華商報広州
弁事処旧址
新青年
社旧址
忠佑大街
城隍廟
人民
公園
広大路中共
広州市委機
関旧址
広大路
昌興街
北京路北段
南越国宮
署遺跡
太平館
忠佑大街
商務印書館
広州分館旧址
南越国宮
署遺跡
東江縦隊
交通站旧址
赤社
旧址
新大新
百貨
李占記
鐘表舗
広州兄弟
図書公司旧址
地鉄1号線
中山五路
万木
草堂
北京路
千年古道
遺跡
小馬站
北京路
大馬站
三多軒
教育路
流水井
大小馬站
書院群
北京路
府学西街
文徳路
中山紀念
図書館旧址
大小馬站
書院群
広百
百貨
拱北楼
遺跡
0m
西湖路
大仏寺
500m
N

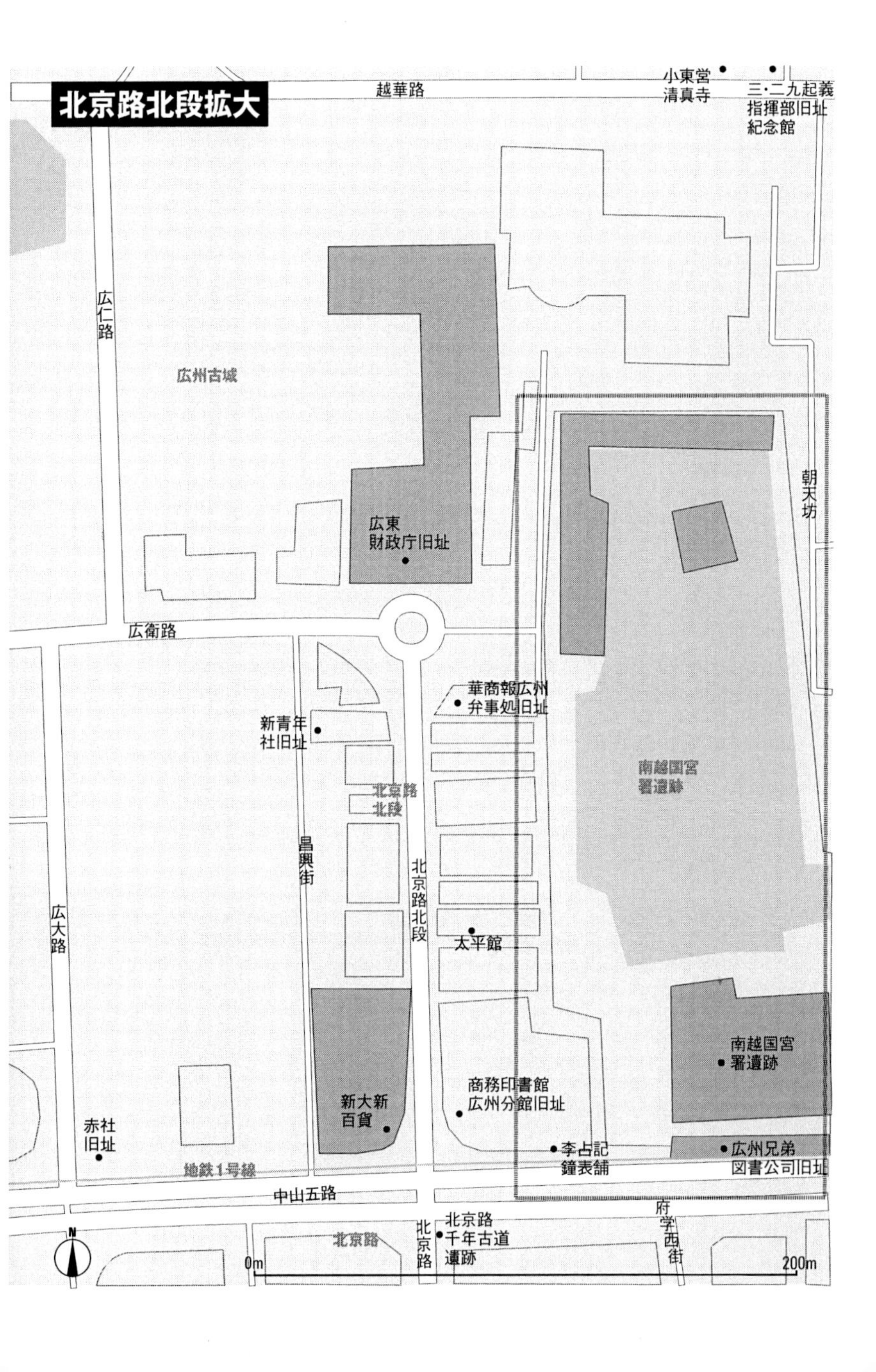
北京路北段拡大
越華路
小東営
清真寺
三·二九起義
指揮部旧址
紀念館
広仁路
広州古城
広東
財政庁旧址
朝天坊
広衛路
華商報広州
弁事処旧址
新青年
社旧址
南越国宮
署遺跡
北京路
北段
昌興街
北京路北段
太平館
広大路
南越国宮
署遺跡
商務印書館
広州分館旧址
新大新
百貨
赤社
旧址
李占記
鐘表舗
広州兄弟
図書公司旧址
地鉄1号線
中山五路
府学西街
北京路
北京路
北京路
千年古道
遺跡
N
0m
200m

レストラン、ホテルをそなえ、それらを「百貨」と総称して経営された。同時期に珠江沿いの西堤にも、同系列、12階建ての百貨店が建てられたため、こちらは城内大新（広州城内の大

★★★

広州古城／广州古城 グゥアンチョウグゥチャン／グゥオンジョウグウシン

北京路／北京路 ベイジィンルウ／バッギインロウ

大仏寺／大佛寺 ダアフォオスウ／ダアイファッジイ

南越国宮署遺跡／南越国宫署遗址 ナァンユゥエグゥオゴンシュウイイチイ／ナアンユッグゥオッグウンチュウワイジッ

★★☆

中山路／中山路 チョンシャンルウ／ジュンサアンロウ

北京路千年古道遺跡／北京路千年古道遗址 ベイジィンルウチィエンニィエングウダァオイイチイ／バッギインロウチィンニングウドウワイジイ

大小馬站書院群／大小马站书院群 ダアシャオマアチャアンシュウユゥエンチュン／ダアイシイウマアジャアムシュウユウンクワン

北京路北段／北京路北段 ベェイジィンルウベェイドゥアン／バッギンロウバッデュン

広東財政庁旧址／广东财政厅旧址 グゥアンドォンツァイチェンティンジィウチイ／グゥオンドォンチョイジィンテエンガオジイ

忠佑大街城隍廟／忠佑大街城隍庙 チョンヨォウダアジエチェンフゥアンミィアオ／ジュウンヤオダアイガアイシンウォンミィウ

万木草堂／万木草堂 ワンムゥツァオタン／マアンムッチョオウトン

★☆☆

新大新百貨／新大新百货 シィンダアシィンバァイフゥオ／サアンダアイサアンバアッフォ

商務印書館広州分館旧址／商务印书馆广州分馆旧址 シャンウウイィンシュウグゥアングゥアンチョウフェングゥアンジィウチイ／ショオンモウヤンシュウグウングゥオンジョウファングウンガウジイ

李占記鐘表舗／李占记钟表铺 リイチャンジイチョンビィアオプウ／レイジインゲイジュウンビイウボウ

太平館／太平馆 タァイピングゥアン／タアイペングウン

昌興街／昌兴街 チャンシィンジエ／チュアンヒィンガアイ

新青年社旧址／新青年社旧址 シィンチィンニィエンシェエジィウチイ／サンチィンニンセエガオジイ

国民政府旧址／国民政府旧址 グゥオミィンチョンフウジィウチイ／グゥオクマンジィンフウガオジイ

華商報広州弁事処旧址／华商报广州办事处旧址 フゥアシャンバァオグゥアンチョウバァンシイチュウジィウチイ／ワアシュアンボウグゥオンジャウバアンシイチュウガオジイ

広大路中共広州市委機関旧址／广大路中共广州市委机关旧址 グゥアンダアルウチョンゴォングゥアンチョウシイウェイジイグゥアンジィウチイ／グゥオンダアイロウジュウングゥングゥオンジョウシイワアイゲエイグワアンガウジイ

小東営清真寺／小东营清真寺 シャオドォンイィンチィンチェンスウ／シィウドゥンインチィンジャアンジイ

三·二九起義指揮部旧址紀念館／三・二九起义指挥部旧址纪念馆 サァンアアジィウチイイイチイフゥイブウジィウチイジイニィエングゥアン／サアンイイガアウヘエイイイジイファイボウガウジイゲエイニングウン

赤社旧址／赤社旧址 チイシェエジィウチイ／チェクセエガァオジイ

東江縦隊交通站旧址／东江纵队交通站旧址 ドォンジィアンゾォンドゥイジィアオトォンチャンジィウチイ／ドゥンゴオンジュンドゥイガアウトゥンジャアムガオジイ

広州兄弟図書公司旧址／广州兄弟图书公司旧址 グゥアンチョウシィオンディイトゥシュウゴォンシイジィウチイ／グゥオンジョウヒインダイトウシュウグゥンシイガオジイ

拱北楼遺跡／拱北楼遗址 ゴォンベェイロォウイイチイ／グウンバッラァウワイジイ

広百百貨／广百百货 グゥアンバァイバァイフゥオ／グゥオンバアッバアッフォオ

西湖路／西湖路 シイフウルウ／サアイウウロウ

文徳路／文德路 ウェンダァルウ／マンダッラァウ

三多軒／三多轩 サァンドゥオシゥエン／サアンドオヒン

中山紀念図書館旧址／市立中山图书馆旧址 シイリイチョンシャントゥシュウグゥアンジィウチイ／ジョンサアンゲエイニントウシュウグウンガウジイ

新）と呼ばれていた。新大新百貨の地下6mから南越国時代の瓦当（万歳瓦当）が出土し、南漢時代はこのあたりで花市が行なわれていたという。現在も広州を代表する商業店舗で、宝石、化粧品、雑貨、生活用品などをあつかっている。

商務印書館広州分館旧址／商务印书馆广州分馆旧址★☆☆

㊗ shāng wù yìn shū guǎn guǎng zhōu fēn guǎn jiù zhǐ ㊘ seung[1] mou[3] yan[2] syu[1] gún gwóng jau[1] fan[1] gún gau[3] jí

しょうむいんしょかんこうしゅうぶんかんきゅうし／シャンウウイィンシュウグゥアングゥアンチョウフェングゥアンジィウチイ／ショオンモウヤンシュウグウングゥオンジョウファングウンガウジイ

清朝末期に設立された、中国を代表する出版社の商務印書館広州分館旧址。商務印書館は、1897年に上海で創建されたあと、20世紀初頭にここ広州でも支店が設立された（辞書や古典、外国図書の翻訳出版などを行なった）。上昇性のある堂々とした4階建ての近代建築で、幅21.4m、奥行は30mになり、前方は高さ7mの騎楼となっている。この建物は、日中戦争（1937～1945年）時代、日本の三井物産（三井洋行）が入居したという経緯がある。

李占記鐘表舗／李占记钟表铺★☆☆

㊗ lǐ zhàn jì zhōng biǎo pù ㊘ lei, jim[1] gei[2] jung[1] biu[1] pou[2]

りせんきしょうひょうぽ／リイチャンジイチョンビィアオプウ／レイジインゲイジュウンビイウポウ

1913年に李蘭馨が創始し、販売と修理を行なう時計店の李占記鐘表舗（李占記）。清代まで、太鼓や鐘を鳴らして時間を知らせていたが（鐘楼や鼓楼）、清末から機械じかけの時計が広がっていった。李蘭馨は木製のかけ時計や目覚まし時計などを購入した客に、李占記の広告がついた赤痢の粉薬を無料で渡した。また慈善事業として4つの村に薬を届けて、信用と名声を得た。広州のこの店舗は1915年に建てられ、世界各地の腕時計をあつかったほか、高級時計の修理も行なってきた（そのあいだ李占記は、広州のほか、香港、マカオなどで店舗を展開していった）。この建物は、日本が広州を占領した時代（1937～45年の日中戦争時代）、日本の富士洋行が入居していた。

太平館／太平馆★☆☆

㊗ tài píng guǎn ㊖ taai[2] ping[4] gún

たいへいかん／タァイピングゥアン／タアイペングウン

清末の1885年に開業した老舗で、ポルトガル・チキンなどの南欧料理（西洋料理）を専門とするレストランの太平館。太平館の創始者徐志高は、まず広州沙面にあった外国商社の厨房で働いて西洋料理を学んだ。その後、広州太平沙で太平館を開業し、1926年以降、各地に支店を出しはじめた（太平館という名称は現在の北京路南端、最初の店のあった太平沙にちなむ）。1927年、広州で最高の立地の広東財政庁旧址前のこの地でも開店し、蒋介石、周恩来、鄧穎超、魯迅、郭沫若らの著名人に愛されてきた。1925年8月8日、周恩来と鄧穎超のかんたんな結婚式の宴会が、ここ太平館で行なわれている。4階建てで、前方には騎楼があり、「広州西餐第一家」とたたえられている。

広東財政庁旧址／广东财政厅旧址★★☆

㊗ guǎng dōng cái zhèng tīng jiù zhǐ ㊖ gwóng dung[1] choi[4] jing[2] teng[1] gau[3] ji

かんとんざいせいちょうきゅうし／グゥアンドォンツァイチェンティンジィウチイ／グゥオンドォンチョイジィンテエンガオジイ

北京路北段の北側つきあたりに立つ、ドーム屋根を載せる堂々とした西欧古典式の広東財政庁旧址。ここは明清時代に財政をつかさどった広東承宣布政使司があったところで、1911年成立の中華民国以降、同様の性格をもった広東財政庁がおかれた（広東承宣布政使司の地位は、総督、巡撫が常設化された清朝中期以降、相対的に低下した）。1915年に建設がはじまり、1919年に竣工、「凹型」のプランをもつ幅37.14m、奥行28m、高さ28.57m（5階建て）の建築の、正面玄関では古代ローマを思わせる巨大な列柱が見られる。広東財政庁は、税金の徴収、工業生産や水利、戸籍の監督などの業務にあたった。1921年4月13日、孫文は政治家たちを集めてここでお茶会を開いたほか、5月5日、臨時大統領に就任したあと、この広東財政庁旧址のベランダでパレードを視察した。また孫文

北京路北段、入口には新大新百貨の看板が見える

赤色のランタンが街に彩りをくわえる

街角では南国のフルーツが見られる

広州を代表する老舗時計店、李占記鐘表舗

58歳の誕生日にあたる1924年11月12日、北伐を歓送する約2万人の提灯行列がここで催され、「孫大元帥万歳！　中華民国万歳！」という群衆に、孫文が帽子をとって応じた場所でもある。広東財政庁旧址はこのように、中華民国の政治の中心の場、象徴的な場所となっていた。

昌興街／昌兴街★☆☆

㊥ chāng xìng jiē ㊦ cheung[1] hing[1] gaai[1]

しょうこうがい／チャンシィンジエ／チュアンヒィンガアイ

北京路北段の西側を並行して走る昌興街。1914年、この地に広州初の百貨店、新大新百貨をつくったオーストラリア華僑の蔡昌、蔡興の名前をとって昌興街となった。長さ160m、幅6.2mで、広州でも高級洋服を専門とする店がならぶ通りとして知られてきた。広州には華僑の名前を冠した通りが4本あり、華僑が近代広州の街に貢献したことを示しているという。

新青年社旧址／新青年社旧址★☆☆

㊥ xīn qīng nián shè jiù zhǐ ㊦ san[1] ching[1] nin[4] se, gau[3] jí

しんせいねんしゃきゅうし／シィンチィンニィエンシェエジィウチイ／サンチィンニンセエガオジイ

『新青年』を発刊して五四運動を指導した陳独秀(1879～1942年)ゆかりの新青年社旧址。1915年の創刊後、『新青年』と名前を変え、1920年8月に中国共産党が発足したのち、陳独秀は書記となった。その後、1921年に国民党の蒋介石から逃れるため、上海から広州にやってきて、ここで活動した(革命運動の指導的立場にあった)。3階建ての建築で、当時、1階は書店、2階と3階は新青年社として使われていた。

国民政府旧址／国民政府旧址★☆☆

㊥ guó mín zhèng fǔ jiù zhǐ ㊦ gwok[2] man[4] jing[2] fú gau[3] jí

こくみんせいふきゅうし／グゥオミィンチョンフウジィウチイ／グゥオクマンジィンフウガオジイ

清代、広東と広西を管轄した両広総督署のあった場所でもある国民政府旧址。1924年の中国国民党一全大会で定められた国共合作の方針にもとづいて、1925年、広州国民政府が設立され、孫文死後、大元帥府は広州国民政府となった。この国民政府旧址は、現在は広東省民政庁大院となっている。

華商報広州弁事処旧址／华商报广州办事处旧址★☆☆

㊗ huá shāng bào guǎng zhōu bàn shì chù jiù zhǐ ㊗ wa4 seung1 bou2 gwóng jau1 baan3 si3 chyu2 gau3 ji

かしょうほうこうしゅうべんじしょきゅうし／フゥアシャンバァオグゥアンチョウバァンシイチュウジィウチイ／ワアシュアンボウグゥオンジャウバアンシイチュウガオジイ

1941年に香港で創刊された『華商報』の広州事務所にあたる華商報広州弁事処旧址。『華商報』は中国共産党の支援を受け、1946年3月に北京路に立つこの建物の屋根裏部屋に広州支部をもうけた。当時、第二次国共内戦のさなかにあり、同年6月に国民党によって閉鎖された。

広大路中共広州市委機関旧址／广大路中共广州市委机关旧址★☆☆

㊗ guǎng dà lù zhōng gòng guǎng zhōu shì wěi jī guān jiù zhǐ ㊗ gwóng daai3 lou3 jung1 gung3 gwóng jau1 si, wái gei1 gwaan1 gau3 jí

こうだいろちゅうきょうこうしゅうしいきかんきゅうし／グゥアンダアルウチョンゴォングゥアンチョウシイウェイジイグゥアンジィウチイ／グゥオンダアイロウジュウングゥングゥオンジョウシイワアイゲエイグワアンガウジイ

1949年の新中国成立以前、北京路に近い広大路広大二巷におかれていた中国共産党の広大路中共広州市委機関旧址（第一機関旧址ともいう）。国民党統治時代の1926年に黄国梁がこの地の4階を借りて、革命運動を行なった。当時、黄国梁は国光書店の支配人という身分をもっていたほか、穆青、任卓宣、頼学文などが居住した。

小東営清真寺／小东营清真寺★☆☆

㊗ xiǎo dōng yíng qīng zhēn sì ㊗ síu dung1 ying4 ching1 jan1 ji3

しょうとうえいせいしんじ／シャオドォンイィンチィンチェンスウ／シィウドゥンインチィンジャアンジイ

越華路に残るこぶりなイスラム礼拝堂の小東営清真寺。明代、ヤオ族の反乱が起こり、それを平定するために南下し

ドームをもった美しい広東財政庁旧址

風雨を避けるための騎楼が続く

この騎楼建築に広州兄弟図書公司があった

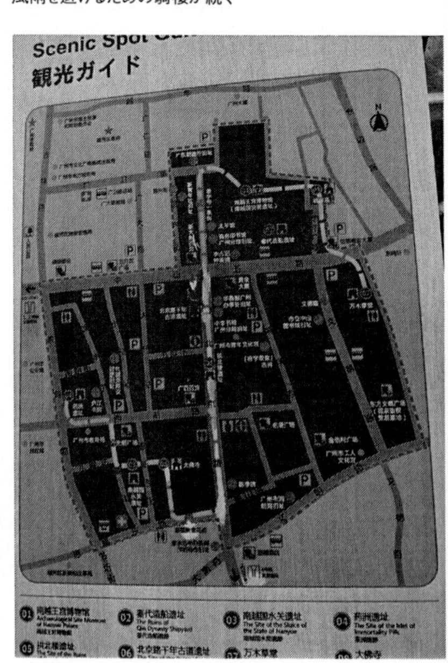

歴史ある北京路の街区には見どころが点在している

たムスリム軍人が1468年につくった中軍兵営をはじまりとする(元明時代のムスリム軍人は回営ことムスリム軍基地とともに、モスクを築き、そこを中心にイスラム社会があった。当時、広州には東営寺、濠畔寺、南勝寺という3つのモスクが建てられた)。小東営清真寺は正殿、月房、水房、儀門などからなり、イスラム教徒が礼拝を行なう礼拝殿は、幅24.2m、奥行17.1mの規模をもつ。小北に暮らすイスラム教徒が礼拝を行なうために訪れ、現在はこぢんまりとしている。

三·二九起義指揮部旧址紀念館／三・二九起义指挥部旧址纪念馆★☆☆

㊗ sān èr jiǔ qǐ yì zhǐ huī bù jiù zhǐ jì niàn guǎn 広 saam1 yi3 gáu héi yi3 jí fai1 bou3 gau3 jí géi nim3 gún

さんにきゅうきぎしきぶきゅうしきねんかん／サァンアアジィウチイイイチイフゥイブウジィウチイジイニィエングゥアン／サアンイイガアウヘエイイイジイファイボウガウジイゲエイニングウン

小東営清真寺に隣接して残る三·二九起義指揮部旧址紀念館。三·二九起義とは、辛亥革命直前(1911年)に広州で起こった黄花崗起義のことで、この建物はもともと清代官吏の邸宅「朝議第」といった。武装蜂起を計画した黄興は、160人をひきいて小東営から両広総督署へ押し入った。結局、武装蜂起は失敗に終わり、100人あまりが生命を落とし、そのうち72人が黄花崗にほうむられた。

赤社旧址／赤社旧址★☆☆

北 chì shè jiù zhǐ 広 chek2 se, gau3 jí

せきしゃきゅうし／チイシェエジィウチイ／チェクセエガァオジイ

1921年、広州の西洋画家集団によって設立された赤社旧址。民国時代の3階建て建築で、1920年代に胡根天、陳丘山、雷毓湘、容有璣、徐守義、梅雨天、任真漢といった画家たちがここで暮らした。赤社という名称は、光明、熱烈、誠心、温和、また五行で赤は南(広州)を象徴することから名づけられた。しかし、1928年に赤は共産党の色であるとして赤社は解散させられた。

東江縦隊交通站旧址／东江纵队交通站旧址★☆☆

㊗ dōng jiāng zòng duì jiāo tōng zhàn jiù zhǐ ㊗ dung[1] gong[1] jung[2] deui[3] gaau[1] tung[1] jaam[3] gau[3] ji

とうこうじゅうたいこうつうたんきゅうし／ドォンジィアンゾォンドゥイジィアオトォンチャンジィウチイ／ドゥンゴオンジュンドゥイガアウトゥンジャアムガオジイ

1937年に日中戦争が起こると、中共粤南省委、北江特委、東江遊撃隊、珠江遊撃隊などがゲリラ闘争をはじめた。東江縦隊交通站旧址は、1942年、東江遊撃隊によって広州に派遣された楊和が地下活動を行なう拠点だった。広州が日本に占領されたとき、近くの李占記鐘表店は富士洋行、商務印書館は三井物産というように、周囲を日本勢に囲まれていたが、こうしたなか活動が続いたという。

広州兄弟図書公司旧址／广州兄弟图书公司旧址★☆☆

㊗ guǎng zhōu xiōng dì tú shū gōng si jiù zhǐ ㊗ gwóng jau[1] hing[1] dai[3] tou[4] syu[1] gung[1] si[1] gau[3] ji

こうしゅうきょうだいとしょこうしきゅうし／グゥアンチョウシィオンディイトゥシュウゴォンシイジィウチイ／グゥオンジョウヒインダイトウシュウグゥンシイガオジイ

中山路に並行して騎楼のアーケードが続く、細い路地に立つ3階建ての広州兄弟図書公司旧址。兄弟図書は1945年の開業で、出版や本の販売だけでなく、(国民党が支配するなか)共産党の地下活動の連絡場所にもなっていた。

忠佑大街城隍廟／忠佑大街城隍庙★★☆

㊗ zhōng yòu dà jiē chéng huáng miào ㊗ jung[1] yau[3] daai[3] gaai[1] sing[4] wong[4] miu[3]

ちゅうゆうだいがいじょうこうびょう／チョンヨォウダアジエチェンフゥアンミィアオ／ジュウンヤオダアイガアイシンウォンミィウ

広州の民俗、文化、建築を伝える、嶺南で最大の城隍廟の忠佑大街城隍廟(都城隍廟)。この場所は南漢(917～971年)時代に、皇帝の皇城神廟があった場所で、明初、それぞれの府、州、県に城隍廟を建てることが求められると、1370年、現在の姿となった(そのため中国の都市には、街の守り神をまつる城隍廟が必ずある)。清の雍正年間(1722～35年)、広東観風整俗使の焦祈年が、この広州府城隍を北京の都城隍と同格の広東都城隍にするように上奏した。当時は今よりも規模が大きく、外門、中門、拝亭、大殿からなり、羊城八景のひとつにもあげられていた。1920年にこの城隍廟の多くは撤去されて1本の道が整備され、清代の大殿(幅24.7m、奥行27.2m)と拝亭が残った。現在、城隍廟内には3人の城隍神がまつられていて、南漢の創始者劉龑(889～942年)、明代、城隍廟そばの書院で学んだ役人の海瑞(1514～87年)、獄中で拷問を受けても屈しなかった官吏、楊継盛(1516～55年)の姿が見える。清代以来、城隍廟を中心に文房四宝や古書をあつかう文化街が形成され、その性格は城隍廟から南に伸びる文徳路に受け継がれている。

古家祠／古家祠★☆☆

㊍ gǔ jiā cí ㊟ gú ga[1] chi[4]

こけし／グウジィアツウ／グウガアチィ

広東省中の古氏一族が広州を訪れ、科挙を受験するときに使った住居の古家祠。清代に建てられた宗族祠堂で、幅三間12.2m、奥行22mで、レンガの外壁でおおわれている。

中山路は広州東西の大動脈

強い日差しが照りつける亜熱帯の都市

Nan Yue Wang Gong

南越王宮鑑賞案内

1995年、城隍廟の西側で発掘された遺跡
それは紀元前にさかのぼる南越国の宮署だった
広州の原点とも呼べる南越国宮署遺跡

南越国宮署遺跡／南越国宮署遗址★★★

㊗ nán yuè guó gōng shǔ yí zhǐ ㊰ naam[4] yut[3] gwok[2] gung[1] chyu, wai[4] jik[1]

なんえつこくきゅうしょいせき／ナァンユゥエグゥオゴンシュウイイチイ／ナアンユッグゥオッグウンチュウワイジッ

古代南越国(紀元前204〜前111年)の王宮がおかれたのをはじめ、2000年以上にわたって広州の中心地だった南越国宮署遺跡。広州にはじめて城が築かれたのは、紀元前214年、大軍を派遣した秦の始皇帝が嶺南の支配拠点としたことによる。当初、郡尉任囂が任囂城をつくって番禺(広州)をおさめていたが、規模は小さく、任囂が病気になったことから、紀元前208年に龍川県令の趙佗がこちらへ遷ってきた。紀元前206年に秦が滅んだのちの紀元前204年、趙佗は独立して南越武王を名乗り、広東と広西チワン族自治区、海南、香港、マカオ一帯を領土とする南越国を樹立した(一方で、紀元前196年、前漢劉邦の臣下を称し、諸侯王国となった)。以後、紀元前111年に漢の武帝によって滅ぼされるまで、5代続いた南越国の王宮がこの地におかれ、その後も漢、晋、南朝、隋、唐、南漢、宋、元、明、清というあわせて12の王朝の宮殿があった(中華民国時代に広州湾を半植民地化したフランス領事館や、日本占領期の広東神社もこの地にあった)。南越国宮署遺跡は1995年に発掘され、東は倉辺路、西は広大路、南は中山路、北は越華路の規模だったことが確認されている。王宮跡、秦造船遺跡、長さ160mの曲流(水路)、また蕃池の南壁には長さ25cm、幅19cmの「蕃」とい

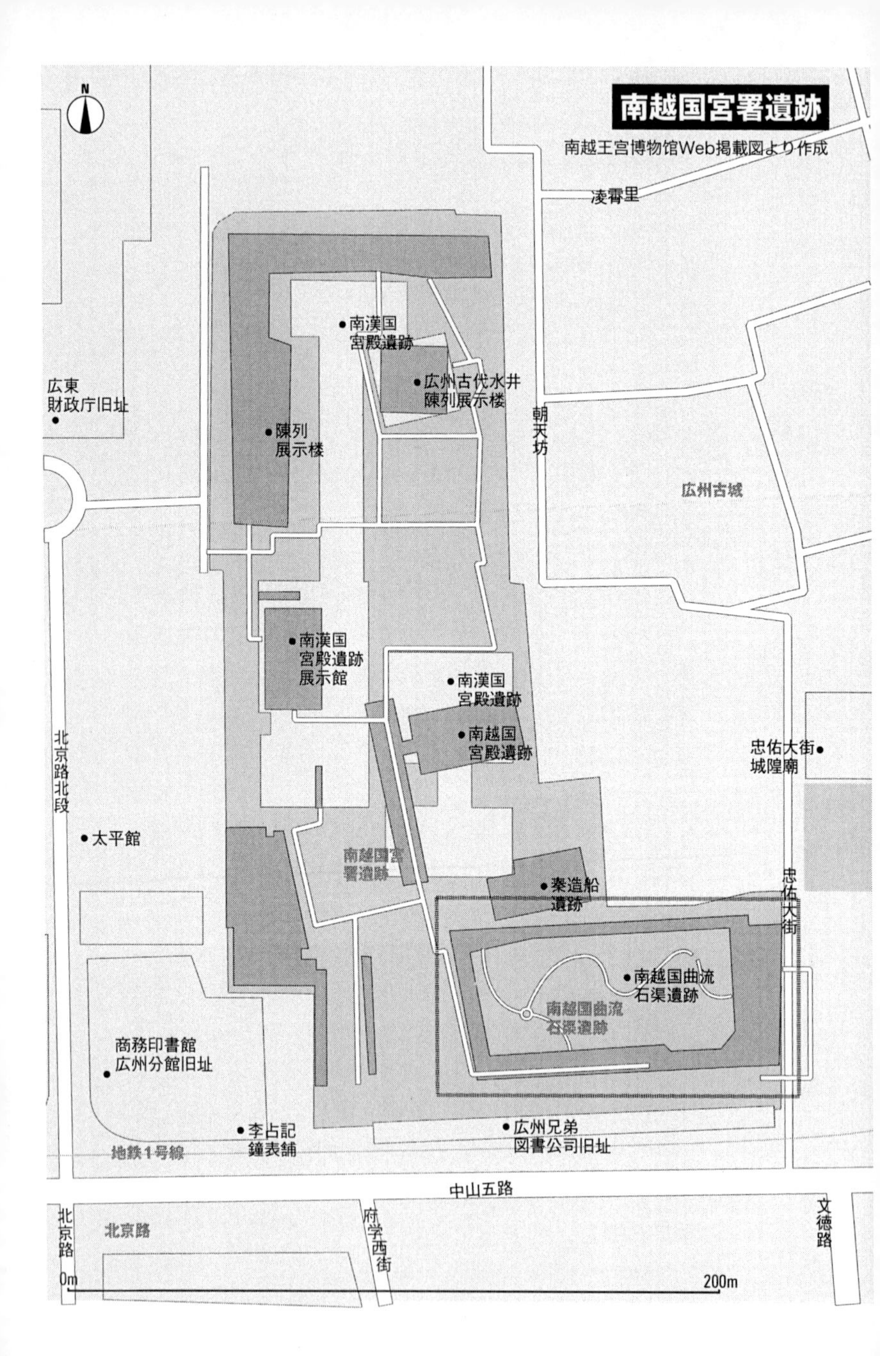
南越国宮署遺跡
南越王宮博物館Web掲載図より作成
N
凌霄里
南漢国
宮殿遺跡
広州古代水井
陳列展示楼
陳列
展示楼
広東
財政庁旧址
朝天坊
広州古城
南漢国
宮殿遺跡
展示館
南漢国
宮殿遺跡
南越国
宮殿遺跡
忠佑大街
城隍廟
北京路北段
太平館
南越国宮
署遺跡
秦造船
遺跡
忠佑大街
南越国曲流
石渠遺跡
南越国曲流
石渠遺跡
商務印書館
広州分館旧址
李占記
鐘表舗
広州兄弟
図書公司旧址
地鉄1号線
中山五路
北京路
北京路
府学西街
文徳路
0m
200m

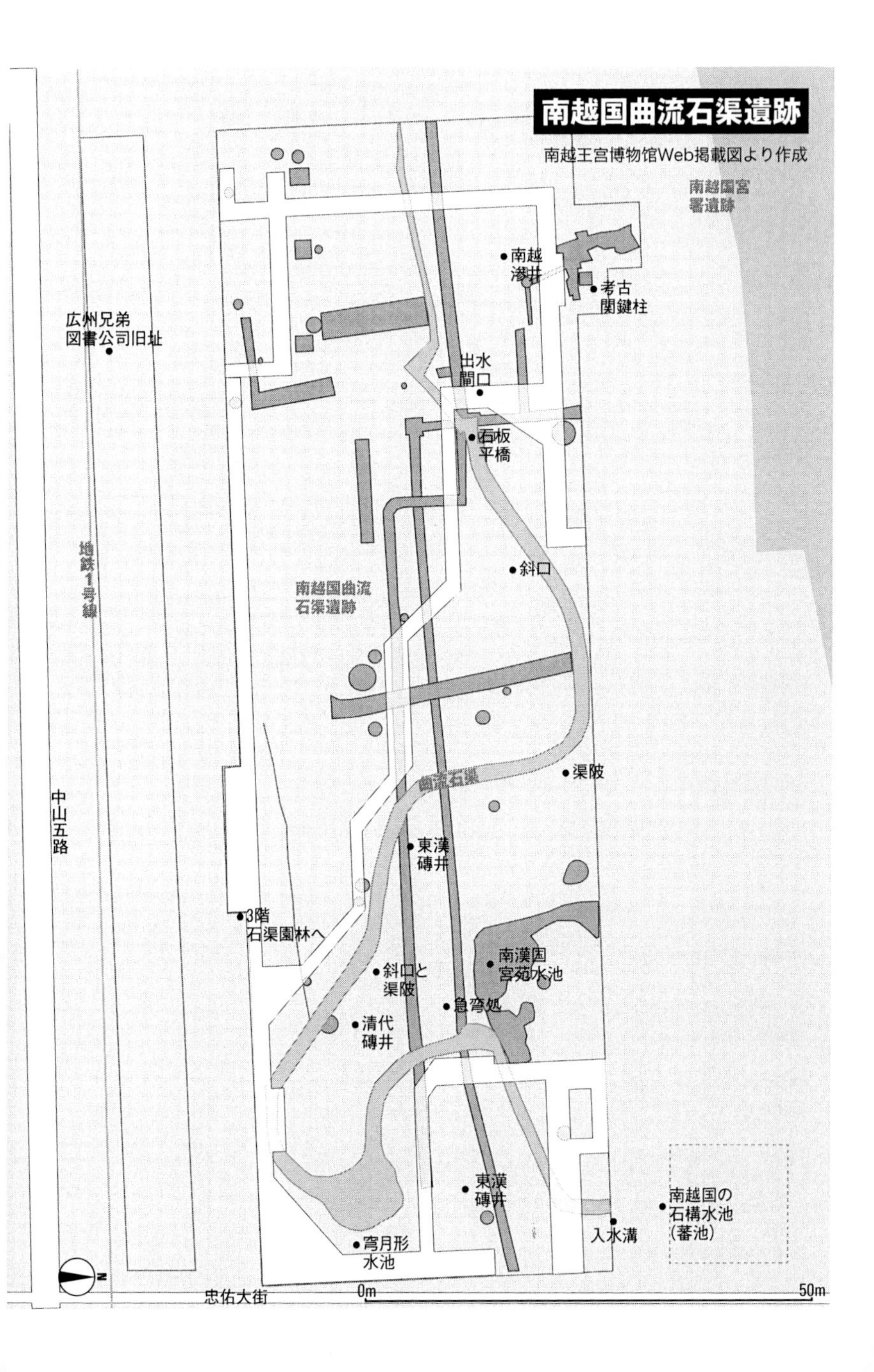

南越国曲流石渠遺跡
南越王宮博物馆Web掲載図より作成
南越国宮署遺跡
南越滲井
考古関鍵柱
広州兄弟図書公司旧址
出水閘口
石板平橋
地鉄1号線
斜口
南越国曲流石渠遺跡
曲流石渠
渠陂
中山五路
東漢磚井
3階石渠園林へ
南漢国宮苑水池
斜口と渠陂
急弯処
清代磚井
東漢磚井
南越国の石構水池（蓄池）
入水溝
弯月形水池
忠佑大街
0m
50m
N

う文字の石刻が残る。「蕃」とは番禺が簡略化された名称で、それを刻んだ瓦当のほか、各時代におよぶ青銅器や貨幣、工具、武器、陶磁器などが出土した。その出土物から南越国の人たちは、稲、粟、小麦、大豆などを食していたと考えられる。

南越国曲流石渠遺跡／南越国曲流石渠遗址★★☆

㊗ nán yuè guó qǔ liú shí qú yí zhǐ ㊘ naam⁴ yut³ gwok² kuk¹ lau⁴ sek³ keui⁴ wai⁴ jik¹

なんえつこくきょくりゅうせききょいせき／ナァンユゥエグゥオチュウリィウシイチュウイイチイ／ナアンユッグゥオックッラウセッコイワイジッ

南越国（紀元前204～前111年）の御苑跡で、地下3～5mの地点に長さ160mほどの水路が曲流する南越国曲流石渠遺跡。水路は東の石構水池（蕃池）から取水し、東から西に向かって幅1.4m、深さ1mで、大きく曲がりながら流れ、その跡が残っている。また水の流れを曲げるための石組み、井戸の跡、水路

★★★

南越国宮署遺跡／南越国宫署遗址 ナァンユゥエグゥオゴンシュウイイチイ／ナアンユッグゥオッグウンチュウワイジッ

北京路／北京路 ベイジィンルウ／バッギインロウ

広州古城／广州古城 グゥアンチョウグゥチャン／グゥオンジョウグウシン

★★☆

南越国曲流石渠遺跡／南越国曲流石渠遗址 ナァンユゥエグゥオチュウリィウシイチュウイイチイ／ナアンユッグゥオックッラウセッコイワイジッ

忠佑大街城隍廟／忠佑大街城隍庙 チョンヨォウダアジエチェンフゥアンミィアオ／ジュウンヤオダアイガアイシンウォンミィウ

北京路北段／北京路北段 ベェイジィンルウベェイドゥアン／バッギンロウバッデュン

広東財政庁旧址／广东财政厅旧址 グゥアンドォンツァイチェンティンジィウチイ／グゥオンドォンチョイジィンテエンガオジイ

中山路／中山路 チョンシャンルウ／ジュンサアンロウ

★☆☆

秦造船遺跡／秦造船遗址 チィンザァオチュゥアンイイチイ／チュンゾウシュンワイジッ

南漢国宮殿遺跡／南汉国宫殿遗址 ナァンハァングゥオゴォンディエンイイチイ／ナアンホングゥオッグウンディンワイジッ

陳列展示楼／陈列展示楼 チェンリィエチャンシイロォウ／チャンリッジインシィラァウ

広州古代水井陳列展示楼／广州古代水井陈列展示楼 グゥアンチョウグウダァイシュイジィンチェンリィエチャンシイロォウ／グゥオンジョウグウドイシュイジェンチャンリッジインシィラァウ

商務印書館広州分館旧址／商务印书馆广州分馆旧址 シャンウウイィンシュウグゥアングゥアンチョウフェングゥアンジィウチイ／ショオンモウヤンシュウグウングゥオンジョウファングウンガウジイ

李占記鐘表舗／李占记钟表铺 リイチャンジイチョンビィアオプウ／レイジインゲイジュウンビイウポウ

太平館／太平馆 タァイピングゥアン／タアイペングウン

広州兄弟図書公司旧址／广州兄弟图书公司旧址 グゥアンチョウシィオンディイトゥシュウゴォンシイジィウチイ／グゥオンジョウヒインダイトウシュウグゥンシイガオジ

文徳路／文德路 ウェンダァルウ／マンダッラァウ

を渡る石板平橋などが見られ、ここが2000年以上前の人工園林であったことがわかっている。水路の底からは、何百匹もの亀やすっぽんの化石が発掘され、ここで飼育されていたとも、南越国の王宮で食されていたとも考えられる(そのほか動物では、魚、カエル、ワニ、鳥類などの化石が出土した)。秦、南越国、漢、晋、南朝、唐、宋代の遺構が残り、萬歳瓦当、お碗、陶器、漆器、工具、剣、銭、装飾品などがここから出土している。

秦造船遺跡／秦造船遗址★☆☆

㊎ qín zào chuán yí zhǐ ㊐ cheun[4] jou[3] syun[4] wai[4] jik[1]

しんぞうせんいせき／チィンザァオチュゥアンイイチイ／チュンゾウシュンワイジッ

紀元前221年に中華を統一した始皇帝は、50万の大軍を嶺南に派遣し、紀元前214年に広州を平定した。秦造船遺跡は、この秦が南海交易や軍の派遣のために造船を行なった場所で、時代の古さ、規模の大きさ、保存状態のよさなどから、貴重な秦代の遺構となっている。造船工場1号船台、2号船台、3号船台からなり、鉄のノミ、秦と漢の通貨などが出土した。1975年から2004年にかけて四度、発掘された。

南漢国宮殿遺跡／南汉国宫殿遗址★☆☆

㊎ nán hàn guó gōng diàn yí zhǐ ㊐ naam[4] hon[2] gwok[2] gung[1] din[3] wai[4] jik[1]

なんかんこくきゅうでんいせき／ナァンハァングゥオゴォンディエンイイチイ／ナアンホングゥオッグウンディンワイジッ

南漢国(917〜971年)は、917年、唐清海軍節度使劉龑が広州を都に樹立した五代十国のひとつ。歴史的には南越国とともに広州を都とした国にあたり、いずれも南越国宮署遺跡の場所を王都とした。南漢国では唐王朝の官僚制度を模倣した文官支配がとられ、3世5人の王が55年のあいだ嶺南を統治した。大規模な宮殿の建設と修理が3、4度行なわれ、美しい離宮や湖がつくられるなど、広州の都市開発に大きな影響をあたえた。南漢興王府には乾和殿、玉堂珠殿、昭陽殿、文徳殿などがならび、「悉聚南海珍宝、以为玉堂珠殿(南海の宝物を集めた、玉の堂と真珠の殿)」とたたえられたという。

南越国の宮廷があった場所、南越国宮署遺跡

長さ160mほどの水路跡が残る南越国曲流石渠遺跡

10世紀の南漢もまたここに宮廷をおいた南漢国宮殿遺跡

広州が南海交易の中心地であったことを物語る秦造船遺跡

忠佑大街城隍廟には広州の守り神がまつられている

南漢の都となった広州

唐(618〜907年)末期になると、各地方の藩鎮が独立的な傾向を見せ、やがて唐が滅んで五代十国という分裂時代に入った。この時代、現在の広東と広西に版図をもったのが南漢(917〜971年)で、広州は興王府と呼ばれていた。南漢の実質的な創始者である劉隠の一族は、河南から福建省へ移住し、南海交易で財を築いて、父の劉謙の代に広州へ遷ってきた。そして黄巣の乱などで混乱にあった広州を、劉隠は武力で平定し、905年に清海軍節度使となった。唐が滅び、華北に後梁が樹立されると、劉隠は909年に後梁から南平王に、911年には南海王に封ぜられた。その後、劉隠の弟劉龑は、917年、南漢国を樹立し、武人的傾向の強い五代十国の諸王朝のなか、文官による統治が行なわれた。当時、南漢はマラッカ、インドネシア、コーチン、ホルムズまで続く南海交易で莫大な富を得ていたという(唐代の広州は、失脚した高級官吏の流刑地だったという性格から、南漢ではこれらの人びとが積極的に登用された)。広州興王府には天上の二十八宿に対応するように、王都の四方に二十八の仏教寺院が建てられるなど、暴虐な政権であった一方、仏教を保護し、高僧が輩出されたという面もある。とくに南漢最後の皇帝劉鋹はこの地に昌華苑(庭園)を造営し、茘枝が熟するときに紅雲宴という盛大な宴を催した(紅雲宴という名称は茘枝は鮮やかな赤色をしていて、赤い雲が広がるようだったことからつけられた)。971年、宋に入ったとき、広州の宮廷には7000人の宦官が仕えていたと伝えられ、南漢では宦官に政治のほとんどをまかせていたという。

陳列展示楼／陈列展示楼★☆☆

㊎ chén liè zhǎn shì lóu ㊛ chan⁴ lit³ jín si³ lau⁴

ちんれつてんじろう／チェンリィエチャンシイロォウ／チャンリッジインシィラァウ

南越国宮署遺跡の博物館として、この遺跡と広州にまつわる展示が見られる陳列展示楼。秦、南越から唐、南漢、明清、民国という2000年にわたって嶺南の都であった広州にまつわる「嶺南両千年中心地」、秦による征服、趙佗による南越国(紀元前204〜前111年)の建国、当時の政治や宮殿、園林、民族模様などを展示する「走進南越王宮」、南漢の歴史や出土品、興王府の様子、南海貿易や文物の300あまりを展示する「歩入南漢王宮」、中国を代表する都市、広州の歩みにせまる「名城広州二千年」からなる。

広州古代水井陳列展示楼／广州古代水井陈列展示楼★☆☆

㊗ guǎng zhōu gǔ dài shuǐ jǐng chén liè zhǎn shì lóu 広 gwóng jau^{1} gú doi^{3} séui jéng chan^{4} lit^{3} jín si^{3} lau^{4}

こうしゅうこだいすいせいちんれつてんじろう／グゥアンチョウグウダァイシュイジィンチェンリィエチャンシイロォウ／グゥオンジョウグウドイシュイジェンチャンリッジインシィラァウ

「水の都」と呼ばれた広州では、応元路越王井はじめ各地に井戸が残っていて、広州の井戸にまつわる広州古代水井陳列展示楼。広州の井戸開削の歴史は秦漢時代までさかのぼり、飲水や農耕民族に必要な水は重要な意味をもっていた。その後、井戸の開削技術は進歩し、明清時代には何千もの世帯が自分の井戸をもっていたという。また南漢国宮殿遺跡では1995年の発掘以来、500を超える井戸が発見されている。

南越国宮署遺跡に隣接する城隍廟

Wen De Lu

文徳路城市案内

城隍廟から南にまっすぐ伸びる文徳路
清朝末期から多くの文人が集まり
あたりを北京路B区とも呼ぶ

万木草堂／万木草堂★★☆

㊗ wàn mù cǎo táng ㊎ maan3 muk3 chóu tong4
まんぼくそうどう／ワンムゥツァオタン／マアンムッチョオウトン

広州中心部を走る中山四路から少しなかに入った長興里に残る万木草堂。清代の1804年、増城挙人邱覚虁によって建てられ、広州で行なわれる科挙(応試)を受けるときに邱氏の子弟が利用した。また氏族の祭祀を行なう互助組織でもあり、邱氏書室ともいった。清仏戦争(1884～85年)後の1889年、広東出身の康有為(1858～1927年)は中国の近代化をとなえ、「現状を切り開くためのもっとも大事なのは教育だ」と考えた。そして列強に半植民地化されていく当時の中国を救うための人材を育てる、教育の場を広州につくることを決めた。1891年、梁啓超の建議によってここ邱氏書院で、立憲政治、変法自強運動を目指す長興学舎が開学され、1892年、その翌年に広衛路、文明路と場所を変え、この3つの学校を万木草堂と呼んだ。康有為がここで教鞭をとり、梁啓超、陳千秋、麦孟華、徐勤らが学んで「戊戌の変法(社会変革運動)」の策源地となったが、1898年、戊戌の変法は西太后によって失敗し、康有為は日本に逃れ、万木草堂は清朝に接収されてしまった。やがてこの万木草堂は民間に返還され、その後、工場になるなどの紆余曲折をへて、40世帯が暮らす住居となった。現在は博物館として開館していて、幅15.8m、奥行

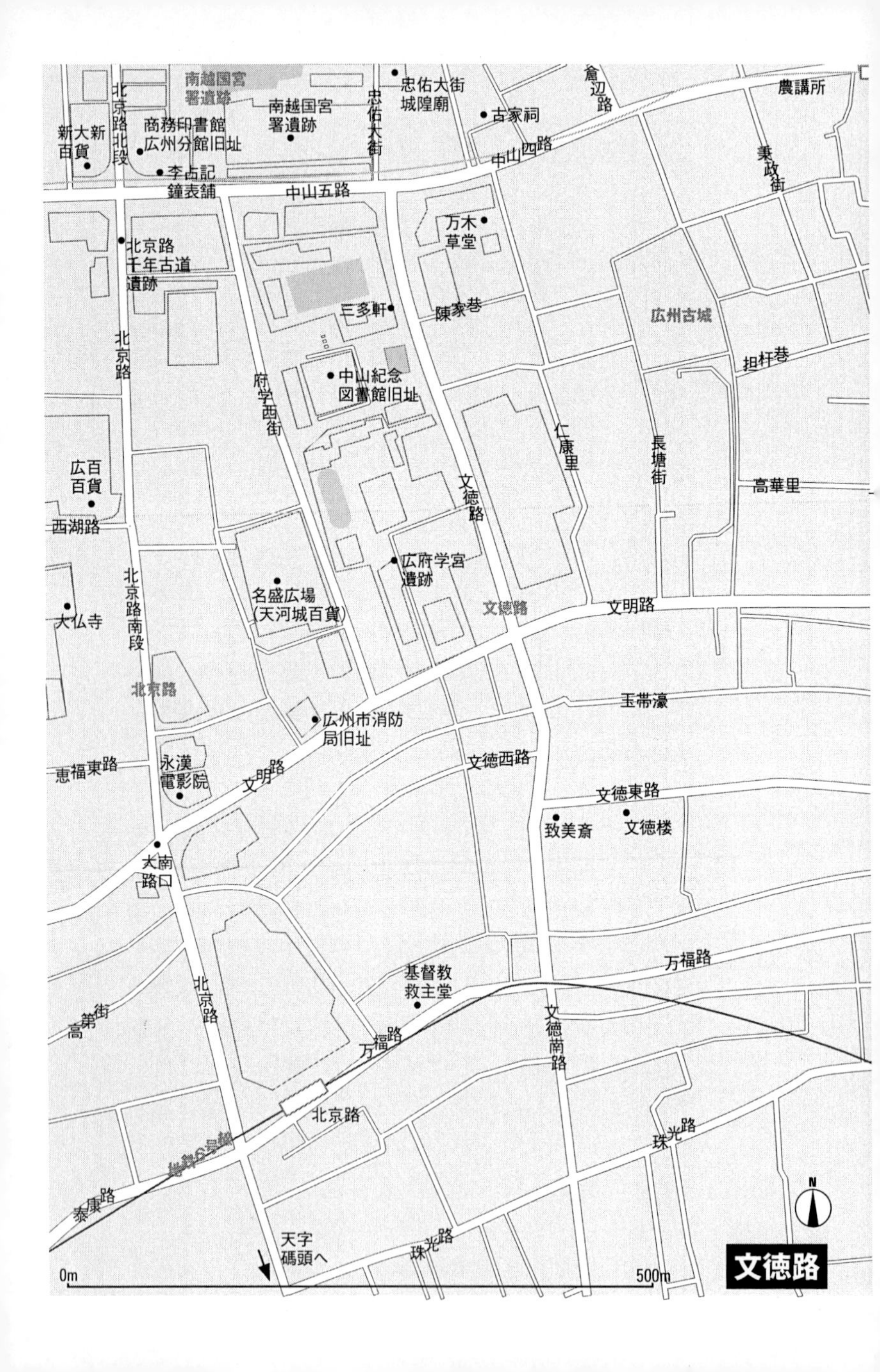

南越国宮署遺跡
忠佑大街城隍廟
倉辺路
農講所
北京路北段
南越国宮署遺跡
古家祠
新大新百貨
商務印書館広州分館旧址
忠佑大街
中山四路
李占記鐘表舗
中山五路
秉政街
万木草堂
北京路千年古道遺跡
三多軒
陳家巷
広州古城
北京路
担杆巷
中山紀念図書館旧址
府学西街
仁康里
長塘街
広百百貨
文徳路
高華里
西湖路
広府学宮遺跡
北京路南段
名盛広場(天河城百貨)
文徳路
文明路
大仏寺
北京路
玉帯濠
広州市消防局旧址
恵福東路
永漢電影院
文明路
文徳西路
文徳東路
致美斎
文徳楼
大南路口
万福路
基督教救主堂
北京路
高第街
万福路
文徳南路
北京路
珠光路
地鉄6号線
泰康路
天字碼頭へ
珠光路
N
0m
500m
文徳路

35.3m、黒の屋根瓦、レンガにおおわれた、中庭が連続する三進の四合院風建築となっている。

康有為と戊戌の変法

広東省南海に生まれた清末民初の政治家、思想家の康有為(1858～1927年)。1895年に進士(科挙に合格した)となった知的エリートであり、清仏戦争(1884～85年)、日清戦争(1894～95年)の敗北を前に、日本の明治維新をモデルに、政体改革、富国強兵、人材登用を唱えた。この康有為の戊戌の変法は、清

★★★
北京路／北京路 ベイジィンルウ／バッギインロウ
大仏寺／大佛寺 ダアフォオスウ／ダアイファッジイ
南越国宮署遺跡／南越国宫署遗址 ナァンユゥエグゥオゴンシュウイイチイ／ナアンユッグゥオッグウンチュウワイジッ
広州古城／广州古城 グゥアンチョウグゥチャン／グゥオンジョウグウシン

★★☆
万木草堂／万木草堂 ワンムゥツァオタン／マアンムッチョオウトン
中山路／中山路 チョンシャンルウ／ジュンサアンロウ
北京路千年古道遺跡／北京路千年古道遗址 ベイジィンルウチィエンニィエングウダァオイイチイ／バッギインロウチィンニングウドウワイジイ
恵福東路／惠福东路 フイフウドォンルウ／ワイフッドォンロウ
北京路北段／北京路北段 ベェイジィンルウベェイドゥアン／バッギンロウバッデュン
忠佑大街城隍廟／忠佑大街城隍庙 チョンヨォウダアジエチェンフゥアンミィアオ／ジュウンヤオダアイガアイシンウォンミィウ

★☆☆
文徳路／文德路 ウェンダァルウ／マンダッラァウ
三多軒／三多轩 サァンドゥオシゥエン／サアンドオヒン
広府学宮遺跡／广府学宫遗址 グゥアンフウシュエゴォンイイチイ／グゥオンフウホッグォンワイジイ
中山紀念図書館旧址／市立中山图书馆旧址 シイリイチョンシャントゥシュウグゥアンジィウチイ／ジョンサアンゲエイニントウシュウグウンガウジイ
広州市消防局旧址／广州市消防局旧址 グゥアンチョウシイシィアオファンジウジィウチイ／グゥオンジョウシイシイウフォンゴッガウジイ
文徳楼／文德楼 ウェンダアロォウ／マンダアッラァウ
致美斎／致美斋 チイメェイチャイ／ジイメイジャアイ
古家祠／古家祠 グウジィアツウ／グウガアチィ
広百百貨／广百百货 グゥアンバァイバァイフゥオ／グゥオンバアッバアッフォオ
大南路口／大南路口 ダアナァンルウコォウ／ダアイナアンロウハウ
永漢電影院／永汉电影院 ヨォンハァンディエンイィンユゥエン／ウィンホンディンイインユウン
西湖路／西湖路 シイフウルウ／サアイウウロウ
新大新百貨／新大新百货 シィンダアシィンバァイフゥオ／サアンダアイサアンバアッフォ
商務印書館広州分館旧址／商务印书馆广州分馆旧址 シャンウウイィンシュウグゥアングゥアンチョウフェングゥアンジィウチイ／ショオンモウヤンシュウグウングゥオンジョウファングウンガウジイ
李占記鐘表舗／李占记钟表铺 リイチャンジイチョンビィアオプウ／レイジインゲイジュウンビイウポウ

朝第11代光緒帝(在位1874～1908年)に採用され、近代化が進められたが、1898年、西太后らのクーデターにあい、100日ほどで失敗に終わった。光緒帝は幽閉され、康有為は弟子の梁啓超とともに日本に亡命した。この康有為が清朝の体制のなかで上位にのぼりつめた儒教的教養を身につけていたのに対し、康有為と同じ広東省を出自とし、革命を目指した孫文(1866～1925年)はハワイ(アメリカ)に渡った華僑出身だった。清朝の内からと、清朝の外から、というように、同時代に生きた両者には大きな立場の違いがあった。

万木草堂の邱氏と丘逢甲

万木草堂は広東省の邱氏が集まる邱氏書室を前身とし、扁額には「邱氏書室」の文言が見える。この「邱」と「丘」は同源の漢字で、丘氏ともいい、古くは邱氏と書かれることが多かった。この邱姓は姜姓、姒姓、姫姓(姜姓丘氏、姒姓丘氏、姫姓丘氏)といった周代につらなるとも、鮮卑や満州族などの少数民族に由来するともいう。丘逢甲(1864～1912年)は日清戦争(1894～95年)で日本が台湾を占領したとき、台湾巡撫唐景崧とともに台湾民主国を建て独立を試み、その後、広東省に逃れ、1896年に万木草堂をはじめて訪れている。1898年に戊戌の変法が失敗すると、万木草堂は清朝に接収されたが、丘逢甲は1889年に進士となり、中国社会での地位を築いていった。

文徳路／文德路★☆☆

㊗ wén dé lù ㊘ man⁴ dak¹ lou³

ぶんとくろ／ウェンダァルウ／マンダッラァウ

北京路の東側、城隍廟以南を南北に走る長さ630m、幅15mの文徳路。北京琉璃廠と同様の性格をもち、書画、広州西に位置する肇慶産の端渓硯はじめ、文房四宝(筆、墨、硯、紙)をあつかう店がならぶ。あたりは唐宋時代以来の広州の中心

万木草堂ゆかりの人、丘逢甲が見られる

広州を代表する書院の万木草堂

入口に対聯を貼って家の意思を示す

竹簡に書かれた文字、漢字こそが中国文明最大の特徴

灰色のレンガと黒の屋根瓦は明清時代以来のたたずまい

地で、明清時代はここで考試(科挙)が行なわれたため、徐々に書画や骨董品が集まる街が形成された。かつては広州府学の東を走るため府学東街といったが、1918年に街は再編され、道路が馬路となり、そのとき通りの東にあった文徳里から文徳路の名前がつけられた。1920～30 年代、文徳路には40あまりの古書、古玩具店があったという。万木草堂、番禺学宮、広州貢院、秉政祠、鳳和書院旧址、無着庵、市立中山図書館、番山亭、城隍廟などが集まるほか、周恩来(1898～1976年)が近くに住んでいたこともあって革命史跡も多く残っている。

三多軒／三多轩★☆☆

㊗ sān duō xuān ㊛ saam1 do1 hin1

さんたけん／サァンドゥオシゥエン／サアンドオヒン

広州の三多軒は北京の栄宝斎、上海の朶雲軒とならぶ中国三大文房として知られる。清朝道光年間(1820～50年)、台山人黄其佩によってはじめられ、小売店舗の裏には染色紙工廠があった。筆、硯、紙、墨といった文房四宝のほか、色紙、宣紙、色箋、雅扇などをあつかい、康有為、梁啓超、孫文、宋慶齢といった著名人にも愛された。「南天王」陳済棠が広州を統治した1920年代、三多軒も最盛期を迎えていた。

広府学宮遺跡／广府学宫遗址★☆☆

㊗ guǎng fǔ xué gōng yí zhǐ ㊛ gwóng fú hok3 gung1 wai4 jí

こうふがっきゅういせき／グゥアンフウシュエゴォンイイチイ／グゥオンフウホッグォンワイジイ

広府学宮遺跡は、広州の学問の中心地だったところで、この近くに文徳路が形成された。広州の府学宮は宋の慶暦年間(1041～48年)に建てられ、当初は古城西部の光塔路にあったが、1096年に現在の場所に遷ってきて、かつては御書閣、亭斎泮池、観徳亭をもつ広府学宮の姿があった(当時、都から離れた広東では、儒教的秩序が行き渡っておらず、広府学宮をつくることでその体系に組みこもうとした)。「嶺南第一儒林」と呼ばれ、現在も近くに学校や文教施設が集まっている。

中山紀念図書館旧址／市立中山图书馆旧址★☆☆

㊗ shì lì zhōng shān tú shū guǎn jiù zhǐ ㊄ jung[1] saan[1] géi nim[3] tou[4] syu[1] gún gau[3] jí

ちゅうざんきねんとしょかんきゅうし／シイリイチョンシャントゥシュウグゥアンジィウチイ／ジョンサアンゲエイニントウシュウグウンガウジイ

広州府学(広府学宮遺跡)、番山書院、万木草堂などが周囲に位置し、広府学宮の翰墨池跡に建てられた中山紀念図書館旧址。アメリカ、カナダ、メキシコ、キューバら15000人の華僑が20万ドル以上を送金し、その資金をもとに1929～33年に建てられた。1938年に広州が日本軍に占領されると閉鎖されたが、1946年に再開された。堂々とした建築で、屋根に緑色の瑠璃瓦を載せる。また中山紀念図書館旧址の北側には、1167年創建の番山亭(九思亭)が立つ。この番山亭の場所に、広州の古名である番禺の由来となった番山と禺山のうち、番山があった(南漢時代に平らになった)。

広州市消防局旧址／广州市消防局旧址★☆☆

㊗ guǎng zhōu shì xiāo fáng jú jiù zhǐ ㊄ gwóng jau[1] si, siu[1] fong[4] gúk gau[3] jí

こうしゅうししょうぼうきょくきゅうし／グゥアンチョウシイシィアオファンジウジィウチイ／グゥオンジョウシイシイウフォンゴッガウジイ

周囲を見渡せる瞭望台を、最大の特徴とする広州市消防局旧址。清代から広州には消防隊はあったが、1927年にイギリス留学から帰ってきた陳墨香(広州消防総署署長)がイギリスの消防署をもとにつくった。幅31.3m、奥行27.2m、2層からなる近代建築で、中央の第3層に登るための鉄のはしごが設置されている。高さ29.52mのこの建築は、当時の広州第一高楼で、広州の街が一望できるようになっていた。消防署に馬小屋があり、火事のときは消防士は馬に乗って通りや路地に向かい、トランペットを鳴らして警察を呼んだという。

文徳楼／文德楼★☆☆

㊗ wén dé lóu ㊗ man4 dak1 lau4

ぶんとくろう／ウェンダアロォウ／マンダアッラァウ

3階建て、5棟の建物がならぶ欧風建築の文徳楼。1925年に広州で結婚した周恩来(1898～1976年)と鄧穎超がここで暮らした。1924年の広州での国共合作を受けて、周恩来は黄埔軍校政治部主任に就任していた。

致美斎／致美斋★☆☆

㊗ zhì měi zhāi ㊗ ji2 mei, jaai1

ちびさい／チイメェイチャイ／ジイメイジャアイ

醤油をはじめとする調味料をあつかう中国屈指の老舗店の致美斎。1608年、劉守庵が広州城隍廟向かいの文徳路と中山四路で商売をはじめ、清初には3店舗を展開していた。醤油、甜醋、油、糖などの調味料をとりそろえ、現在、致美斎のものは香港、マカオ、東南アジアでも親しまれている。

城隍廟の近くに文房四宝を売る店が自然と集まった

南越王宫博物馆
开放，欢迎参观!

Gu Cheng Dong Fang

古城東部城市案内

広州古城の東門を大東門と呼んだ
中山四路沿いにはかつての番禺学宮
質屋の東平大押が立っている

広州農民運動講習所旧址(番禺学宮)／广州农民运动讲习所旧址★★☆

㊎ guǎng zhōu nóng mín yùn dòng jiǎng xí suǒ jiù zhǐ 広 gwóng jau[1] nung[4] man[4] wan[3] dung[3] góng jaap[3] só gau[3] jí

こうしゅうのうみんうんどうこうしゅうしょきゅうし(ばんぐうがっきゅう)／グゥアンチョウノンミンユンドンジィアンシィシュオジィウチイ／グゥオンジョウヌンマンワンドゥンゴオンジャアッソオガウジイ

中山四路の広州農民運動講習所旧址には、明代1370年創建の孔子廟があり、続く清朝には番禺学宮がおかれるなど、明清時代を通じて広州の学問中心地となっていた。清朝乾隆帝(在位1735～95年)時代に欞星門、泮池、大成門、大成殿、崇聖殿と続く伽藍が整備され、本殿にあたる大成殿は幅24.72m、奥行14.22m、高さ12.62mの規模をもつ。このようにこの地は、学問や礼節を重んじる、儒教の祭祀が行なわれる聖域であったが、辛亥革命後(1911年)の1924年、国民党と共産党の合作(第一次国共合作)を受けて、7月、あえてこの地に広州農民運動講習所が開設された(国共合作後に設立された、教育面の広州農民運動講習所は、軍事面の黄埔軍官学校と対応するものだった)。全農村人口の6%にあたる地主が60%の農地を所有している状況、高利貸しが跋扈する当時の状況などから、土地の国有化、農地再分配、農民銀行の設立など、農民問題、農村教育を解決する農民運動の指導者の養成が目指された。孫文は第1期生の卒業式で、「耕す者に田を」という有名な演説を行ない、1926年5～9月、第6代所長として毛沢東が赴任したという経緯もある(国民党は農民を支持基盤とする共産党の力を無

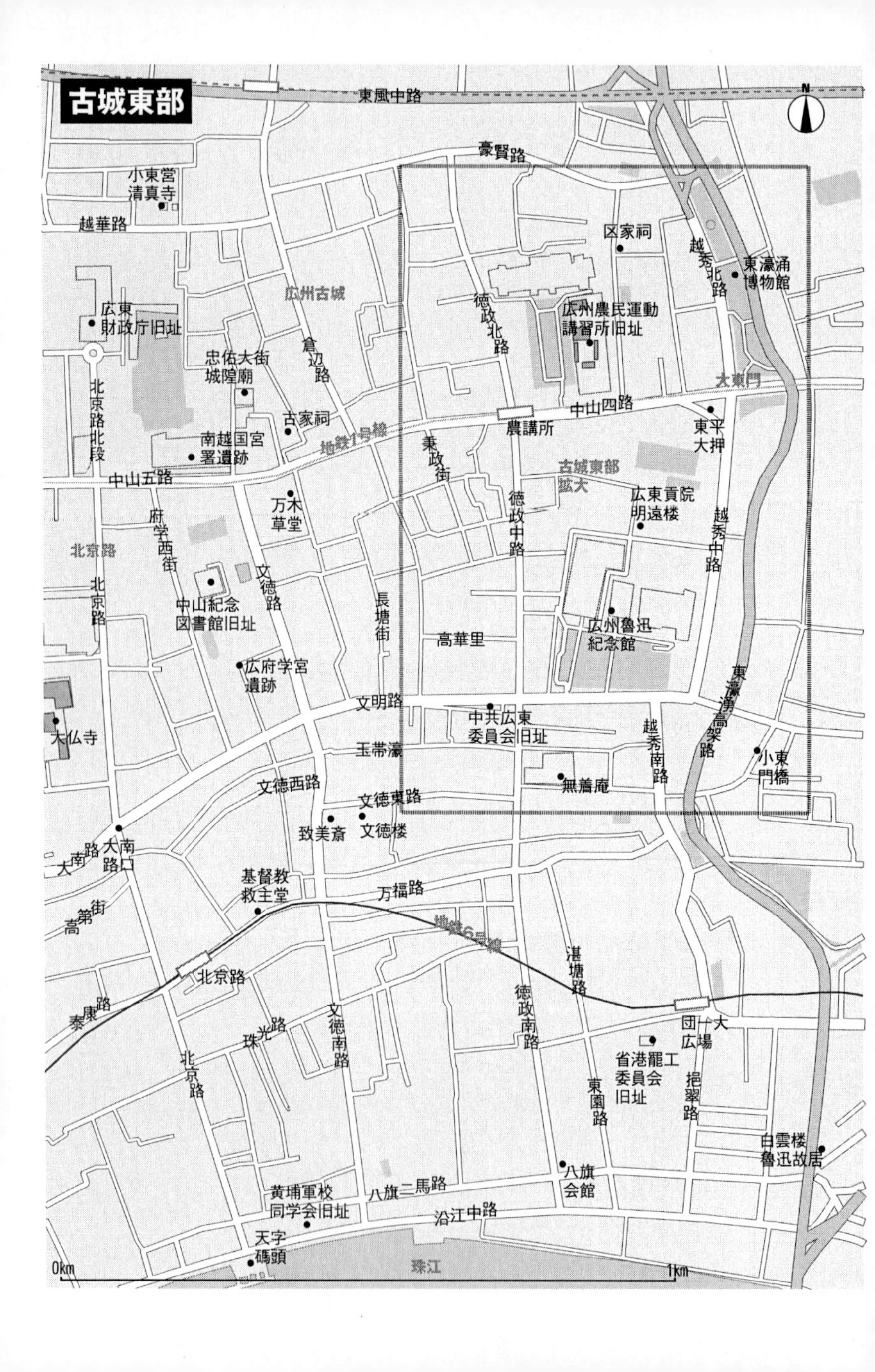
古城東部
東風中路
豪賢路
小東営
清真寺
越華路
区家祠
越秀北路
東濠涌
博物館
広州古城
広東
財政庁旧址
徳政北路
広州農民運動
講習所旧址
倉辺路
忠佑大街
城隍廟
大東門
北京路北段
古家祠
中山四路
農講所
東平
大押
南越国宮
署遺跡
地鉄1号線
秉政街
中山五路
古城東部
拡大
広東貢院
明遠楼
万木
草堂
府学西街
徳政中路
越秀中路
北京路
中山紀念
図書館旧址
文徳路
長塘街
北京路
広州魯迅
紀念館
高華里
広府学宮
遺跡
東濠涌高架路
文明路
中共広東
委員会旧址
大仏寺
玉帯濠
越秀南路
小東
門橋
文徳西路
無着庵
文徳東路
致美斎
文徳楼
大南路
大南路
基督教
救主堂
万福路
高第街
地鉄6号線
湛塘路
北京路
泰康路
徳政南路
団一大
広場
珠光路
文徳南路
省港罷工
委員会
旧址
北京路
東園路
拕翠路
白雲楼
魯迅故居
八旗
会館
黄埔軍校
同学会旧址
八旗二馬路
沿江中路
天字
碼頭
0km
珠江
1km

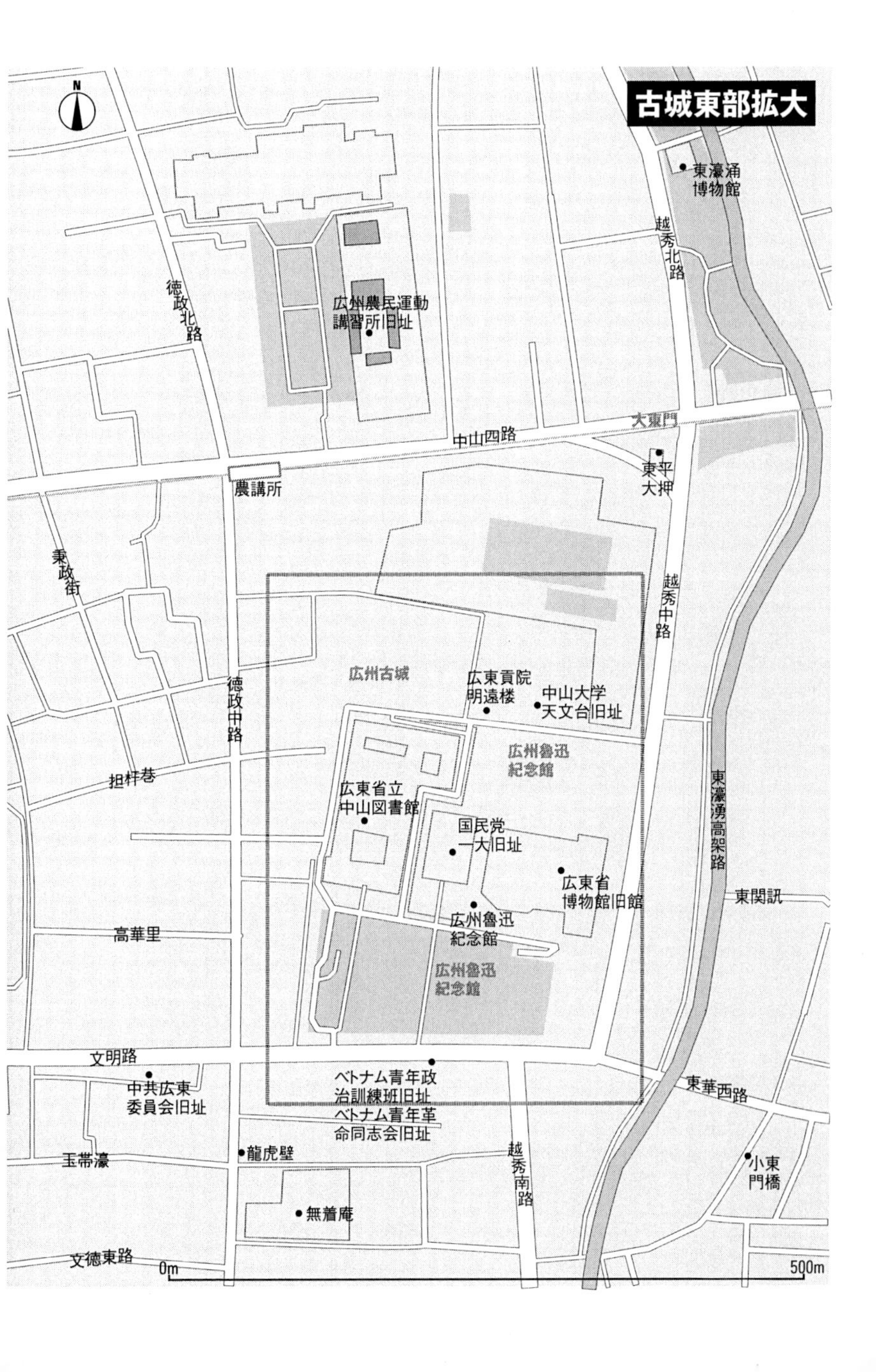
古城東部拡大
N
東濠涌
博物館
越秀北路
徳政北路
広州農民運動
講習所旧址
大東門
中山四路
農講所
東平
大押
秉政街
越秀中路
広州古城
広東貢院
明遠楼
中山大学
天文台旧址
徳政中路
広州魯迅
紀念館
担杆巷
広東省立
中山図書館
国民党
一大旧址
東濠湧高架路
広東省
博物館旧館
東関汛
広州魯迅
紀念館
高華里
広州魯迅
紀念館
文明路
中共広東
委員会旧址
ベトナム青年政
治訓練班旧址
ベトナム青年革
命同志会旧址
東華西路
龍虎壁
玉帯濠
越秀南路
小東
門橋
無着庵
文徳東路
0m
500m

視できなくなっていた)。周恩来、肖楚女、彭湃、惲代英などが広州農民運動講習所で教師をつとめ、「農民問題」「農村教育」「地理」などを学んだ18～28歳の青年は、のちの農村政策で

★★★

北京路／北京路 ベイジィンルウ／バッギインロウ

南越国宮署遺跡／南越国宫署遗址 ナァンユゥエグゥオゴンシュウイイチイ／ナアンユッグゥオッグウンチュウワイジッ

広州古城／广州古城 グゥアンチョウグゥチャン／グゥオンジョウグウシン

大仏寺／大佛寺 ダアフォオスウ／ダアイファッジイ

★★☆

広州農民運動講習所旧址(番禺学宮)／广州农民运动讲习所旧址 グゥアンチョウノンミンユンドンジィアンシィシュオジィウチイ／グゥオンジョウヌンマンワンドゥンゴオンジャアッソオガウジイ

東平大押／东平大押 ドォンピンダアヤア／ドォンペンダアイアアッ

広州魯迅紀念館／广州鲁迅纪念馆 ガンチョウルゥシュンジイニィエングゥアン／グゥオンジョウラァウシュンゲエイニングウン

国民党一大旧址(魯迅紀念館)／国民党“一大”旧址 グゥオミィンダァンイイダアジィウチイ／グゥオッマンドオンヤッダアイガウジイ

広東貢院明遠楼／广东贡院明远楼 グゥアンドォンユゥエンミィンユゥエンロォウ／グゥオンドォングゥンユウンメェンユンラァウ

中山路／中山路 チョンシャンルウ／ジュンサアンロウ

北京路北段／北京路北段 ベェイジィンルウベェイドゥアン／バッギンロウバッデュン

広東財政庁旧址／广东财政厅旧址 グゥアンドォンツァイチェンティンジィウチイ／グゥオンドォンチョイジィンテエンガオジイ

忠佑大街城隍廟／忠佑大街城隍庙 チョンヨォウダアジエチェンフゥアンミィアオ／ジュウンヤオダアイガアイシンウォンミィウ

万木草堂／万木草堂 ワンムゥツァオタン／マアンムッチョオウトン

★☆☆

東濠涌博物館／东濠涌博物馆 ドォンハァオヨォンボオウウグゥアン／ドォンホウチョンボッマッグウン

区家祠／区家祠 チュウジィアツウ／コイガアチイ

中共広東委員会旧址／中国共产党广东区委会旧址 チョングゥオゴォンチャンダァングゥアンドォンチュウウェイフゥイジィウチイ／ジョングウングゥオンドォンワアイユンウイガウジイ

ベトナム青年政治訓練班旧址、ベトナム青年革命同志会旧址／越南青年政治训练班旧址、越南青年革命同志会旧址 ユゥエナァンチィンニィエンチェンチイシュンリィアンバァンジィウチイ、ユゥエナァンチィンニィエンガアミィントォンチイフゥイジィウチイ／ユッナアンチインニンジィンジィファンリンバアンガウジイ、ユッナアンチインニンガアッミィントゥンジイウイガウジイ

無着庵／无着庵 ウウチュオアン／モウジャッアァン

広東省博物館旧館(魯迅紀念館)／广东省博物馆旧馆 グァンドンシェンボオウウグゥアンジィウグゥアン／グゥオンドォンサアアンボッマッグウンガウグウン

中山大学天文台旧址／中山大学天文台旧址 チョンシャンダアシュゥエティエンウェンタァイジィウチイ／ジュンサアンダアイホッテェンマントイガウジイ

広東省立中山図書館／广东省立中山图书馆 グゥアンドォンシェンリイチョンシャントゥシュウグゥアン／グゥオンドォンサアンラッジョンサアントォウシュウグウン

龍虎壁／龙虎墙 ロォンフウチィアン／ロォンフウチュウアン

広府学宮遺跡／广府学宫遗址 グゥアンフウシュエゴォンイイチイ／グゥオンフウホッグォンワイジイ

中山紀念図書館旧址／市立中山图书馆旧址 シイリイチョンシャントゥシュウグゥアンジィウチイ／ジョンサアンゲエイニントウシュウグウンガウジイ

大南路口／大南路口 ダアナァンルウコォウ／ダアイナアンロウハウ

小東営清真寺／小东营清真寺 シャオドォンイィンチィンチェンスウ／シィウドゥンインチィンジャアンジイ

文徳路／文德路 ウェンダァルウ／マンダッラァウ

広府学宮遺跡／广府学宫遗址 グゥアンフウシュエゴォンイイチイ／グゥオンフウホッグォンワイジイ

文徳楼／文德楼 ウェンダアロォウ／マンダアッラァウ

致美斎／致美斋 チイメェイチャイ／ジイメイジャアイ

古家祠／古家祠 グウジィアツウ／グウガアチィ

大きな力になったという。1953年に紀念館がおかれ、毛沢東の執務室や学生宿舎などが復元されている。

東平大押／东平大押★★☆

㊗ dōng píng dà yā ㊛ dung[1] ping[4] daai[3] aat[2]

とうへいだいおう／ドォンピンダアヤア／ドォンペンダアイアアッ

中山四路と越秀中路の交わる大東門そばにそびえる高層建築の東平大押(清代大東門当舗碉楼旧址)。「押」とは清代の経済活動に大きな力をもった質屋のことで、広州の質屋は清末民初にもっとも繁栄し、米屋よりも質屋のほうが多いとも言われ、東平大押は1911年に創建された。西関「西関大押」、宝慶中約「宝徳大押」、梯雲路「迪吉大押」、龍津西「昌興大押」、西門口「宝生大押」、大東門「東平大押」を六大質屋とし、当時の広州で越秀山鎮海楼、石室(聖心大教堂)、六榕塔、光孝塔をのぞくもっとも高い建物が西関大押、続いてこの東平大押が2番目の高さだった。東平大押は、(開平で見られる防御性の高い)碉楼建築で、幅9m、奥行10.5mのほぼ正方形のプランをもち、高さ21.2m、四面に窓が配置されている。入口は通りを往来する歩行者の視界をさえぎるための大きな障壁があり、質屋に入るところを見えないようにされていて、そこからうえに四層半の建築が続いていた。明代後期から清代初期の質屋の高いカウンターや様子が復元された1階、歴史資料、写真などを展示する2階、質屋の産業について紹介された3階という構成になっている。この東平大押の外側頂部の四方には、「省長署前」「鄧祥安造」という文言が見える。

東濠涌博物館／东濠涌博物馆★☆☆

㊗ dōng háo yǒng bó wù guǎn ㊛ dung[1] hou[4] chung[1] bok[2] mat[3] gún

とうごうようはくぶつかん／ドォンハァオヨォンボオウウグゥアン／ドォンホウチョンボッマッグウン

東濠涌とは「古城の東側の濠の流れ(涌)」を意味し、広州白雲山南麓の麓湖から珠江へと続いている。東濠涌は長さ

4225m、幅7～11mほどで、明代には主要な交通網となり、船や漁船が往来していた（また広州古城の貧しい農民の集まるところだった）。東濠涌博物館では、「水の都」とたたえられた広州の水や河川の歴史や文化が見られ、「東濠溯源」「東濠蘊夢」「東濠哭泣」「東濠新篇」といった展示が見られる。東濠涌博物館は中華民国時期の旧居が改装され、上下2階からなる。

区家祠／区家祠★☆☆

㊗ qū jiā cí ㊛ keui[1] ga[1] chi[4]
くけし／チュウジィアツウ／コイガアチイ

中山四路芳草街に残る区家祠は、清朝末期の1883年に建てられた。広州府と肇慶府の区氏が科挙の考試を受けるときにここに滞在し、合同での祭祀、訴訟や税務も行なった。三間三進の建築で、木彫の花鳥や紋飾で彩られている。区氏林石家塾ともいう。

中共広東委員会旧址／中国共产党广东区委会旧址★☆☆

㊗ zhōng guó gòng chǎn dǎng guǎng dōng qū wěi huì jiù zhǐ ㊛ jung[1] gung[3] gwóng dung[1] wái yun[4] wui[3] gau[3] jí
ちゅうきょうかんとんいいんかいきゅうし／チョングゥオゴォンチャンダァングゥアンドォンチュウウェイフゥイジィウチイ／ジョングウングゥオンドォンワアイユンウイガウジイ

中共広東委員会旧址は文明路に残る騎楼式建築で、2階と3階が中国共産党の広東省委員会として使われていた。広州は中国共産党が黎明期から活動した場所で、第一次国共合作（1924～27年）後、周恩来はじめ、陳延年、彭湃といった人たちがここで働いた。孫文死後の1927年に国共合作は破棄され、中共広東委員会も活動できなくなり、香港に遷ることになった。

広州農民運動講習所旧址は清代の番禺学宮を前身とする

すべての中国の都市にある孔子をまつる文廟でもあった

質屋の繁栄ぶりを伝える、天をつくような東平大押

白雲山から珠江へ流れる水路、東濠涌博物館

ベトナム青年政治訓練班旧址、ベトナム青年革命同志会旧址 ／越南青年政治训练班旧址、越南青年革命同志会旧址★☆☆

㊗ yuè nán qīng nián zhèng zhì xùn liàn bān jiù zhǐ、yuè nán qīng nián gé mìng tóng zhì huì jiù zhǐ 広 yut3 naam4 ching1 nin4 jing2 ji3 fan2 lin3 baan1 gau3 jí、yut3 naam4 ching1 nin4 gaak2 ming3 tung4 ji2 wui3 gau3 jí

べとなむせいねんせいじくんれんはんきゅうし、べとなむせいねんかくめいどうしかいきゅうし／ユゥエナァンチィンニィエンチェンチイシュンリィアンバァンジィウチイ、ユゥエナァンチィンニィエンガアミィントォンチイフゥイジィウチイ／ユッナアンチインニンジィンジィファンリンバアンガウジイ、ユッナアンチインニンガアッミィントゥンジイウイガウジイ

国共合作後の1924年12月、ベトナムの胡志明(ホーチミン)はモスクワから広州にやってきて、翌年、ベトナムの革命組織「心心社」を編成した。そして、1925年、胡松茂、黎鴻山、黎鴻峰などとともに、広州でベトナム青年革命同志協会(ベトナム労働党の前身)の活動を行なった。3層からなる建築は赤レンガの壁でおおわれ、前方には騎楼をもつ。

無着庵／无着庵★☆☆

㊗ wú zhuó ān 広 mou4 jeuk2 am1

むちゃくあん／ウウチュオアン／モウジャッアァン

無着庵は、清代1667年創建の仏教の尼僧(女性の出家者)道場。無着庵という名称は、「清浄无染着(清浄で、こころに執着心がないこと)」からとられていて、物欲と現世の男性に執着しないというふたつの意味があるという。1997年に5人のネパール人女性が訪れたのをはじめ、二部僧戒を受けることを目的に世界中から女性(尼僧)が集まる。緑色の瑠璃瓦で屋根はふかれ、外壁の門上部には梵字(悉曇文字)が見える。

Lu Xun Ji Nian Guan

魯迅紀念館城市案内

広州古城東部は、清代に広州貢院があったところ
国民党一大旧址(革命広場)や紅楼、中山大学天文台
近代中国政治の舞台となった地が集まる

広州魯迅紀念館／广州鲁迅纪念馆★★☆

㊥ guǎng zhōu lǔ xùn jì niàn guǎn ㊧ gwóng jau¹ lou, seun² géi nim³ gún

こうしゅうろじんきねんかん／ガンチョウルゥシュンジイニィエングゥアン／グゥオンジョウラァウシュンゲエイニングウン

1906年に設立された広東省広州師範学校の旧本館を前身とし、その後、中山大学鐘楼だった建物が転用された広州魯迅紀念館。清代、大東門に近いこの場所は科挙(試験)の行なわれる貢院だったが、清末の1905年に科挙が廃止されると1906年に師範学堂が設立された(学校の建物は西欧風で、西洋式の教育が行なわれた)。1924年には孫文主導の中国国民党第一次全国代表会がここで開かれたことでも知られ、近代中国の政治の中心地となってきた。やがて敷地内に中山大学が設立され、1927年1月～6月、魯迅は中山大学で教鞭をとっている。当時、国共合作(1924～27年)が破れ、身の危険を感じた魯迅は広州まで南下し、それを妻の許広平が広州の碼頭で迎えた。黄色の鐘楼の上部には時計があり、魯迅はしばらくこの建物の2階に暮らしたことから、1957年に広州魯迅紀念館として開館した(中山大学は現在、郊外へと移転している)。「鐘楼にて(魯迅と広東)」「鐘声1924(中国国民党第一次全国代表大会に関する陳列)」「紅楼から鐘楼(広東貢院と近代教育変革)」に関する陳列が見られる。また中山大学鐘楼(国民党一大旧址)前方の広場は、集会ができるようになっている。

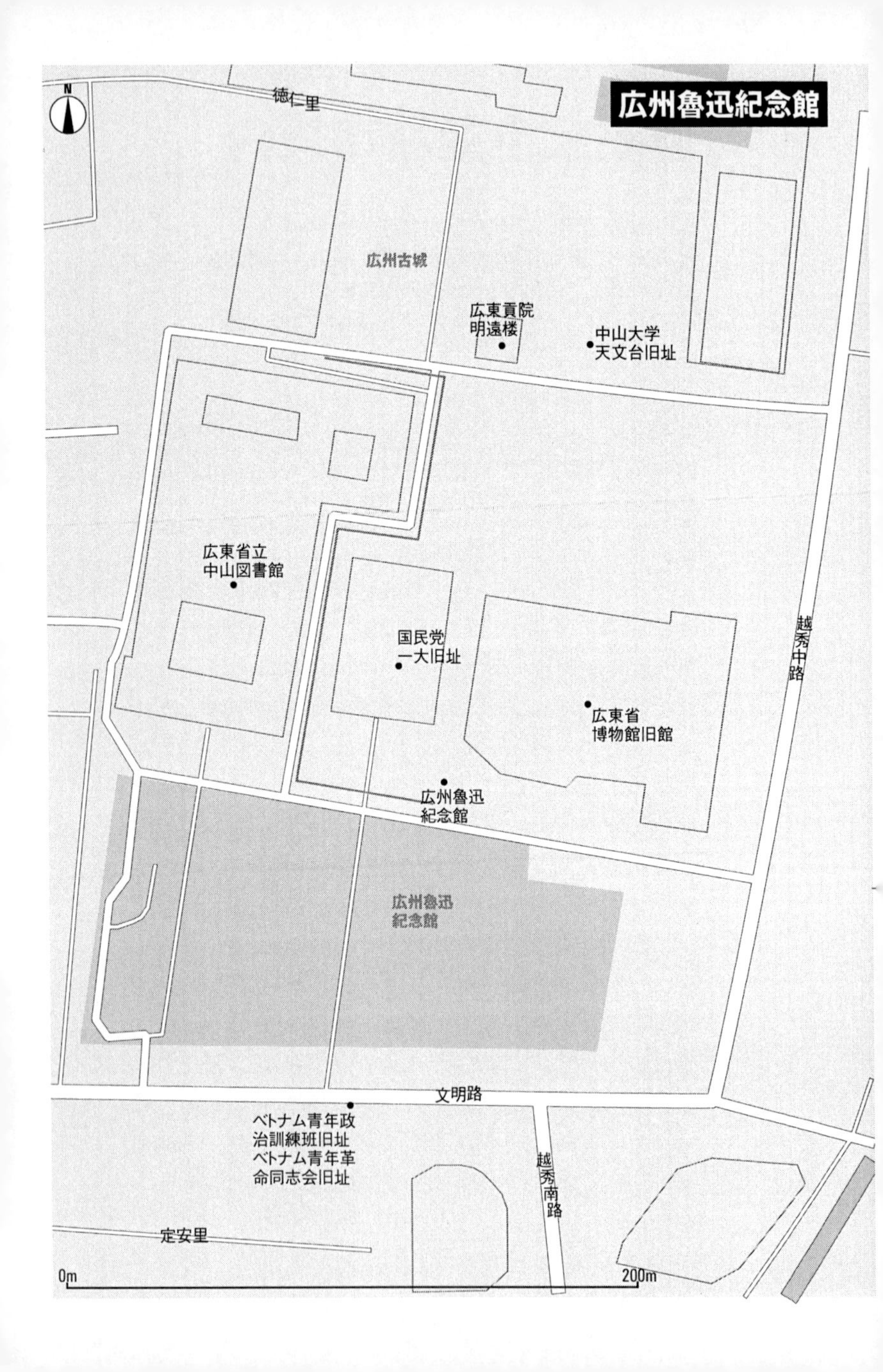

広州魯迅紀念館
N
徳仁里
広州古城
広東貢院
明遠楼
中山大学
天文台旧址
広東省立
中山図書館
国民党
一大旧址
広東省
博物館旧館
越秀中路
広州魯迅
紀念館
広州魯迅
紀念館
文明路
ベトナム青年政
治訓練班旧址
ベトナム青年革
命同志会旧址
越秀南路
定安里
0m
200m

広東省博物館旧館（魯迅紀念館）／广东省博物馆旧馆★☆☆

㊗ guǎng dōng shěng bó wù guǎn jiù guǎn ㊇ gwóng dung[1] sáang bok[2] mat[3] gún gau[3] gún

かんとんしょうはくぶつかんきゅうかん（ろじんきねんかん）／グァンドンシェンボオウウグゥアンジィウグゥアン／グゥオンドォンサアアンボッマッグウンガウグウン

広東省の歴史や、北方とは異なる嶺南文化、またアヘン戦争の展示が見られる広東省博物館旧館（広東省博物館新館は、天河に位置する）。1924年、孫文によって設立された中山大学があった場所で、1959年、その敷地が広東省博物館に転用された。

国民党一大旧址（魯迅紀念館）／国民党"一大"旧址★★☆

㊗ guó mín dǎng yī dà jiù zhǐ ㊇ gwok[2] man[4] dóng yat[1] daai[3] gau[3] jí

こくみんとういちだいきゅうし（ろじんきねんかん）／グゥオミィンダァンイイダアジィウチイ／グゥオッマンドオンヤッダアイガウジイ

1924年に中国国民党第一次全国代表大会が行なわれ、魯迅紀念館の中心に立つ国民党一大旧址（魯迅紀念館、旧中山大学鐘楼大講堂）。幅37m（上部4.5m）、奥行51.1m、高さ24mで、「山」の字型をした旧中山大学鐘楼の1階の礼堂が国民党一大旧址となっている。1924年1月20日、孫文は国民党にくわえて共産党も招来して、第一次全国代表大会（一全大会）が開かれ、孫文の三民主義の再解釈、国共合作の宣言、死去したレーニンへの追悼演説などが行なわれた。この大会には孫文、廖仲

★★★

広州古城／广州古城 グゥアンチョウグゥチャン／グゥオンジョウグウシン

★★☆

広州魯迅紀念館／广州鲁迅纪念馆 ガンチョウルゥシュンジイニィエングゥアン／グゥオンジョウラァウシュンゲエイニングウン

国民党一大旧址（魯迅紀念館）／国民党"一大"旧址 グゥオミィンダァンイイダアジィウチイ／グゥオッマンドオンヤッダアイガウジイ

広東貢院明遠楼／广东贡院明远楼 グゥアンドォンユゥエンミィンユゥエンロォウ／グゥオンドォングゥンユウンメェンユンラァウ

★☆☆

ベトナム青年政治訓練班旧址、ベトナム青年革命同志会旧址／越南青年政治训练班旧址、越南青年革命同志会旧址 ユゥエナァンチィンニィエンチェンチイシュンリィアンバァンジィウチイ、ユゥエナァンチィンニィエンガアミィントォンチイフォイジィウチイ／ユッナアンチインニンジィンジィファンリンバアンガウジイ、ユッナアンチインニンガアッミィントゥンジイウイガウジイ

広東省博物館旧館（魯迅紀念館）／广东省博物馆旧馆 グァンドンシェンボオウウグゥアンジィウグゥアン／グゥオンドォンサアアンボッマッグウンガウグウン

中山大学天文台旧址／中山大学天文台旧址 チョンシャンダアシュゥエティエンウェンタァイジィウチイ／ジュンサアンダアイホッテェンマントイガウジイ

広東省立中山図書館／广东省立中山图书馆 グゥアンドォンシェンリイチョンシャントゥシュウグゥアン／グゥオンドォンサアンラッジョンサアントォウシュウグウン

愷、汪精衛、胡漢民、林森はじめ、李大小、毛沢東もいて、共産党員が国民党に参加できることになった(辛亥革命以来の革命運動を反省し、ソ連や共産党との連帯、農民や労働者の重視などが確認された)。このとき広州の沖合には、英米日などの6か国の軍艦290隻集結し、孫文らを威嚇するための砲列をしいていたという。国民党一大旧址となっている1階のホールには青地の国民党の党旗「青天白日旗」と、青天白日旗を左上によせた赤地の中華民国の国旗「青天白日満地紅旗」がかかげられている。このホールは1984年、復元され、鐘楼の2階に魯迅が暮らしていたことから、広州魯迅紀念館となっている。

広東貢院明遠楼／广东贡院明远楼★★☆

㊣北 guǎng dōng gòng yuàn míng yuǎn lóu ㊣広 gwóng dung1 gung2 yún ming4 yun, lau4

かんとんこういんめいえんろう／グゥアンドォンユゥエンミィンユゥエンロォウ／グゥオンドォングゥンユウンメェンユンラァウ

広州古城の東側にあった科挙の受験場、広東貢院のうち、唯一残っている建築の明遠楼。明清時代以前、官吏となる人材登用は科挙を通じて行なわれ、広州の貢院は南宋(1127～1279年)時代に建てられたという。そして明代の1426年、貢院は大石街にあったが、のちに光孝寺に遷された。その後の1684年に広東巡撫李士槙が今の場所に広東貢院を建てなおし、その中心に明遠楼が位置した。南向きに立つ幅18.2 m、奥行15.2m、2階建ての木造建築で、赤の柱、黄色の屋根瓦が見え、そのたたずまいから「紅楼」とも呼ばれていた。建物周囲には廊下がめぐらされ、開放的で、1階から2階にあがるための木製の階段も配置されている。清末(光緒帝時代)の1905年に科挙が廃止されると、貢院も必要なくなり、近代教育を行なう師範学堂として生まれ変わった。

中山大学天文台旧址／中山大学天文台旧址★☆☆

㊣北 zhōng shān dà xué tiān wén tái jiù zhǐ ㊣広 jung1 saan1 daai3 hok3 tin1 man4 toi4 gau3 jí

ちゅうざんだいがくてんもんだいきゅうし／チョンシャンダアシュゥエティエンウェンタァイジィウチイ／ジュンサアンダアイホッテェンマントイガウジイ

広州古城東部のこの地にはもともと広東貢院があり、科

ここは明清時代に科挙の試験場だった、広東貢院明遠楼

国民党一大旧址、この鐘楼の2階に魯迅が暮らした

国民党の「青天白日旗」と中華民国の「青天白日満地紅旗」

いくつかの建物が集まる広州魯迅紀念館

挙に合格するために書生が集まっていた。中山大学天文台旧址は、民国時代の天文学博士張雲によるもので、1926年に建設が決まり、当初、越秀山が検討されていたが、やがてこの場所で1929年に完成した（中国の天文台は、1872年創建の上海徐家匯のものが最初で、広州の中山大学天文台は1934年創建の南京紫金山のものよりも早い）。幅12m、奥行12mの正方形プランをもち、外壁は黄色、地下1階、地上2階の3階建てとなっていて、ここに望遠鏡がおかれ、天文観測が行なわれた。1949年の新中国設立後の1952年に全国の大学と学部が調整され、この天文台をそなえた唯一の大学だった中山大学天文学部の教師、学生、スタッフ、設備は南京大学に遷った。

広東省立中山図書館／广东省立中山图书馆★☆☆

㊊ guǎng dōng shěng lì zhōng shān tú shū guǎn 広 gwóng dung^{1} sáang lap^{3} jung^{1} saan^{1} tou^{4} syu^{1} gún

かんとんしょうりつちゅうざんとしょかん／グゥアンドォンシェンリイチョンシャントゥシュウグゥアン／グゥオンドォンサアンラッジョンサアントォウシュウグウン

1912年に創立された歴史をもち、文化や情報の調査研究拠点となっている広東省立中山図書館。明代広州の景勝地南園があり、続く清代の広雅書局蔵書楼を前身とする。そのなかの抗風軒は孫文（1866～1925年）の革命活動の秘密基地でもあった。2003年に拡張され、現在は中国有数の図書館にあげられる。

龍虎壁／龙虎墙★☆☆

㊊ lóng hǔ qiáng 広 lung^{4} fú cheung^{4}

りゅうこへき／ロォンフウチィアン／ロォンフウチュウアン

徳政中路と文明路が交わる地点に、150mほど続く高さ4mほどの龍虎壁。ちょうど清代科挙の行なわれた広東貢院の西側の壁にあたり、ここで全省考試の合格者が発表された。現在は広東省立中山図書館の西壁となっている。

Kousyu To Reinan

広州と嶺南仏教の伝統

光孝寺、六榕寺、華林寺
広州には唐宋時代から続く仏教寺院が残り
嶺南仏教の伝統が息づいている

海路で伝播した仏教

　儒教と道教が中国で生まれたのに対し、仏教はインドから伝わった外来宗教で、南北朝(4～6世紀)から隋唐(6～10世紀)にかけて中国仏教は大きく発展した(仏教は後漢代に伝来したが、内面性を重んじる仏教に貴族たちが傾斜し、浸透していった)。この仏教は中央アジアから陸路で伝わったものは敦煌を、南海から海路で伝わったものは広州を窓口とした。東晋(317～420年)の僧、法顕がインドを訪ね、南海経由で中国に帰ってきたように、当時、インド、東南アジアと南中国を結ぶ交通路が確立されていた。同じく東晋時代にインド人仏僧曇摩耶舎が広州に来て、白沙寺(現在の光孝寺)を建てたのをはじめ、求那跋陀羅、智薬三蔵、菩提達磨、金剛智などの名僧が訪れ、パーリ語経典が広州で漢語に翻訳された。南朝梁の武帝(在位502～549年)が篤く保護したことも仏教の発展に大きく寄与し、唐の義浄(635～713年)は広州から海路でインドに向かい、経典を中国にもち帰っている。このように南海経由のものは広州を出発地、帰着地としていて、海のシルクロードの拠点として、また嶺南仏教の中心地として大いに栄えていた。

達磨が伝えた「禅」

南インドのバラモン王の第3子として生まれた菩提達磨(〜528年)は、インドから中国に渡来して、禅思想を伝えた。ある説では、宋(南朝)の470年ごろ、南海から広州に到着した達磨の話を聴いた広州刺史車朗が、宋の文帝に上奏し、文帝は使者を派遣して達磨を迎えたという。また梁(南朝)の520年ごろ、仏教の保護者として知られる武帝の時代にインドから中国を訪れたという説もある。このとき「どのように衆生を救済されるのか？」という武帝の問いに「一時の教えももってきていません」と達磨は答えたとされる(また達磨は、南海ではなく、西域経由で中国に来たという説もある)。禅とは、当時のインドで話されていた「瞑想」を意味する「ジュハナ」の中国語音写で、座禅をくんで精神を集中する。この達磨は北魏統治下の嵩山少林寺にあって、壁に向かって9年間座禅をした「面壁九年」の故事で知られる。

慧能の受戒

唐代に生きた慧能(638〜713年)は菩提達磨を初代とする禅宗の六祖として知られ、南宗禅の創始者でもある(慧能の時代から、北宗禅と南宗禅にわかれた)。慧能は自らを「新州(広東省新興県)の百姓なり」と答えていることから、当時、広東は野蛮な土地とされ、「嶺南の人は仏性が無い」と言われたが、「菩提本樹無し、明鏡また台に非ず、本来無一物、何のところにか塵埃を惹かん」といった思想で、五祖弘忍から衣法を受けて禅宗の正当な後継者六祖となった。広東省に戻った慧能は、隠遁生活を送ったのち、広州の法性寺(現在の光孝寺)にやってきた。そこでふたりの僧が風にたなびく幡(旗)について論争をしていて、ひとりは「風が動いている」、もうひとりは「幡(旗)が動いている」と言ったが、慧能は「風でもなく、幡(旗)でもなく心が動いている」と言った。こうして667年(676年とも）、慧能は法性寺（光孝寺）の菩提樹のもとで受戒し、韶関の南華寺や光孝寺を拠点に仏法を広めた。栄西の臨済宗、道元の曹洞宗、隠元の黄檗宗といった日本を代表する禅宗は、すべて慧能の系統から出ている。

広州の街よりも古いとさえ言われる光孝寺

船に乗り河川や海を往来した南越の人たち

街の中心に位置した行政府と道教の城隍廟

こちらは儒教の明倫堂、広州農民運動講習所旧址にて

门前通道
请勿堵占
禁止停车

Guang Xiao Si

光孝寺鑑賞案内

広州でもっとも古い仏教寺院の光孝寺
2000年の伝統を誇り
嶺南仏教の中心地として知られてきた

光孝寺／光孝寺★★★

㊗ guāng xiào sì ㊎ gwóng[1] haau[2] ji[3]
こうこうじ／グアンシャオスウ／グゥオンハアウジイ

「未有羊城、先有光孝(広州の街がないときから、光孝寺はあった)」「嶺南叢林の冠(嶺南仏教で一番の寺)」という言葉は、光孝寺が広東省でもっとも由緒正しく、嶺南仏教の総本山であることを意味する。この場所には、古くは南越国の第5代趙建徳(紀元前112～前111年)の邸宅(趙建徳王府)がおかれていたという。その後、三国時代、呉の官吏虞翻(164～233年)の左遷先の園林となり、多くの樹木が植えられ、虞苑と呼ばれていた。こうしたなか、後漢(25～220年)末より、ベトナム北部、広州にも仏教が伝播し、やがて虞翻の死後、虞苑は仏教寺院に転用された。続く東晋時代にインド人の名僧曇摩耶舎が広州に入って虞苑で暮らし、401年、古く南越国の王府があったことにちなんで王園寺と名づけた(曇摩耶舎以前から虞苑に仏教寺院があったともいう)。これが実質的な光孝寺のはじまりで、以後、嶺南の仏教中心地として多くの名僧が集まるようになり、梁の武帝時代(502年)、菩提達磨が海路で広州にやってきて、ここで仏教禅宗を広めたことが特筆される。その後の隋唐時代も、南海経由で広州に訪れたインド人仏教僧がこの寺で経典を中国語に翻訳したことから、最新のインド仏教を布教する拠点になっていた。また、菩提達磨を初代とする

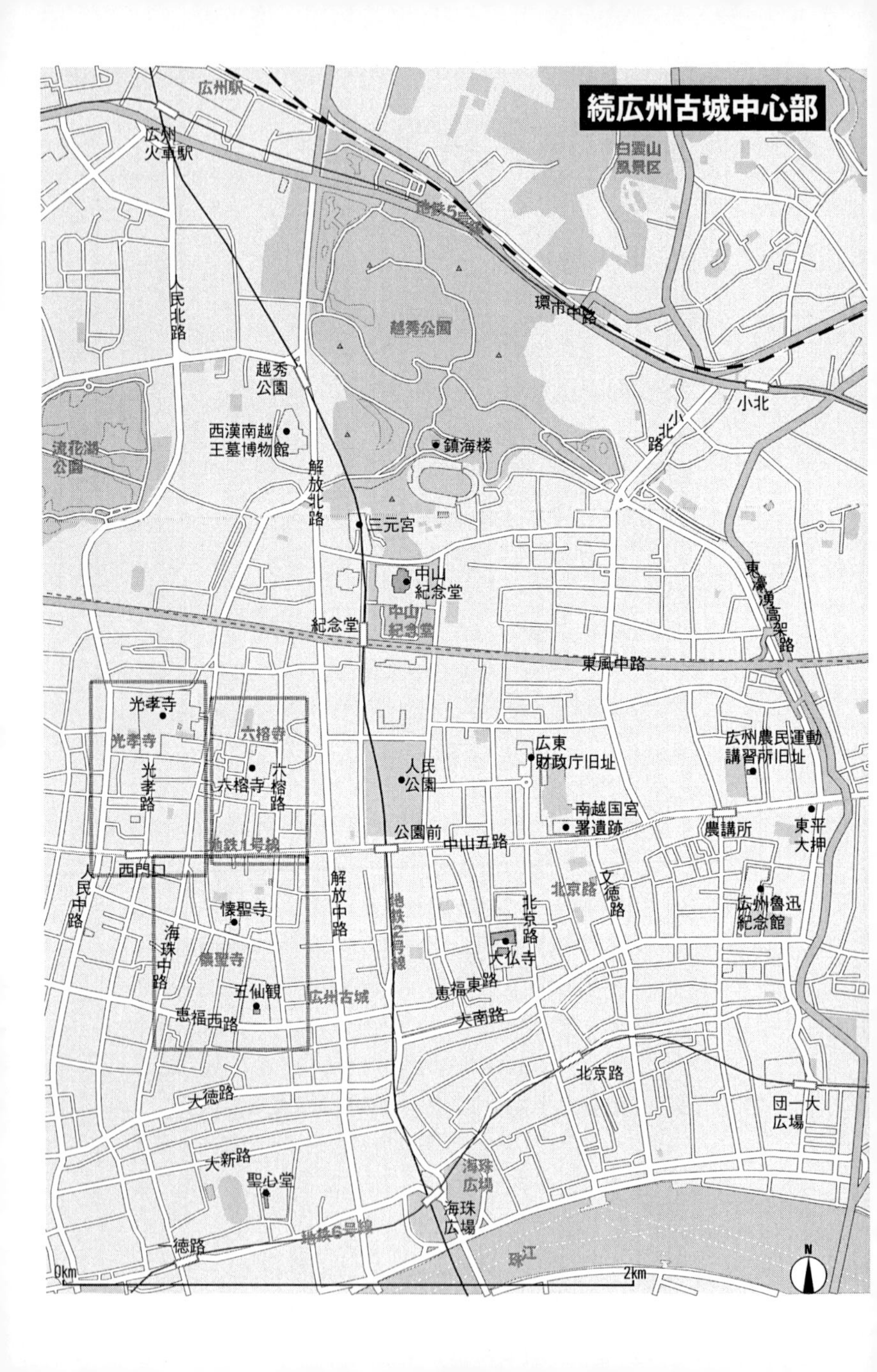

続広州古城中心部
広州駅
広州火車駅
白雲山風景区
地鉄5号線
環市中路
越秀公園
人民北路
越秀公園
西漢南越王墓博物館
流花湖公園
鎮海楼
小北
小北路
解放北路
三元宮
中山紀念堂
中山紀念堂
紀念堂
東濠涌高架路
東風中路
光孝寺
光孝寺
六榕寺
六榕寺
光孝路
六榕路
人民公園
広東財政庁旧址
広州農民運動講習所旧址
南越国宮署遺跡
公園前
中山五路
農講所
東平大押
地鉄1号線
西門口
人民中路
解放中路
北京路
文徳路
懐聖寺
地鉄2号線
広州魯迅紀念館
海珠中路
懐聖寺
北京路
大仏寺
広州古城
恵福東路
五仙観
恵福西路
大南路
北京路
団一大広場
大徳路
大新路
海珠広場
聖心堂
海珠広場
地鉄6号線
一徳路
珠江
0km
2km
N

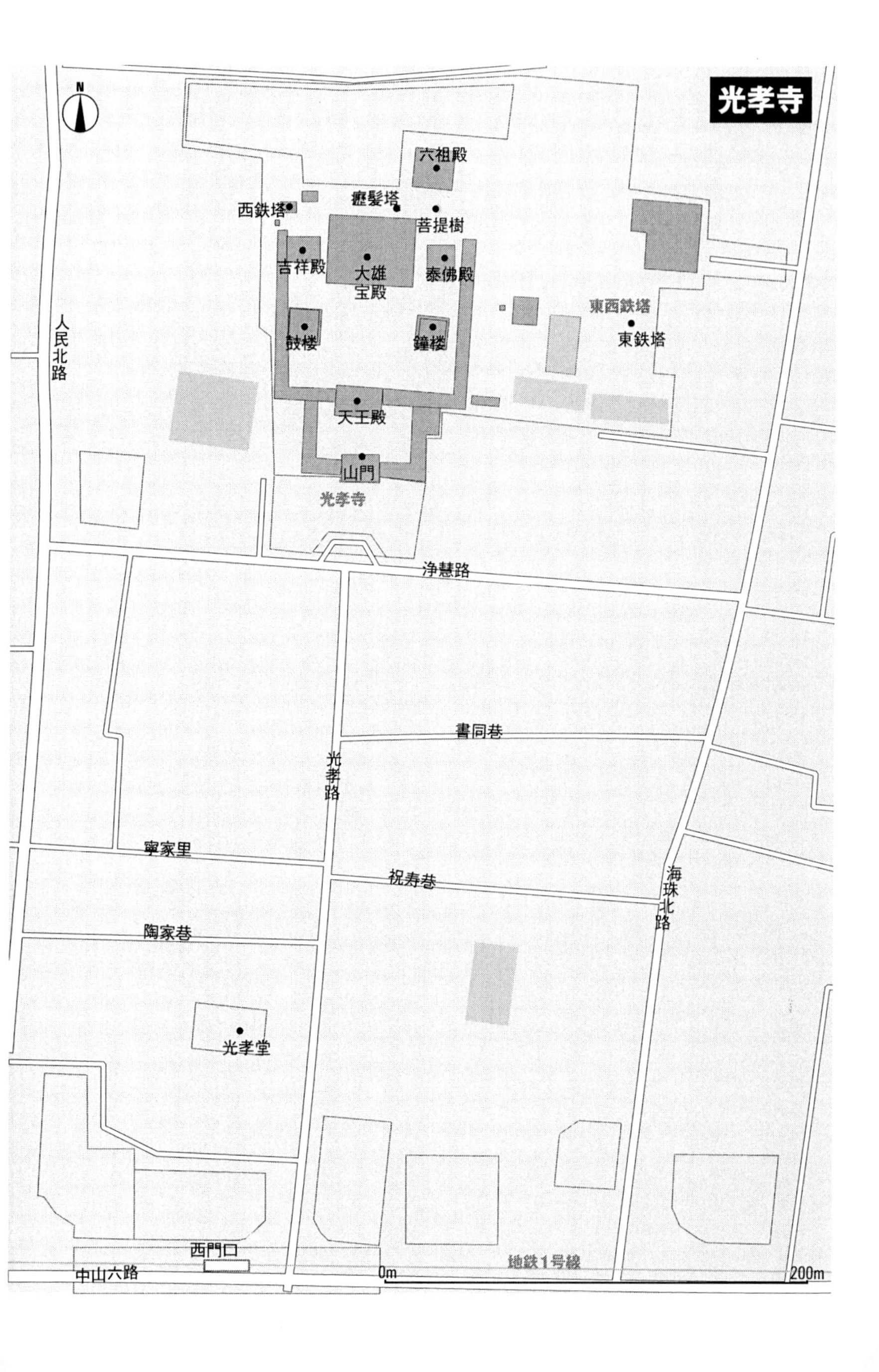

光孝寺
N
六祖殿
瘞髪塔
西鉄塔
菩提樹
吉祥殿
大雄宝殿
泰佛殿
東西鉄塔
東鉄塔
鼓楼
鐘楼
人民北路
天王殿
山門
光孝寺
浄慧路
書同巷
光孝路
寧家里
祝寿巷
海珠北路
陶家巷
光孝堂
西門口
地鉄1号線
中山六路
0m
200m

禅宗の六祖慧能(638～713年)がここ光孝寺で布教を行ない、伽藍内には慧能ゆかりの場所が残っている。南宋の1151年、光孝寺と改称されて現在にいたり、東晋に創建された大雄宝殿はじめ、この寺院の伽藍は宋代の建築様式を残し、華南に現存する最古の建築だと言われる。

★★★
光孝寺／光孝寺 グアンシャオスウ／グゥオンハアウジイ
懐聖寺／怀圣寺 ファイシェンスウ／ワアイシィンジイ
越秀公園／越秀公园 ユェシィウゴンユェン／ユッサァウゴォンユウン
鎮海楼（広州博物館）／镇海楼 チェンハイラァウ／ジャンホイラウ
西漢南越王墓博物館／西汉南越王墓博物馆 シィハンナンユエワンムウボオウウガン／サァイホォンナアムユッウォンモウボッマッゴオン
中山紀念堂／中山纪念堂 チョンシャンジィニェンタン／ジュンサアンゲエイニィントン
広州古城／广州古城 グゥアンチョウグゥチャン／グゥオンジョウグウシン
北京路／北京路 ベイジィンルウ／バッギインロウ
大仏寺／大佛寺 ダアフォオスウ／ダアイファッジイ
南越国宮署遺跡／南越国宫署遗址 ナァンユゥエグゥオゴンシュウイイチイ／ナアンユッグゥオッグウンチュウワイジッ

★★☆
六榕寺／六榕寺 リィウロンスウ／ロクヨンジイ
五仙観／五仙观 ウウシィアングゥアン／ンンシイングウン
中山路／中山路 チョンシャンルウ／ジュンサアンロウ
広東財政庁旧址／广东财政厅旧址 グゥアンドォンツァイチェンティンジィウチイ／グゥオンドォンチョイジィンテエンガオジイ
恵福東路／惠福东路 フイフウドォンルウ／ワイフッドォンロウ
広州農民運動講習所旧址（番禺学宮）／广州农民运动讲习所旧址 グゥアンチョウノンミンユンドンジィアンシィシュオジィウチイ／グゥオンジョウヌンマンワンドゥンゴオンジャアッソオガウジイ
東平大押／东平大押 ドォンピンダアヤア／ドォンペンダアイアアッ
広州魯迅紀念館／广州鲁迅纪念馆 ガンチョウルゥシュンジイニィエングゥアン／グゥオンジョウラァウシュンゲエイニングウン
三元宮／三元宫 サンユェンゴン／サアンユンゴォン

★☆☆
大雄宝殿（大殿）／大雄宝殿 ダアシィオンバァオディエン／ダアイホォンボオディン
東西鉄塔／东西铁塔 ドンシイティエタア／ドォンサアイティッタアッ
六祖殿／六祖殿 リィウチュウディエン／ロクジョオウディン
光孝堂／光孝堂 グゥアンシィアオタァン／グゥオンハアウトォン
広州駅／广州站 ガンチョウチャン／グゥオンジョウジャアン
東風路／东风路 ドォンフェンルウ／ドンフォンロウ
解放路／解放路 ジエファンルウ／ガアイフォンロウ
人民公園／第一公园旧址 ディイイゴォンユゥエンジィウチイ／ダイヤッゴォンユウンガウジイ
文徳路／文德路 ウェンダァルウ／マンダッラァウ
海珠中路／海珠中路 ハァイチュウチョンルウ／ホォイジュウジョォンロウ
恵福西路／惠福西路 フゥイフウシイルウ／ワァイフッサアイロウ
人民路／人民路 レンミィンルウ／ヤンマンロォウ

光孝寺のかんたんな歴史

光孝寺は広東省でもっとも古い仏教寺院で、南越国の第5代趙建徳(紀元前112～前111年)の邸宅、三国時代に広州に左遷された呉の官吏虞翻(164～233年)の旧居「虞苑(園林)」を前身とする。虞翻死後、仏教寺院に転用され、東晋の隆安年間(397～401年)にインド人の仏僧曇摩耶舎がカシミールから広州に入り、ここに光孝寺の前身となる王園寺を建立した。こうしたなか後漢(25～220年)末からベトナム北部、広州にも仏教が広がるようになり、やがて海のシルクロードを通じてインド人仏教僧が訪れて経典や仏法をもたらした。502年、南朝梁の武帝のときに菩提達磨が広州を訪れて禅宗を中国に伝えたほか、中国三大訳経家のひとり真諦三蔵が広州光孝寺で仏典の漢訳を行なっている。唐代の645年、法性寺という名前になり、667年(もしくは676年)、禅宗五祖弘忍から法を受けた六祖慧能がこの寺に来て、菩提樹のもとで髪をそり落とし、受戒した(正式に光孝寺の仏僧となった)。また東の日本を旅した鑑真(687～763年)も、ここ法性寺(光孝寺)に滞在するなど、唐代を通じて栄えている。この法性寺は、五代南漢時代に乾亨寺、北宋時代に万寿禅寺と名前を変え、1145年、報恩広孝寺となり、その後、南宋の1151年に光孝寺となって現在にいたる(明代の1482年に光孝禅寺の扁額が下賜された)。1650年、清軍が南下して、広州が戦火に巻き込まれると、光孝寺もまた破壊をこうむった。その後、光孝寺に科挙のための貢院がおかれることもあったが、やがて修建され、広州を代表する仏教寺院という性格は続いた。清末の1903年には光孝寺は広南中学、八旗小学に転用され、1938年に日本軍が広州を占領したとき、ここ光孝寺に和平救国軍総司令部がおかれた。1949年に新中国が成立すると、美術学校がここで開学して、仏教僧は追放されたが、1960年代以降、仏教寺院としての価値が認められ、やがて再建された。1986年に嶺南仏教を代表する寺として、対外開放された。

光孝寺伽藍の構成

光孝寺は南宋時代以来の伽藍配置をもつといい、11の殿が残る。光孝寺の扁額がかかる「山門（大門）」からなかに入ると、宋代に建てられ、現在は弥勒菩薩と四大天王をまつる「天王殿」、光孝寺の本殿にあたり、1654年に修建されたブッダをまつる「大雄宝殿」へと続く。大雄宝殿前は中庭になっていて、その東西に1611年に重修され、日本の唐招提寺のものをもとに再建された「鐘楼」と「鼓楼」が位置する。また大雄宝殿の東西にはタイから贈られた仏像をまつる「泰佛殿（伽藍殿）」、禅宗の初祖達磨から五祖弘忍像までを安置する「吉祥殿（五祖殿、臥佛殿）」が立っている。その背後に六祖慧能を記念して1008年に建てられ、明清時代を通じて何度も再建されている「六祖殿」が位置し、その前方に六祖慧能が剃髪、受戒した地に立つ八角7層、高さ7.8mの「瘞髪塔（六祖髪塔）」、502年、インド人高僧智薬三蔵が広州にもたらしたブッダガヤゆかりの「菩提樹」が見られる。また南漢時代のもので、芸術性の高い東西鉄塔が立つ。

大雄宝殿（大殿）／大雄宝殿★☆☆

㊗ dà xióng bǎo diàn ㊛ daai³ hung⁴ bóu din³

だいゆうほうでん（だいでん）／ダアシィオンバァオディエン／ダアイホォンボオディン

光孝寺の中心建築で、東晋時代、カシミールから来たインド人高僧曇摩耶舎によって401年に創建された大雄宝殿。古くは三国時代の呉騎都尉虞翻（164～233年）の邸宅があったともいい、その後、仏教寺院に転用された。唐代に重修され、清の1654年に拡張されて幅36m、奥行25.4mの現在の姿になった。「勅賜光孝禅寺」の扁額が見え、中央に釈迦牟尼仏、東に普賢菩薩、西に文殊菩薩という華厳三聖が位置する。唐宋時代の建築様式を今に伝えるという。

光孝寺前では占い師に出合った

広州を代表する仏教寺院の光孝寺

宋代以来の伽藍配置を今に伝えるという

お腹の大きな弥勒菩薩像

東西鉄塔／东西铁塔★☆☆

㊗ dōng xī tiě tǎ 広 dung[1] sai[1] tit[2] taap[2]

とうざいてつとう／ドンシイティエタア／ドォンサアイティッタアッ

大雄宝殿の背後に立つ、東西ふたつの鉄塔をあわせて東西鉄塔と呼ぶ。広州に都をおき、仏教が保護された南漢(五代十国のひとつ)時代のもので、中国でも最古級の鉄塔として知られる。西鉄塔は963年、南漢王宮に仕える宦官の龔澄枢とその女弟子の鄧氏の娘らによって創建された。全長6.5m、うえの4つの層がくずれ、下の3層が残る。一方、東鉄塔は同じく南漢の宦官、李托によるもので、四角形、7層からなり、塔の高さは7.3m、壁面には千仏の浮き彫りが見られる。これらの塔はもともと開元寺(現在の恵愛西市場)にあったが、宋代の端平年間(1234〜36年)にこの地に遷ってきた。

六祖殿／六祖殿★☆☆

㊗ liù zǔ diàn 広 luk[3] jóu din[3]

ろくそでん／リィウチュウディエン／ロクジョオウディン

光孝寺の軸線上からはずれた北東に立つ六祖殿。五祖弘忍を継承した、禅宗の六祖慧能の名前がつけられていて、光孝寺もうひとつの中心殿だと言える。慧能は嶺南に戻ってきてから、四会、懐集などで隠遁していたが、667年(もしくは676年)、広州法性寺(光孝寺)にやってきて、ここで受戒して人びとに仏法を伝えた(慧能は達磨にはじまる禅宗の第6祖で、この系統から日本の臨済宗や曹洞宗も出ている)。宋代の1008年、慧能の業績を記念してこの六祖殿(祖堂)が建てられ、なかには989年に鋳造された慧能の銅像が安置されている。また六祖殿の近くには、剃髪した慧能の髪が納められているという八角形のプラン、7層からなる高さ7.8mの瘞髪塔が立つ。慧能がその前で受戒したというブッダゆかりの菩提樹も見られる。

光孝堂／光孝堂★☆☆

㊗ guāng xiào táng ㊘ gwóng[1] haau[2] tong[4]

こうこうどう／グゥアンシィアオタァン／グゥオンハアウトォン

光孝堂は光孝寺そばに立つキリスト教の教会で、1921年に建てられた。主楼の幅23m、奥行35m、高さ26.7m、5階建ての建築で、中国と西洋のゴシック様式を組みあわせたたたずまいをしている（ノートルダム大聖堂を思わせる）。大堂には1000人が収容できるといい、外壁には花のかたちをした鮮やかな円形窓が見える。

円形の窓が印象的なキリスト教の光孝堂

10世紀に広州を都とした南漢時代の東西鉄塔

光孝寺
五羊論古寺
廣東省佛教協會
廣東佛學院
初地訪訶林

Liu Rong Si

六榕寺城市案内

美しく伸びあがる六榕寺花塔は
広州を代表する景観のひとつ
あたりには美しい街並みも残っている

六榕寺／六榕寺★★☆

㊗ liù róng sì 広 luk³ yung⁴ ji³
ろくようじ／リィウロンスウ／ロクヨンジイ

「花塔」と呼ばれる高さ57.6m、九層の美しい仏塔が立つ六榕寺。六榕寺は南朝の劉宋(420年～479年)時代の創建で、その仏塔は梁武帝の537年、広州に帰還した沙門曇裕法師がカンボジアより招来した仏舎利をおさめるために建てたことにはじまる。唐の650年、仏塔から光が放たれ、霊験が現れたため、宝輪和尚は官吏に声をかけてこの仏教寺院と仏塔を重修した。続く南漢(917～971年)の劉龑は篤く仏教に帰依し、917年、宝荘厳寺を長寿寺と改名し、王家女性たちの修道所とした。そして、中秋節ではこの仏塔に登って、明かりを灯し、豊作を祈ったという。南漢の滅亡とともに破壊をこうむり、宋代の989年に重修されて浄慧寺と呼ばれた。その後の1100年、宋代を代表する文人の蘇東坡がこの地を訪れていたとき、寺院内に咲いていた6株の榕樹ことガジュマルをたたえて筆をとり、「六榕」と記して山門にかかげ、以後、六榕寺と呼ばれるようになった(蘇東坡は王安石の新法党に対して、旧法党の代表格で、政争に敗れて、流刑地であった南方へ左遷された)。明代に入ると六榕寺の伽藍の半分は、穀物倉の永豊倉に利用され、1375年に仏塔(千仏塔)の東に覚皇殿を建て、そのとき以来、山門は東側を向くようになった。続く清代、六榕寺の

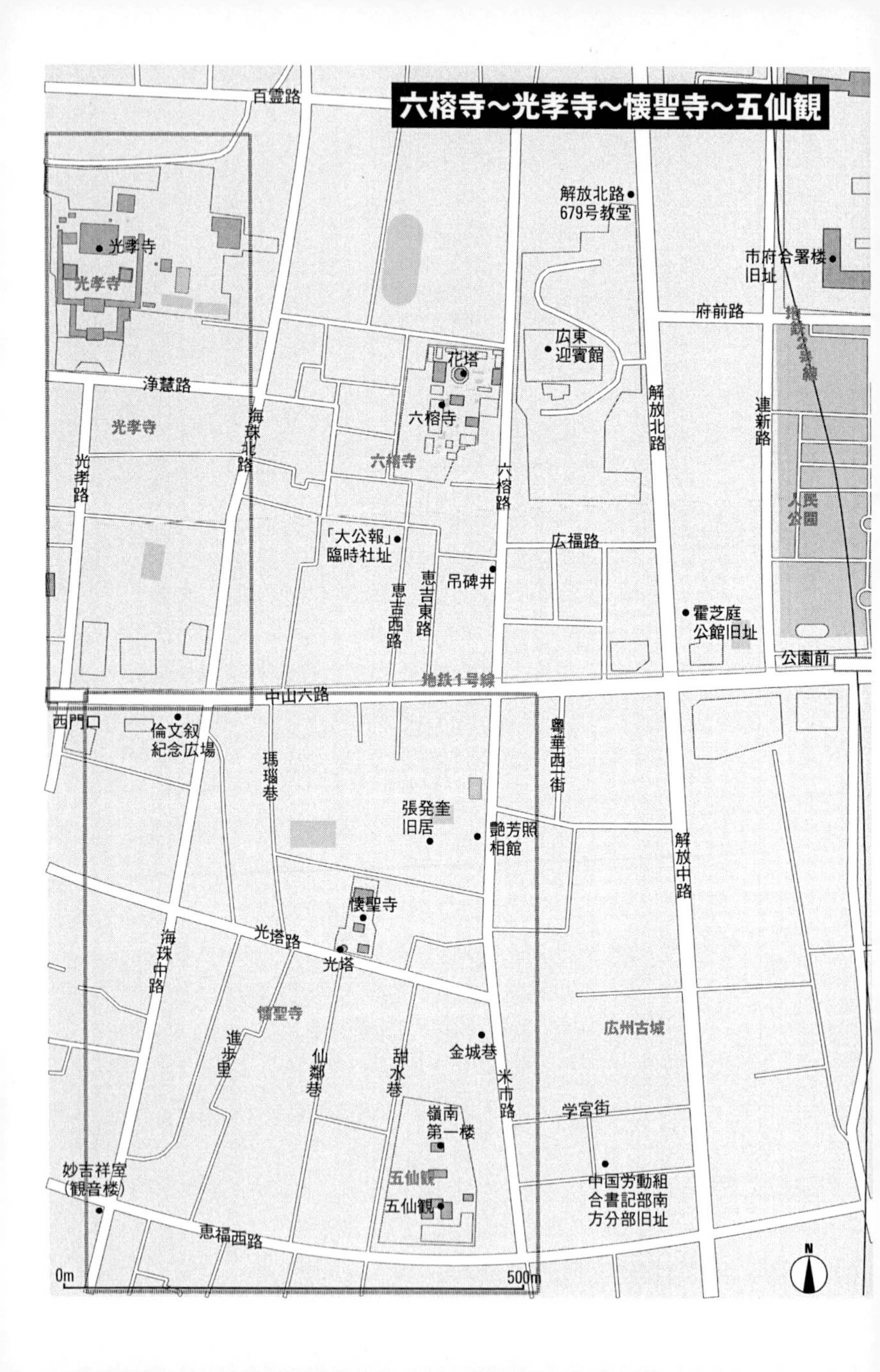

六榕寺〜光孝寺〜懐聖寺〜五仙観
百霊路
光孝寺
光孝寺
解放北路
679号教堂
市府合署楼
旧址
府前路
広東
迎賓館
花塔
六榕寺
六榕寺
浄慧路
光孝寺
海珠北路
光孝路
六榕路
解放北路
連新路
人民公園
「大公報」
臨時社址
広福路
吊碑井
恵吉東路
恵吉西路
霍芝庭
公館旧址
公園前
地鉄1号線
中山六路
西門口
倫文叙
紀念広場
粤華西一街
瑪瑙巷
張発奎
旧居
艶芳照
相館
解放中路
懐聖寺
光塔路
光塔
海珠中路
懐聖寺
広州古城
進歩里
仙鄰巷
甜水巷
金城巷
米市路
学宮街
嶺南
第一楼
妙吉祥室
（観音楼）
五仙観
五仙観
中国労動組
合書記部南
方分部旧址
恵福西路
0m
500m
N

六榕寺
光孝寺
光孝寺
光孝寺
牛巷
倉前街
蔵経閣
大雄宝殿
花塔
山門天王殿
浄慧路
六祖堂
海珠北路
六榕寺
六榕寺
観音殿
雲路街
六榕路
福泉街
「大公報」臨時社址
吊碑井
広州古城
恵吉西路
恵吉東路
恵吉路
地鉄1号線
中山六路
0m
300m
N

周囲に駐屯していた兵士たちが、仏塔(千仏塔)の色彩が鮮やかでまるで花のようなので花塔と呼び、浄慧寺も花塔廟と通称された。六榕寺の象徴である花塔は、長らく広州市街でもっとも高い建築であり、街のいたるところからその姿を見ることができた。またすぐそばに六榕寺の仏塔を「花塔」と名づけた八旗兵が駐屯し、三藩の乱以後、靖南王府から改

★★★

花塔／花塔 フゥアタア／ファアタアッ
光孝寺／光孝寺 グアンシャオスウ／グゥオンハアウジイ
懐聖寺／怀圣寺 ファイシェンスウ／ワアイシィンジイ
光塔(ミナレット)／光塔 グゥアンタア／グゥオンタアッ
広州古城／广州古城 グゥアンチョウグゥチャン／グゥオンジョウグウシン

★★☆

六榕寺／六榕寺 リィウロンスウ／ロクヨンジイ
甜水巷／甜水巷 ティエンシュイシィアン／ティムシュイホォン
五仙観／五仙观 ウウシィアングゥアン／ンンシイングウン
中山路／中山路 チョンシャンルウ／ジュンサアンロウ

★☆☆

大雄宝殿／大雄宝殿 ダアシィオンバァオディエン／ダアイホォンボオディン
広東迎賓館／广东迎宾馆 グゥアンドォンイィンビィングゥアン／グゥオンドォンインバングウン
吊碑井／吊碑井 ディアオベェイジィン／ディウベエイジェエン
恵吉路／惠吉路 フイジイルウ／ワイガッロウ
「大公報」臨時社址／《大公报》临时社址 ダアゴォンバァオリィンシイシェエチイ／ダアイグォンボウラムシイセエジイ
解放北路679号教堂／解放北路679号教堂 ジエファンベェイルウリィウチイジィウハァオジィアオタァン／ガアイフォンバッロウロクチャッガアウホウガアウトオン
光塔路／光塔路 グゥアンタアルウ／グゥオンタアッロウ
仙鄰巷／仙邻巷 シィエンリィンシィアン／シインロォンホォン
米市路／米市路 ミイシイルウ／マァイシイロウ
海珠中路／海珠中路 ハァイチュウチョンルウ／ホォイジュウジョォンロウ
嶺南第一楼／岭南第一楼 リィンナァンディイイロォウ／リィンナアンダァイヤッラァウ
恵福西路／惠福西路 フゥイフウシイルウ／ファイフッサアイロウ
学宮街／学宫街 シュエゴォンジィエ／ホッグウンガアイ
倫文叙紀念広場／伦文叙纪念广场 ルゥンウェンシュウジイニィエングゥアンチャアン／ロォンマンジョイゲエイニングゥオンチュウアン
粤華西一街／粤华西一街 ユゥエフゥアシイイイジィエ／ユッワァサアイヤッガアイ
艶芳照相館／艳芳照相馆 イェンファンチャオシィアングゥアン／イィンフォンジィウシュオングウン
張発奎旧居／张发奎旧居 チャンファアクゥイジィウジュウ／ジュアンファッフウイガウゴォイ
学宮街／学宫街 シュエゴォンジィエ／ホッグウンガアイ
妙吉祥室(観音楼)／观音楼 グゥアンイィンロォウ／グウンヤアムロォウ
中国労動組合書記部南方分部旧址／中国劳动组合书记部南方分部旧址 チョングゥオラァオドォンズウハアシュウジイブウナァンファンフェンブウジィウチイ／ジョォングゥオッロウドォンジョオウハッシュウゲェイボォウナアンフォンファンボウガウジイ
解放路／解放路 ジエファンルウ／ガアイフォンロウ
人民公園／第一公园旧址 ディイイゴォンユゥエンジィウチイ／ダイヤッゴォンユウンガウジイ
市府合署楼旧址／市府合署楼旧址 シイフウハアシュウロォウジィウチイ／シイフウハッチュウラウガウジイ

称された将軍府(現在の広東迎賓館)が六榕寺の向かいに残っている。

六榕寺の構成

かつて六榕寺の伽藍は、近くの光孝寺と同じく南を向き、山門は今の中山六路にあった。明初の1373年、伽藍の半分が永豊倉(穀物倉)に転用されたときに山門は撤去され、その後、1375年に改築されたときに東側に山門がおかれ、以来、そのかたちとなっている(1921年、通りを整備する必要から、明初の山門は縮小し、天王殿と連続した)。中庭に入ると、高さ57.6mの花塔がそびえ、その奥(西)に大雄宝殿が位置する。六祖慧能の禅宗発祥地であることから、花塔そば(南側)に1913年建立の六祖堂が位置する。また、1988年、清代の様式をした観音殿も建てられた。このように六榕寺の伽藍はその時代ごとの制約によって大きく変動していて、他の仏教寺院にくらべて歪な伽藍配置となっている。明初、六榕寺には千仏塔と観音殿が残っていて、現在の花塔と説法堂に対応する。また古くは大雄宝殿は南を向いていて、花塔の北側背後に大雄宝殿が位置した。

花塔／花塔★★★

㊥ huā tǎ ㊧ fa¹ taap²

はなとう／フゥアタア／ファアタアッ

六榕寺花塔は、南朝梁の537年に建てられたことにはじまる。535年、梁の改元にあわせてカンボジアが祝賀使節を送り、その返礼特使として曇裕法師がカンボジアに派遣され、そこで仏舎利をたずさえて帰ってきた(2世紀ごろまでの仏教では仏像をつくることが許されず、ブッダの遺灰を塔におさめて信仰対象とした)。当時、この地は珠江に面し、9層からなるこの木の宝荘厳寺舎利塔は灯台の役割を果たしていたという。宋代の1097年、直径12mで、八角形、9層からなる高さ57.6mの楼閣式のレンガづくりとなり、そのとき1000体の仏像が安置されたため、千仏塔と呼ばれた。清代に入ると、六榕寺近くに駐屯していた八旗兵たちが、太陽の光を受けて輝く千仏塔の色彩がまるで花のようなので、花塔という名称が以後、定着した。六榕寺だけでなく、広州を象徴する建築と見られる。

大雄宝殿／大雄宝殿★☆☆

㊗ dà xióng bǎo diàn ㊎ daai³ hung⁴ bóu din³

だいゆうほうでん／ダアシィオンバァオディエン／ダアイホォンボオディン

六榕寺の本殿にあたり、劉宋(420年～479年)時代に創建をさかのぼる大雄宝殿。当初、伽藍は南を向いていて、大雄宝殿は六榕寺背後の倉前街のさらに北側に位置した。明代の1373年、六榕寺の大半は永豊倉(穀物倉)に転用されたが、1375年、寺の住持の癒堅が花塔の東側に覚皇殿を再建し、これが明清時代の大雄宝殿(大殿、本殿)となった。20世紀の文革時期に破壊をこうむり、その後、再建され、東の山門から見て背後の、花塔西側奥に大雄宝殿が位置している。

広東迎賓館／广东迎宾馆★☆☆

㊗ guǎng dōng yíng bīn guǎn ㊎ gwóng dung¹ ying⁴ ban¹ gún

かんとんげいひんかん／グゥアンドォンイィンビィングゥアン／グゥオンドォンインバングウン

広東迎賓館のある地には、秦の南海尉任囂をまつる廟があり、南朝梁(502～557年)から元代まで宝荘厳寺(現在の六榕寺)があった。明代の1373年に提督府となり、清初、平南王王府の後苑があり、それはのちに将軍府と名前を変えたことから、将軍府の後苑という性格が清朝中期まで続いた。第2次アヘン戦争後の1861～1928年までイギリス領事館がおかれていたが、1928年に浄慧公園となり、ここに政府機関や迎賓館が集まった(1949年に広州が解放される前には国民政府の行政院があった)。現在は1949年に大統領代行を務めていた李宗仁の邸宅「碧海楼」(現在の4階建て建築は1960年創建で、緑色琉璃

六榕寺とは榕樹が6本あることで名づけられた

天に向かって伸びあがる六榕寺花塔

趣ある街並みが続く恵吉路

六榕寺と光孝寺は歩いてわずかの距離

瓦をもつ)、宋代にこの地にあった浄慧寺からとられた「浄慧楼」、北方宮殿様式の「六榕楼」などの建築群からなる。1952年、外国客や来賓が宿泊する迎賓館となって現在にいたる。

吊碑井/吊碑井★☆☆

㊗ diào bēi jǐng ㊘ diu² bei¹ jéng

ちょうひせい/ディアオベェイジィン/ディウベエイジェエン

六榕寺東側を南北に走る、六榕路の路肩に残る井戸の吊碑井。広州を代表する宋代以来の井戸で、現在のものは清代に重修されている。直径2mほど(井戸の直径35cm)、深さ7mで、周囲には彫刻の入った石の欄干がめぐらされている。今では水源が枯渇し、井戸としては使われなくなった。

恵吉路/惠吉路★☆☆

㊗ huì jí lù ㊘ wai³ gat¹ lou³

けいきちろ/フイジイルウ/ワイガッロウ

吉祥の意味をこめて名づけられた、美しい街並みの恵吉東路と恵吉西路を総称して恵吉路と呼ぶ。清代、このあたりは右都統署の所在地だったところで、当時、恵愛路と呼ばれた中山路に隣接する広州古城の中心部であった。幅5m、長さ150mほどの路地の両脇には1920〜30年代に建てられた2階建てから4階建ての民居がならぶ。六榕寺の南側、懐聖寺、五仙観へと続く一帯は文化街区となっていて、政府高官も、この恵吉路に住んでいた。

「大公報」臨時社址/《大公报》临时社址★☆☆

㊗ dà gōng bào lín shí shè zhǐ ㊘ daai³ gung¹ bou² lam⁴ si⁴ se, jí

だいこうほうりんじしゃし/ダアゴォンバァオリィンシイシェエチイ/ダアイグォンボウラムシイセエジイ

五仙観-懐聖寺-六榕寺歴史文化街(旧南海県社区)の一角、恵吉西路に残る「大公報」臨時社址。3階建て、赤レンガの西洋風建築で、木枠の瑠璃窓、美しい文様をもつ窓が見える。『大公報』は1902年に満州族の英斂之(英華)によって天津で創刊され、中国の代表的な日刊新聞として知られていた。上海、漢口、重慶、桂林、香港などでも発刊され、広州ではここにオフィスがあった。

解放北路679号教堂／解放北路679号教堂★☆☆

㊗ jiě fàng běi lù liù qī jiǔ hào jiào táng ㊛ gáai fong² bak¹ lou³ luk³ chat¹ gáu hou³ gaau² tóng

かいほうほくろろくななきゅうごうきょうどう／ジエファンベェイルウリィウチイジィウハァオジィアオタァン／ガアイフォンバッロウロクチャッガアウホウガアウトオン

解放北路沿いに立つキリスト教会の解放北路679号教堂（大北堂）。中華民国時代（20世紀）、華僑が住居や宗教活動のために開いた私立教会を前身とする。幅11m、奥行15mのプランで、3階建ての洋風建物、正面の上部に四角形の尖った塔が立つ。

倉前街、明代の穀物庫の名残り

六榕路に残る浮き彫り、街歩きが楽しい

Huai Sheng Si

懐聖寺城市案内

唐代、アラビアやペルシャ商人の住んだ蕃坊
そこにはイスラム教モスクがあり
異国情緒漂う港町、広州の姿があった

光塔路／光塔路★☆☆

㊗ guāng tǎ lù ㊟ gwóng¹ taap² lou³
こうとうろ／グゥアンタアルウ／グゥオンタアッロウ

イスラム教モスクの懐聖寺前を東西に走る長さ493m、幅9mの路地を光塔路という。この通りは以前、大食巷といい、それは中国人から大食と呼ばれた「アラビア人の暮らす通り」を意味した（大食は、ペルシャ語でアラビア人を指すタジクの音訳）。光塔路から恵福西路（大市街）のあたりは蕃坊と呼ばれて外国商人が多く暮らし、瑪瑙をあつかう店舗がならぶ瑪瑙巷など、海のシルクロードの起点広州を思わせる地名も残っている。このあたりは唐宋時代のイスラム教徒の子孫である回族はじめ、少数民族が多く暮らす一帯でもある。

蕃坊とは

広州は、2000年以上にわたって南海交易の拠点となってきた。4世紀にはインド洋から南海をへてやってきたゾロアスター教徒の商人がいたといい、6～7世紀（唐代）にはペルシャ人やアラブ人のイスラム商人が多く見られるようになった。中国側は、それら外国人を「蕃坊」と呼ばれる区画に隔離して管理し、皇帝から任命された蕃長（外国人の代表）がイスラムの戒律にもとづいて争いごとを裁いていた。広州

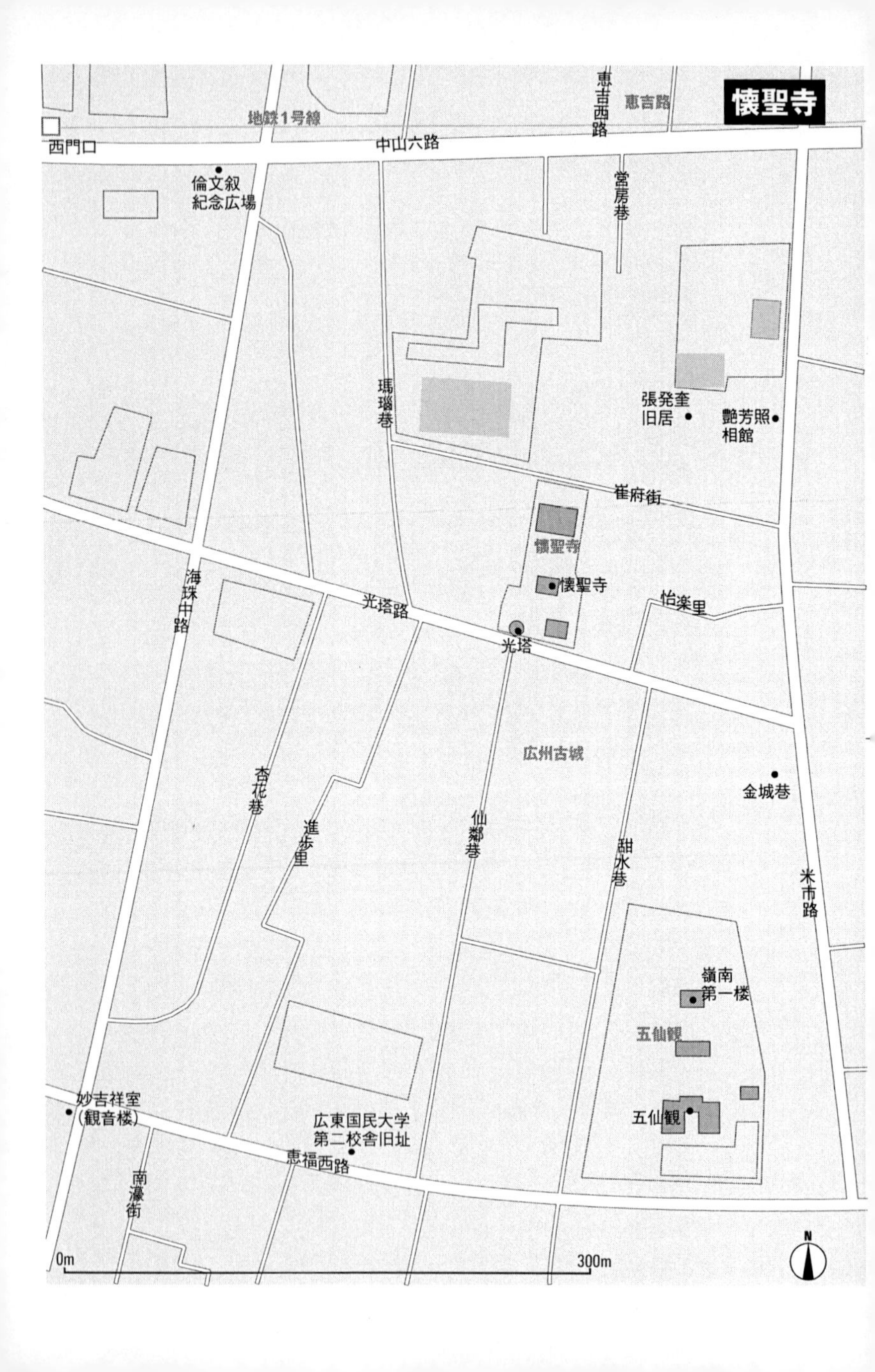
懐聖寺
恵吉西路
恵吉路
地鉄1号線
西門口
中山六路
倫文叙
紀念広場
営房巷
瑪瑙巷
張発奎
旧居
艶芳照
相館
崔府街
懐聖寺
懐聖寺
海珠中路
光塔路
怡楽里
光塔
広州古城
金城巷
杏花巷
進歩里
仙鄰巷
甜水巷
米市路
嶺南
第一楼
五仙観
五仙観
妙吉祥室
（観音楼）
広東国民大学
第二校舎旧址
恵福西路
南濠街
0m
300m
N

の蕃坊は、西は人民中路、北は中山路、東は朝天路、米市路、南は恵福路にいたるエリアにあり、ここ蕃坊が交易、商業地域となり、ペルシャ人やアラブ人のなかには5年、10年と滞在し、結婚して子や孫の代まで暮らす者も現れた。唐を滅亡に追いこんだ9世紀末の黄巣の乱で、反乱軍の首領黄巣は、南海の貿易の利は莫大なことから、広州節度使の地位を要求したが、それはかなわず、そのとき広州で12万人ものアラブ人やペルシャ人が殺されたという(そのことはアラビア側の記録に残っており、広州こと広府の音訳カンフーの話とされている)。宋代に入ると、この蕃坊には市場(蕃市)ができ、学校(蕃学)も立っていたという。やがてその勢いは、広州から福建省の泉州に遷ったが、元代までのイスラム教徒は、自分たち本来のアラビア風の名前をもっていた。明代になるとイスラム教徒に漢姓と漢名をもたせ、言葉や服装などの風俗習慣も漢族化し、回族として中国社会に定着した。

★★★
懐聖寺／怀圣寺 ファイシェンスウ／ワアイシィンジイ
光塔(ミナレット)／光塔 グゥアンタア／グゥオンタアッ
広州古城／广州古城 グゥアンチョウグゥチャン／グゥオンジョウグウシン

★★☆
甜水巷／甜水巷 ティエンシュイシィアン／ティムシュイホォン
五仙観／五仙观 ウウシィアングゥアン／ンンシイングウン

★☆☆
光塔路／光塔路 グゥアンタアルウ／グゥオンタアッロウ
仙鄰巷／仙邻巷 シィエンリィンシィアン／シインロォンホォン
米市路／米市路 ミイシイルウ／マァイシイロウ
海珠中路／海珠中路 ハァイチュウチョンルウ／ホォイジュウジョォンロウ
嶺南第一楼／岭南第一楼 リィンナァンディイイイロォウ／リィンナアンダァイヤッラァウ
恵福西路／惠福西路 フゥイフウシイルウ／ワァイフッサアイロウ
広東国民大学第二校舎旧址／广东国民大学第二校舍旧址 グゥアンドォングゥオミィンダアシュエディイアアジィアオシェエジィウチイ／グゥオンドォングゥオッマンダアイホッダァイイイハアウセェガウジイ
倫文叙紀念広場／伦文叙纪念广场 ルゥンウェンシュウジイニィエングゥアンチャアン／ロォンマンジォイゲエイニングゥオンチュウアン
艶芳照相館／艳芳照相馆 イェンファンチャオシィアングゥアン／イィンフォンジィウシュオングウン
張発奎旧居／张发奎旧居 チャンファアクゥイジィウジュウ／ジュアンファッフウイガウゴォイ
妙吉祥室(観音楼)／观音楼 グゥアンイィンロォウ／グウンヤアムロォウ
恵吉路／惠吉路 フイジイルウ／ワイガッロウ

懐聖寺／怀圣寺★★★

㊣北 huái shèng sì ㊣広 waai4 sing2 ji3

かいせいじ／ファイシェンスウ／ワアイシィンジイ

懐聖寺は、唐代の627年に創建された中国でもっとも伝統のあるイスラム教寺院で、「中国首座清真寺（中国で一番のモスク）」ともいう。懐聖とはイスラム教の創始者「ムハンマドを思慕する」を意味し、清真寺と呼ばれる中国の他のイスラム寺院とは異なる特別な名前をもっている。懐聖寺は、アラビア半島のムハンマド（570年ごろ〜632年）在世中に創建されていて、中国に派遣された4人の門徒のうち、ムハンマド母の兄弟アブー・ワッカース（宛葛素）による。唐代、南海交易の拠点となっていた広州には、懐聖寺を中心とする居住区「蕃坊」があり、多くのイスラム商人が暮らしていた。当時、この地は珠江の港近くにあたり、ミナレットの塔頂に火がともされていた。ミナレットは「光塔」と呼ばれ、広州への季節風が吹く毎年5、6月に信徒が塔にのぼって風向きを祈ったという。その光塔路に面して、現在も高さ36.6mの円型ミナレットが立ち、広州のシンボルのひとつとなっている（そのため、懐聖寺は光塔寺、懐聖光塔寺ともいう）。元代の1343年、火災を受けて消失し、その後、1350年に再建、清代の1695年にも重建されるなど、明清時代を通じて何度も再建されている。前門にはアラビア文字の表記が見られるほか、三道門、看月楼、礼拝殿、碑亭、光塔などから構成される。唐代のアラビア式建築である光塔、また1935年に再建され、遠く西のメッカのほうに向かって礼拝する礼拝殿など、中国のイスラム教の歩みを今に伝えている。

光塔（ミナレット）／光塔★★★

㊣北 guāng tǎ ㊣広 gwóng1 taap2

こうとう（みなれっと）／グゥアンタア／グゥオンタアッ

光塔寺の南西隅、光塔路沿いに立つ直径8.66m、高さ36.6mの円形ミナレットの光塔。懐聖寺と広州の象徴的建

直径8.66m、高さ36.6mのミナレットの光塔

灯台のような光塔（ミナレット）がそびえる

美しいアラビア文字が見える

懐聖寺はイスラム教の要素をとりいれた中国建築となっている

アラブやペルシャのイスラム教徒はやがて土着化していった

築で、光塔という名称は表面がなめらかで、装飾がなく、光っていることからつけられた。ミナレットはイスラム教のモスクには必ず付設され、1日に5度の礼拝を呼びかけるアザーンを流す場所だった(イスラム教徒の五行、信仰告白・礼拝・喜捨・断食・巡礼のひとつ)。またミナレットは商人や巡礼者のために、通商路沿いに建てられた物見台、烽火台を起源とするともいい、光塔寺は唐代初期の627年に珠江の北岸に建てられたこともあって、光塔は灯台の役割を果たしていた。内部にはらせん状の階段が上方に伸びていて、光をとりこむための小さな窓がそなえつけられている。

海のシルクロード

古代ローマの人びとが求めた中国の絹、それを運ぶ交易路をシルクロードと呼ぶ。ラクダと砂漠に象徴される「陸のシルクロード」に対して、積み荷を載せた船がインド洋を渡る海路の交易の道は、「海のシルクロード」と呼ばれる。広州や泉州から出発した船は、東南アジア(マラッカ)を経てインド洋にいたり、そこからアラビア半島、東アフリカまで道は続いていた。651年、アラブの大食国が唐に使節を派遣したことで、中国にイスラム教が伝来したとも考えられることから、それよりも早い627年に創建された懐聖寺の歴史の深さがうかがえる。広州にはアラブ人、ペルシャ人、インド人が海のシルクロード経由でやってきて、ダウ船と呼ばれる西方の帆船が交易で活躍した。毎年4月末～5、6月ごろに吹く西南の風(モンスーン)で南海から広州へいたり、10月末～12月に吹く東北の風で広州から南海へいたった。またタイやカンボジア、ベトナムなど南海諸国は、広州を朝貢貿易の入港地とした。

仙鄰巷／仙邻巷★☆☆

㊗ xiān lín xiàng ㊗ sin1 leun4 hong3

せんりんこう／シィエンリィンシィアン／シインロォンホォン

懐聖寺からまっすぐ南に伸びる路地の仙鄰巷。唐代、仙鄰巷をふくむ光塔路を中心にした一帯は蕃坊があり、アラブやペルシャ商人たちが集まっていた。仙鄰巷という名前は、「五仙観に隣接している路地」という意味だとも、またアラビア語で中国を意味する「アルシンの音訳」からきているともいう（当時、このあたりは珠江に面する港だった）。長さ330m、幅3.5mほどで、西側の進歩里界隈もあわせて風情ある街並みが続く。

甜水巷／甜水巷★★☆

㊗ tián shuǐ xiàng ㊗ tim4 séui hong3

てんすいこう／ティエンシュイシィアン／ティムシュイホォン

光塔路から恵福西路まで南北に伸びる甜水巷。生活に必要なものを意味する「柴米油塩醤醋茶（たきぎ、米、油、塩、醤油、酢、茶）」がそろう広州庶民の台所的性格をもち、肉や野菜の食材店がならぶ。明代、ここには甜水井があり、生活に必要な水がくみあげられたほか、甜水とはアラビア語で「中国の丘陵」を意味するともいう（珠江の碼頭そばに立つ坡山が甜水巷東側にあった）。また清代は満州族の八旗が暮らす場所でもあった。長さ333m、幅4.9mの通りは、広州古城の昔ながらの風情を今でも残している。

米市路／米市路★☆☆

㊗ mǐ shì lù ㊗ mai, si, lou3

べいしろ／ミイシイルウ／マァイシイロウ

明清時代に米市場があり、その名残りが通り名で残っている米市路。清代には米市街といったが、1932年に拡大されて、米市路となった。長さ187m、幅10mで南北に走り、近くの金城巷には凹字型のレンガ建築が残っている。

海珠中路／海珠中路★☆☆

㊍ hǎi zhū zhōng lù ㊐ hói jyu[1] jung[1] lou[3]

かいじゅちゅうろ／ハァイチュウチョンルウ／ホォイジュウジョォンロウ

広州古城西部を南北に走る海珠中路。海珠という名称は、珠江に浮かんでいた海珠石に由来する（海珠石、海印石、浮丘石が代表的なものだった）。中華民国時代の1932年に大通りの馬路となり、当時、建てられたバルコニーをもつ西欧風建築もならぶ。この海珠中路近くの馬良巷、杏花巷といった一帯には、20世紀初頭創建の2～3階建ての建築がいくつも見られる。

五仙観／五仙观★★☆

㊍ wǔ xiān guān ㊐ ng, sin[1] gun[1]

ごせんかん／ウウシィアングゥアン／ンンシイングウン

周の夷王のとき「5人の仙人が色とりどりの服を着て、稲穂をくわえた5匹の羊に乗って現れた」という広州開闢神話につらなる五仙観（五仙古観）。この5人の仙人が登場して以来、広州は餓えることなく、豊かな稲穂が実るようになったという「五羊神話」をもとに、晋（265～420年）代の広州刺史呉修が、五仙観を建立した。「広州の祖廟」「穀神廟」とも呼ばれた五仙観は、何度も場所を変えていて、当初は十賢坊（北京路）にあり、南宋から元代までは古西湖湖畔（教育路）にあったという。明代の1377年に現在の場所で再建され、清代の1871年にかかげられた両広総督瑞麟による「五仙古観」の扁額が見える。頭門から幅12.4m、奥行10m、高さ8mで、緑の瑠璃瓦を載せた後殿へと続き、東、西斎（部屋）、その奥に嶺南第一楼が位置する。また宋から清代まで13の石碑が残っている。五仙観の位置する恵福西路が走るこのあたりは、晋代に珠江北岸の碼頭があったところで、「坡山古渡」と呼ばれて広州を代表する景勝地でもあった。

広州開闢神話につらなる道教寺院の五仙観

こちらは明代の文人にまつわる倫文叙紀念広場

五仙観、懐聖寺、光孝寺、六榕寺が古い港近くに集まっている

野菜や肉を売る店がならび生活感ただよう甜水巷

仙鄰巷や甜水巷、このあたりは昔ながらの広州人の暮らしぶりが見られる

嶺南第一楼／岭南第一楼★☆☆

㊗ lǐng nán dì yī lóu ㊮ ling, naam4 dai3 yat1 lau4

れいなんだいいちろう／リィンナァンディイイイロォウ／リィンナアンダァイヤッラァウ

五仙観の北側に位置し、明代の1374年、汪広洋によって建てられた嶺南第一楼。鎮海楼、海山楼、拱北楼とあわせて、広州の四大崇楼のひとつとして知られていた(鎮海楼より嶺南第一楼のほうが早く建設されている)。下部、真んなかにアーチ型の通路をもつ建築で、幅13.9m、奥行11.9m、清代1788年創建の上部の楼閣をあわせると高さは17mになる。この嶺南第一楼の内部には、明代鋳造の高さ3.04m、口径2.1mで、「声聞十里(その音は十里先まで響いた)」とたたえられた青銅大鐘が残っている。火事などの非常事態のときに鳴らした鐘で、普段は使用禁止となっていたことから、禁鐘ともいった。

恵福西路／惠福西路★☆☆

㊗ huì fú xī lù ㊮ wai3 fuk1 sai1 lou3

けいふくせいろ／フゥイフウシイルウ／ワァイフッサアイロウ

広州古城南部を東西に走る恵福西路。この通りが少し曲がるようにして走るのは、ここが古い時代、珠江の岸辺にあたったことにちなむ(当時、坡山古渡という碼頭があり、その北側に蕃坊が広がっていた)。恵福西路はもともと大市街と呼ばれたが、大市とは大食に通じる音で、「アラビア人通り」を意味した。1920年代に整備されて馬路になり、長さ1115m、幅12mで、広州古城を代表する通りとなっている。

広東国民大学第二校舎旧址／广东国民大学第二校舍旧址★☆☆

㊗ guǎng dōng guó mín dà xué dì èr jiào shě jiù zhǐ ㊮ gwóng dung1 gwok2 man4 daai3 hok3 dai3 yi3 haau3 se2 gau3 jí

かんとんこくみんだいがくだいにこうしゃきゅうし／グゥアンドォングゥオミィンダアシュエディイアアジィアオシェエジィウチイ／グゥオンドォングゥオッマンダアイホッダァイイイハアウセェガウジイ

広東国民大学第二校舎旧址は、恵福西路に面した中華民国時代の白色の近代建築。広東国民大学は、1925年、陳其瑗によって東山で創建され、その後、多宝路(西関)に新校舎を建てたが、やがて学生が増えたことでこの地に遷された。中国語、政治学、経済学、商学などがあったが、1949年の新中国設立後、他の大学と合併、編入されて役割を終えた。

倫文叙紀念広場／伦文叙纪念广场★☆☆

㊗ lún wén xù jì niàn guǎng chǎng 広 leun⁴ man⁴ jeui³ géi nim³ gwóng cheung⁴

りんぶんじょきねんひろば／ルゥンウェンシュウジイニィエングゥアンチャアン／ロォンマンジョイゲエイニングゥオンチュウアン

中山路に面する、明代の官吏を記念した倫文叙紀念広場。倫文叙(1466〜1513年)は広東省南海県の貧しい家庭に生まれたが、自ら努力して学び、科挙に合格して宮廷に仕えた。この広場には、明代のものを思わせる牌坊が立つ。

粤華西一街／粤华西一街★☆☆

㊗ yuè huá xī yī jiē 広 yut³ wa⁴ sai¹ yat¹ gaai¹

えつかにしいちがい／ユゥエフゥアシイイイジィエ／ユッワァサアイヤッガアイ

入り組んだ路地が続くあたりを走る粤華西一街。中華民国時代に建てられたバルコニーをもつ西洋風建築が多く見られる。近くには1864年、同治帝の命でつくられた広州同文館を前身とする朝天小学が位置する。

艶芳照相館／艳芳照相馆★☆☆

㊗ yàn fāng zhào xiàng guǎn 広 yim³ fong¹ jiu² séung gún

えんほうしょうそうかん／イェンファンチャオシィアングゥアン／イィンフォンジィウシュオングウン

艶芳照相館は、1912年、広東三水人の黄躍雲と劉骨泉によって開業した広州の老舗写真館。当初、中山五路にあり、省港艶芳照相館といって、柔らかな照明、鮮明な画像で知られた。1927年には魯迅とその妻の許広平が写真を撮りにきている。日中戦争中に一時営業を停止していたが、その後、営業を再開した。広州地下鉄の開通にともなって、1994年、現在の場所に遷ってきた。

張発奎旧居／张发奎旧居★☆☆

㊗ zhāng fā kuí jiù jū ㊕ jeung1 faat2 fui1 gau3 geui1

ちょうはつけいきゅうきょ／チャンファアクゥイジィウジュウ／ジュアンファッフウイガウゴォイ

中華民国時代、広州で力をもった軍人張発奎(1896～1980年)が暮らした張発奎旧居。広東省出身の張発奎は、1911年の辛亥革命を目のあたりにし、北伐に参加し、その軍は鉄軍とたたえられた(また日中戦争でも、軍人として活躍した)。2階建ての欧風近代建築の姿を残している。

妙吉祥室(観音楼)／观音楼★☆☆

㊗ guān yīn lóu ㊕ gun1 yam1 lau4

みょうきちじょうしつ(かんのんろう)／グゥアンイィンロォウ／グウンヤアムロォウ

海珠中路と恵福西路が交わる地点に立つ妙吉祥室(観音楼、広州満族文化陳列館)。清初の1650年、広州を占領した尚可喜(1604～76年)以来の伝統をもち、妙吉祥菩薩(文殊菩薩)をまつる木閣楼の万善宮を前身とする。その後、乾隆帝(1735～95年)時代に八旗1500人が広州に入城し、1756年に満州族の信仰する観音座像が安置された。以来、ここ妙吉祥室は広州満州族の拠点となり、1911年の辛亥革命以後、妙吉祥室と呼ばれるようになった(妙吉祥菩薩は文殊菩薩のことで、文殊と満州族の音が似ていることなどから満州族の信仰対象となった)。幅14m、奥行7.7mで、現在は前方に騎楼をもつ建築となっている。

懷聖光塔寺

Gu Cheng Xi fang

古城西部城市案内

象牙街や学宫街、紙行路
広州古城には明清時代から連綿と続く
伝統を思わせる通りが残っている

象牙街／象牙街★☆☆

㊗ xiàng yá jiē ㊟ jeung³ nga⁴ gaai¹
ぞうげがい／シィアンヤアジィエ／ジョォンンガアガアイ

明代、珠江北岸沿いの通商口岸にあたった象牙街。象牙街という名称は、象牙や玉器を加工する工房があったことにちなみ、その後の清代、鑲黄旗と正白旗の拠点がおかれていた。この象牙街民興里には1920～30年代に建てられた近代建築がいくつも残る。これらの建築群は通りに面した間口はせまく、奥行きが長くなる様式で、限られた土地がうまく利用されている。

学宫街／学宫街★☆☆

㊗ xué gōng jiē ㊟ hok³ gung¹ gaai¹
がっきゅうがい／シュエゴォンジィエ／ホッグウンガアイ

学宫街は、米市路から東に伸びる長さ200m、幅4mほどの小さな通り。広州の学宮（学校）は創建を宋代にさかのぼり、元、明、清代に南海県学がここにあったことに由来する。中華民国時代（20世紀初頭）のレンガでつくられた建築も見られる。

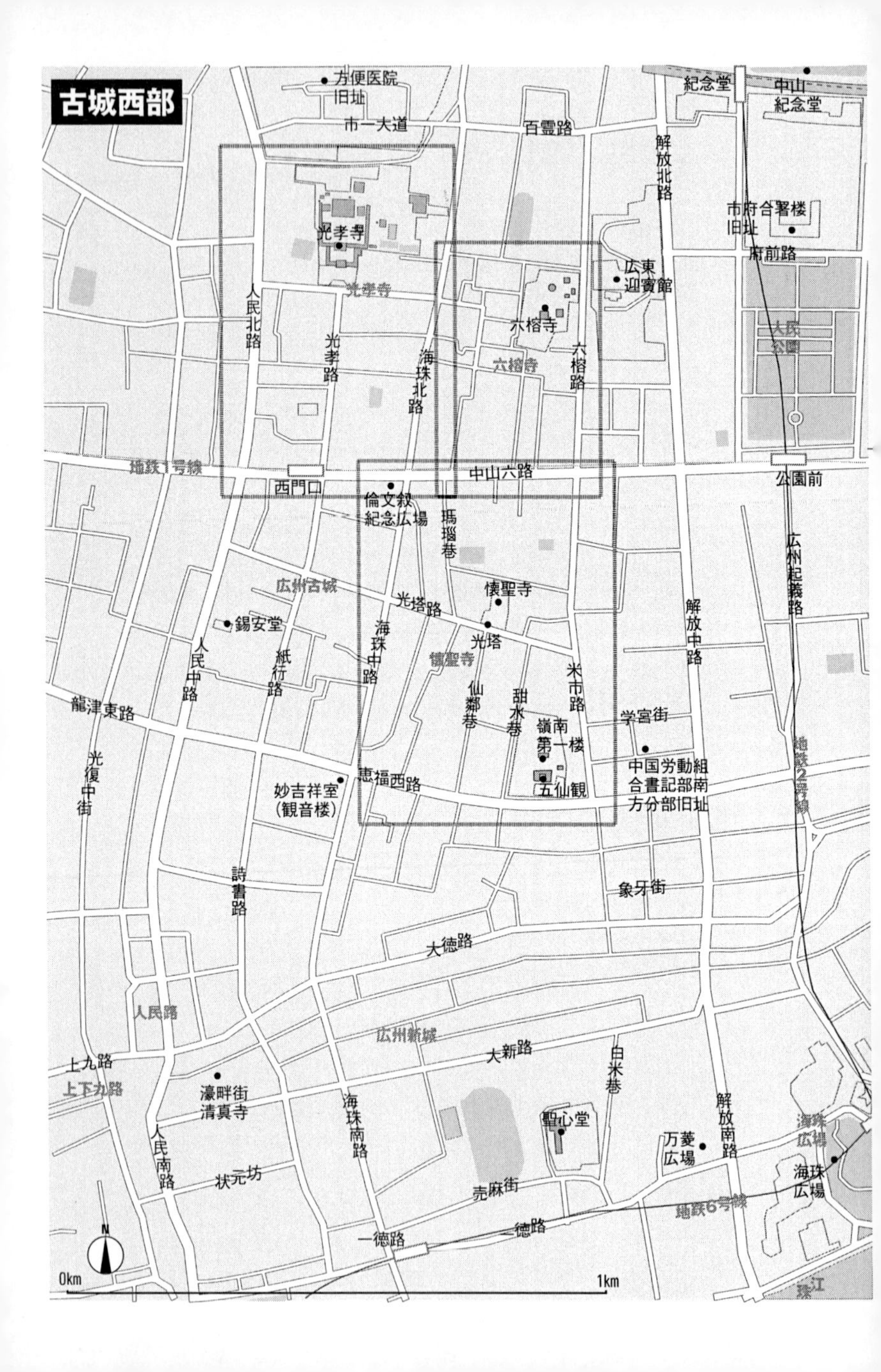
古城西部
方便医院旧址
市一大道
百霊路
紀念堂
中山紀念堂
解放北路
市府合署楼旧址
府前路
光孝寺
広東迎賓館
六榕寺
人民北路
光孝路
海珠北路
六榕路
人民公園
地鉄1号線
中山六路
西門口
公園前
倫文叙紀念広場
瑪瑙巷
広州起義路
広州古城
懐聖寺
光塔路
解放中路
錫安堂
光塔
人民中路
紙行路
海珠中路
懐聖寺
米市路
仙鄰巷
甜水巷
龍津東路
学宮街
嶺南第一楼
光復中街
中国労動組合書記部南方分部旧址
恵福西路
妙吉祥室（観音楼）
五仙観
地鉄2号線
詩書路
象牙街
大徳路
人民路
広州新城
大新路
白米巷
上九路
上下九路
濠畔街清真寺
海珠南路
解放南路
聖心堂
人民南路
万菱広場
海珠広場
状元坊
売麻街
地鉄6号線
一徳路
N
0km
1km

中国労動組合書記部南方分部旧址／中国劳动组合书记部南方分部旧址★☆☆

㊗ zhōng guó láo dòng zǔ hé shū jì bù nán fāng fēn bù jiù zhǐ 広 jung[1] gwok[2] lou[4] dung[3] jóu hap[3] syu[1] gei[2] bou[3] naam[4] fong[1] fan[1] bou[3] gau[3] jí

ちゅうごくろうどうくみあいしょきぶなんほうぶんぶきゅうし／チョングゥオラァオドォンズウハアシュウジイブウナァンファンフェンブウジィウチイ／ジョォングゥオッロウドォンジョオウハッシュウゲェイボォウナアンフォンファンボウガウジイ

1921年の中国共産党設立後、広州で労働運動を指導するためにここで設立された事務局の中国労動組合書記部南方分部旧址。譚平山、馮菊坡などが南方分部の支部長をつとめた。20世紀初頭の建築で、幅4m、奥行12mになる。

★★★

光孝寺／光孝寺 グアンシャオスウ／グゥオンハアウジイ
懐聖寺／怀圣寺 ファイシェンスウ／ワアイシィンジイ
光塔（ミナレット）／光塔 グゥアンタア／グゥオンタアッ
広州古城／广州古城 グゥアンチョウグゥチャン／グゥオンジョウグウシン
中山紀念堂／中山纪念堂 チョンシャンジィニェンタン／ジュンサアンゲエイニィントン

★★☆

六榕寺／六榕寺 リィウロンスウ／ロクヨンジイ
甜水巷／甜水巷 ティエンシュイシィアン／ティムシュイホォン
五仙観／五仙观 ウウシィアングゥアン／ンンシイングウン
中山路／中山路 チョンシャンルウ／ジュンサアンロウ

★☆☆

象牙街／象牙街 シィアンヤアジィエ／ジョォンンガアガアイ
学宮街／学宫街 シュエゴォンジィエ／ホッグウンガアイ
中国労動組合書記部南方分部旧址／中国劳动组合书记部南方分部旧址 チョングゥオラァオドォンズウハアシュウジイブウナァンファンフェンブウジィウチイ／ジョォングゥオッロウドォンジョオウハッシュウゲェイボォウナアンフォンファンボウガウジイ
人民路／人民路 レンミィンルウ／ヤンマンロォウ
紙行路／纸行路 チイシィンルウ／ジイハアンロウ
錫安堂／锡安堂 シイアァンタァン／セッオォントォン
方便医院旧址／方便医院旧址 ファンビィエンイイユゥエンジィウチイ／フォンビンイイユウンガァウジイ
妙吉祥室（観音楼）／观音楼 グゥアンイィンロォウ／グウンヤアムロォウ
恵福西路／惠福西路 フゥイフウシイルウ／ワァイフッサアイロウ
海珠中路／海珠中路 ハァイチュウチョンルウ／ホォイジュウジョォンロウ
解放路／解放路 ジエファンルウ／ガアイフォンロウ
人民公園／第一公园旧址 ディイイゴォンユゥエンジィウチイ／ダイヤッゴォンユウンガウジイ
市府合署楼旧址／市府合署楼旧址 シイフウハアシュウロォウジィウチイ／シイフウハッチュウラウガウジイ
起義路／起义路 チイイイルウ／ヘエイイイロウ
広東迎賓館／广东迎宾馆 グゥアンドォンイィンビィングゥアン／グゥオンドォンインバングウン
光塔路／光塔路 グゥアンタアルウ／グゥオンタアッロウ
仙鄰巷／仙邻巷 シィエンリィンシィアン／シインロォンホォン
米市路／米市路 ミイシイルウ／マァイシイロウ
嶺南第一楼／岭南第一楼 リィンナァンディイイイロォウ／リィンナアンダァイヤッラァウ
倫文叙紀念広場／伦文叙纪念广场 ルゥンウェンシュウジイニィエングゥアンチャアン／ロォンマンジォイゲエイニングゥオンチュウアン

人民路／人民路★☆☆

㊗ rén mín lù 広 yan4 man4 lou3

じんみんろ／レンミィンルウ／ヤンマンロォウ

広州古城と西関をわける広州市街の大動脈の人民路。もともとは広州古城の西側の城壁(西濠)にあたり、20世紀初頭に城壁が撤去されたあと建設された。当時は広州でもっとも広い道路で、太平路と呼ばれ、越秀山方面と珠江を結び、人民路の南端は近代広州の港がおかれた西堤碼頭だった。このあたりは清朝に広州最高の繁栄を見せた西関(上下九路)へ続く繁華街でもあったところで、浙紹会館、山峡会館、湖広会館などが集まっていた。また人民路そばに嘉南堂、濠畔清真寺などが残るほか、中華民国時代の保存状態のよい建築や騎楼が見られる。

紙行路／纸行路★☆☆

㊗ zhǐ xíng lù 広 ji haang4 lou3

しこうろ／チイシィンルウ／ジイハアンロウ

紙をあつかう店(行)が集まっていたことに由来する紙行路。西門口に近く、明代、このあたりに製紙工房が集まっていたが、1932年に馬路となった。長さ488m、幅9mほどのこの通りから1本なかに入ったところには勝龍新街があり、1930～40年代に建てられた建築が残る。

錫安堂／锡安堂★☆☆

㊗ xī ān táng 広 sek2 on1 tong4

しゃくあんどう／シイアァンタァン／セッオォントォン

赤レンガの本体に、緑色の屋根瓦を載せるキリスト教会の錫安堂。20世紀初頭から活動していたアメリカのプロテスタント系の教会で、1934年にこの地で建てられた。中国と西洋建築を融合させた外観をもち、嶺南風の窓や花が各処にあしらわれている。主堂、副堂、牧師楼からなり、主堂には700人を収容する。

方便医院旧址／方便医院旧址★☆☆

㊕ fāng biàn yī yuàn jiù zhǐ ㊖ fong[1] bin[3] yi[1] yún gau[3] jí

ほうべんいいんきゅうし／ファンビィエンイイユゥエンジィウチイ／フォンビンイイユウンガァウジイ

盤福路と東風西路に位置する方便医院旧址は、清代の善堂を前身とし、現在は広州市第一人民医院となっている。1899年の夏、疫病が流行って多くの死者が出たため、広州の官吏、商人などが力をあわせて城西方便医所をつくった（善堂は医療や教育などを行なった互助組織で、城西方便医所は広州の九善堂のひとつだった）。その後、東院は男性用、西院は女性用となるなど、変遷を続けた。1891年製の古い鐘が見られ、市一大道には中華民国時代の建築が残る。

街角で中国将棋の象棋を楽しむ人たち

バスが通りを往来する

Shingai Kakumei No

広州は辛亥革命の策源地

**孫文、蒋介石、毛沢東、周恩来、魯迅
近代中国を代表するきら星のような
才能がここ広州に集まっていた**

清朝と広東（辛亥革命）

始皇帝の秦から中国で2000年以上続いた王朝、とくに元、明、清といった王朝の都は北京におかれ、そこから南方に遠く離れた広州では官憲の権力がおよびづらく、独立政権が樹立されやすい性格をもっていた。またアヘン戦争（1840〜42年）以前は、外国との交易は広州一港に限定され、西欧の影響をいち早く受ける地理的条件もそなえていた。近代化に遅れた中国は、ベトナムの宗主権をめぐる清仏戦争（1884〜85年）、日清戦争（1894〜95年）に敗れ、列強の進出を許し、半植民地化されていく危機的状況を迎えていた。孫文（1866〜1925年）は、こうした時代に広東省で生まれ、ハワイで興中会を組織して革命の必要性を唱え、香港、マカオ、広州を拠点に何度か武装蜂起を試みるも、ことごとく失敗に終わっていた。辮髪を斬ること、纏足の解放、満州族に替わる漢族の王朝樹立、三民主義などをかかげて孫文が革命活動を続けるなか、1911（辛亥）年10月10日に勃発した武昌蜂起をきっかけに、各地で革命派が次々と蜂起した。辺境地域をのぞくほとんどの省が清朝から独立し、孫文も（広東省が）革命軍へ合流する旨を両広総督張鳴岐へ打電し、胡漢民、朱執信らに蜂起するよう呼びかけた。広州の有力者たちは西関の文瀾書院で会議を開き、その後、広東諮議局で独立を宣言して、共和政府を歓迎し、青天白日旗をかかげた。翌1912年1月、孫文を大総統とする臨時政府が南京で樹立された(第一革命)。一方、このとき清朝のある北京の有力者袁世凱は、清国皇帝の退位と引き換えに、中華民国臨時大総統に就任し、続いて自らが帝位についた。袁世凱は清朝の北洋軍閥を組織したが、これは清代の李鴻章から受け継いだ新式の軍で、袁世凱死後も馮国璋の直隷派と、段祺瑞の安徽派、東北の張作霖の奉天派というように、依然、北京を中心に強い軍事力をもった政府が残っていた。

孫文の失敗と五四運動

清朝皇帝の退位を条件に大総統の座を譲った孫文(1866～1925年)は、袁世凱に対する武装闘争の必要性を考えていた。孫文は、1913年の第二革命の失敗(袁世凱による革命派の弾圧)を受けて日本に亡命し、1915年、日本で宋慶齢と結婚している。その後、広州に戻った孫文は1917年、広東政府を樹立。以後、4度の広東政府が広州でつくられる。地方政権、孫文らが北洋軍閥に対抗して組織した第1次広東政府(1917年9月～20年10月)では孫文は大元帥に就任したが、政治闘争のすえ、1918年5月に大元帥を辞職し、広州を去った。その後、再び、広州で第2次広東政府(1921年5月～22年6月)を組織し、非常大総統に就任。これは広東軍閥陳炯明との共闘によるものだったが、結局、クーデターにあい、孫文は上海に逃れた。このように、孫文は広州で北洋軍閥に対する革命活動を続けていたが、それはいずれも失敗に終わっていた。こうしたなか、日本の帝国主義に抵抗する1919年の五四運動、その結果として、1921年の中国共産党成立があり、こうした大衆の力を目のあたりにした孫文は、中華革命党を1919年に国民党へと改組している。そして第3次広東政府(1923年3月～25年6月)を組織した孫文は、大元帥となり、国共合作にもとづく新しい革命が目指された。

広州のはじまりをつげた南越国の西漢南越王墓博物館

押とは質屋のこと、広州経済に影響力をもった

孫文は広州を革命の舞台とした、中山紀念堂

5匹の羊がくわえてきた穀物で広州は満たされた

国共合作から北伐へ

同じころ、1922年に誕生した共産主義のソ連は、中国と友好関係を結ぼうと呼びかけ、コミンテルン代表のマーリンは、孫文と国民党に注目していた。そしてマーリンは広州に入って、国民党と中国共産党の合作への道筋をつくり、1924年、「連ソ、容共、労農援助」の三大政策を掲げる中国国民党第一次全国代表大会が広州で開かれ、第一次国共合作(1924～27年)が決まった(黄埔軍官学校と広州農民運動講習所が設立された)。そのときの遺構は、広州古城に国民党一大旧址として残っている。孫文は北上を宣言、その途上に日本に立ち寄って「大アジア主義」の演説を行なったあと、北京入りを果たしたが、1925年、そこで客死した。孫文死後、第4次広東政府(1925年7月～26年12月)が組織され、黄埔軍官学校長の立場にあった蒋介石(1887～1975年)が孫文の意思を受け継いで、国民革命軍総司令として北伐を開始した。蒋介石は1927年4月12日、その途上の上海で反共クーデターを強行し、国共合作はついえたが、1928年に北伐を再開して、張作霖を追放、北京を占領した。こうして北伐は完了し、北京は北平と改名された(そのさなかに身の危険を感じた魯迅は、厦門、広州へと遷っている)。このとき蒋介石によって統一された中華民国の系譜は、現在の台湾へと続いている。一方、国共合作時の孫文の考えや意思は、毛沢東や現在の中華人民共和国に継承されている。清朝末期からの、こうした一連の流れを中国革命と呼び、現在、中国、台湾はそれぞれ孫文を「革命の父」「建国の父」としている。

参考文献

『海のシルクロード5』(中野美代子/日本放送出版協会)
『民族の世界史5 漢民族と中国社会』(岡正雄/山川出版社)
『広州の聖堂:広州散策』(何旭/武蔵野美術大学研究紀要)
『広東回族のイスラム文化と寺院教育』(王建新/AA研)
『清末の外交家伍廷芳と日本の関係』(孔祥吉・馮青訳/中国研究月報)
『香港、広州の百貨店--先施百貨公司を中心に』(菊池敏夫/日本大学大学院総合社会情報研究科紀要)
『晋代嶺南の仏教』(林伝芳/印度学仏教学研究)
『中国華南の地域構造の再編に関する地理学的調査研究』(小野寺淳編/横浜市立大学都市社会文化研究科)
『世界大百科事典』(平凡社)
『日本人のための広東語』(頼玉華著・郭文灝修訂/青木出版印刷公司)
『越秀区巻 (广州市文物普查汇编)』(广州市文物普查汇编编纂委员会・越秀区文物普查汇编编纂委员会/广州出版社)
『广州传统中轴线 文化遗产一本通』(广州传统中轴线提升工作越秀区建设指挥部办公室)
『广州市地名志』(广州市地名委员会《广州市地名志》编纂委员会编/广东科技出版社)
『廣州』(黄菘華・楊万秀/中国建筑工業出版社)
『镇海楼』(李穗梅/广东人民出版社)
『广州大佛寺弘法大楼开光 羊城CBD新地标惊艳亮相』(梁欣/凤凰佛教)
『广州火车站的起源探秘』(南方都市报)
『被印上明信片的当铺——西关大押』(腾讯网)
『甜水巷上甜水井 润化四邻数百年』(刘润泽・梁钜聪/信息时报)
『清末"方便所"仍存:曾是华南最大慈善组织』(莫冠婷/广州日报)
广州市人民政府门户网站 http://www.gz.gov.cn/
广州市越秀区人民政府门户网站 http://www.yuexiu.gov.cn/
北京路文化旅游区 http://www.beijinglu.yuexiu.gov.cn/
广州越秀公园 http://www.yuexiupark-gz.com/
西汉南越王博物馆 https://www.gznywmuseum.org/
南越王宫博物馆 http://www.nywgmuseum.com/
中山纪念堂 http://www.zs-hall.cn/
广东省佛教协会 http://www.gdbuddhism.org/
广州伊斯兰教协会 http://www.gzislam.com/
广东省基督教两会网站 http://www.gdpcc.org/
广州白云山陈李济药厂有限公司官方 http://www.gzclj.com.cn/
广州图书馆 http://www.gzlib.org.cn/
青云书院艺术馆 http://www.gzqingyuntang.com/
[PDF] 広州地下鉄路線図http://machigotopub.com/pdf/guangzhoumetro.pdf
OpenStreetMap
(C)OpenStreetMap contributors

まちごとパブリッシングの旅行ガイド

Machigoto INDIA , Machigoto ASIA , Machigoto CHINA

北インド-まちごとインド

001　はじめての北インド
002　はじめてのデリー
003　オールド・デリー
004　ニュー・デリー
005　南デリー
012　アーグラ
013　ファテープル・シークリー
014　バラナシ
015　サールナート
022　カージュラホ
032　アムリトサル

西インド-まちごとインド

001　はじめてのラジャスタン
002　ジャイプル
003　ジョードプル
004　ジャイサルメール
005　ウダイプル
006　アジメール(プシュカル)
007　ビカネール
008　シェカワティ
011　はじめてのマハラシュトラ
012　ムンバイ
013　プネー
014　アウランガバード
015　エローラ
016　アジャンタ
021　はじめてのグジャラート
022　アーメダバード
023　ヴァドダラー(チャンパネール)
024　ブジ(カッチ地方)

東インド-まちごとインド

002　コルカタ
012　ブッダガヤ

南インド-まちごとインド

001　はじめてのタミルナードゥ
002　チェンナイ
003　カーンチプラム
004　マハーバリプラム
005　タンジャヴール
006　クンバコナムとカーヴェリー・デルタ
007　ティルチラパッリ
008　マドゥライ
009　ラーメシュワラム
010　カニャークマリ
021　はじめてのケーララ
022　ティルヴァナンタプラム
023　バックウォーター(コッラム～アラップーザ)
024　コーチ(コーチン)
025　トリシュール

ネパール-まちごとアジア

001　はじめてのカトマンズ
002　カトマンズ
003　スワヤンブナート
004　パタン
005　バクタプル
006　ポカラ
007　ルンビニ
008　チトワン国立公園

バングラデシュ-まちごとアジア

001　はじめてのバングラデシュ
002　ダッカ
003　バゲルハット(クルナ)
004　シュンドルボン
005　プティア
006　モハスタン(ボグラ)
007　パハルプール

パキスタン-まちごとアジア

002　フンザ
003　ギルギット(KKH)
004　ラホール
005　ハラッパ
006　ムルタン

イラン-まちごとアジア

001　はじめてのイラン
002　テヘラン
003　イスファハン
004　シーラーズ
005　ペルセポリス
006　パサルガダエ(ナグシェ・ロスタム)
007　ヤズド
008　チョガ・ザンビル(アフヴァーズ)
009　タブリーズ
010　アルダビール

北京-まちごとチャイナ

001　はじめての北京
002　故宮(天安門広場)
003　胡同と旧皇城
004　天壇と旧崇文区
005　瑠璃廠と旧宣武区
006　王府井と市街東部
007　北京動物園と市街西部
008　頤和園と西山
009　盧溝橋と周口店
010　万里の長城と明十三陵

天津-まちごとチャイナ

001　はじめての天津
002　天津市街
003　浜海新区と市街南部
004　薊県と清東陵

上海-まちごとチャイナ

001　はじめての上海
002　浦東新区
003　外灘と南京東路
004　淮海路と市街西部

005　虹口と市街北部
006　上海郊外(龍華・七宝・松江・嘉定)
007　水郷地帯(朱家角・周荘・同里・甪直)

河北省-まちごとチャイナ

001　はじめての河北省
002　石家荘
003　秦皇島
004　承徳
005　張家口
006　保定
007　邯鄲

江蘇省-まちごとチャイナ

001　はじめての江蘇省
002　はじめての蘇州
003　蘇州旧城
004　蘇州郊外と開発区
005　無錫
006　揚州
007　鎮江
008　はじめての南京
009　南京旧城
010　南京紫金山と下関
011　雨花台と南京郊外・開発区
012　徐州

浙江省-まちごとチャイナ

001　はじめての浙江省
002　はじめての杭州
003　西湖と山林杭州
004　杭州旧城と開発区
005　紹興
006　はじめての寧波
007　寧波旧城
008　寧波郊外と開発区
009　普陀山
010　天台山
011　温州

福建省-まちごとチャイナ

001　はじめての福建省
002　はじめての福州
003　福州旧城
004　福州郊外と開発区
005　武夷山
006　泉州
007　厦門
008　客家土楼

広東省-まちごとチャイナ

001　はじめての広東省
002　はじめての広州
003　広州古城
004　広州天河と東山
005　はじめての深圳(深セン)
006　東莞
007　開平(江門)
008　韶関
009　はじめての潮汕
010　潮州
011　汕頭
012　広州西関と珠江
013　広州郊外

014　深圳市街
015　深圳郊外

遼寧省-まちごとチャイナ

001　はじめての遼寧省
002　はじめての大連
003　大連市街
004　旅順
005　金州新区
006　はじめての瀋陽
007　瀋陽故宮と旧市街
008　瀋陽駅と市街地
009　北陵と瀋陽郊外
010　撫順

重慶-まちごとチャイナ

001　はじめての重慶
002　重慶市街
003　三峡下り（重慶～宜昌）
004　大足
005　重慶郊外と開発区

四川省-まちごとチャイナ

001　はじめての四川省
002　はじめての成都
003　成都旧城
004　成都周縁部
005　青城山と都江堰
006　楽山
007　峨眉山
008　九寨溝

香港-まちごとチャイナ

001　はじめての香港
002　中環と香港島北岸
003　上環と香港島南岸
004　尖沙咀と九龍市街
005　九龍城と九龍郊外
006　新界
007　ランタオ島と島嶼部

マカオ-まちごとチャイナ

001　はじめてのマカオ
002　セナド広場とマカオ中心部
003　媽閣廟とマカオ半島南部
004　東望洋山とマカオ半島北部
005　新口岸とタイパ·コロアン

Juo-Mujin（電子書籍のみ）

Juo-Mujin香港縦横無尽
Juo-Mujin北京縦横無尽
Juo-Mujin上海縦横無尽
Juo-Mujin台北縦横無尽
見せよう! 上海で中国語

見せよう! 蘇州で中国語

見せよう! 杭州で中国語

見せよう! デリーでヒンディー語

見せよう! タージマハルでヒンディー語

見せよう! 砂漠のラジャスタンでヒンディー語

自力旅游中国Tabisuru CHINA

001 バスに揺られて「自力で長城」

002 バスに揺られて「自力で石家荘」

003 バスに揺られて「自力で承徳」

004 船に揺られて「自力で普陀山」

005 バスに揺られて「自力で天台山」

006 バスに揺られて「自力で秦皇島」

007 バスに揺られて「自力で張家口」

008 バスに揺られて「自力で邯鄲」

009 バスに揺られて「自力で保定」

010 バスに揺られて「自力で清東陵」

011 バスに揺られて「自力で潮州」

012 バスに揺られて「自力で汕頭」

013 バスに揺られて「自力で温州」

014 バスに揺られて「自力で福州」

015 メトロに揺られて「自力で深圳」

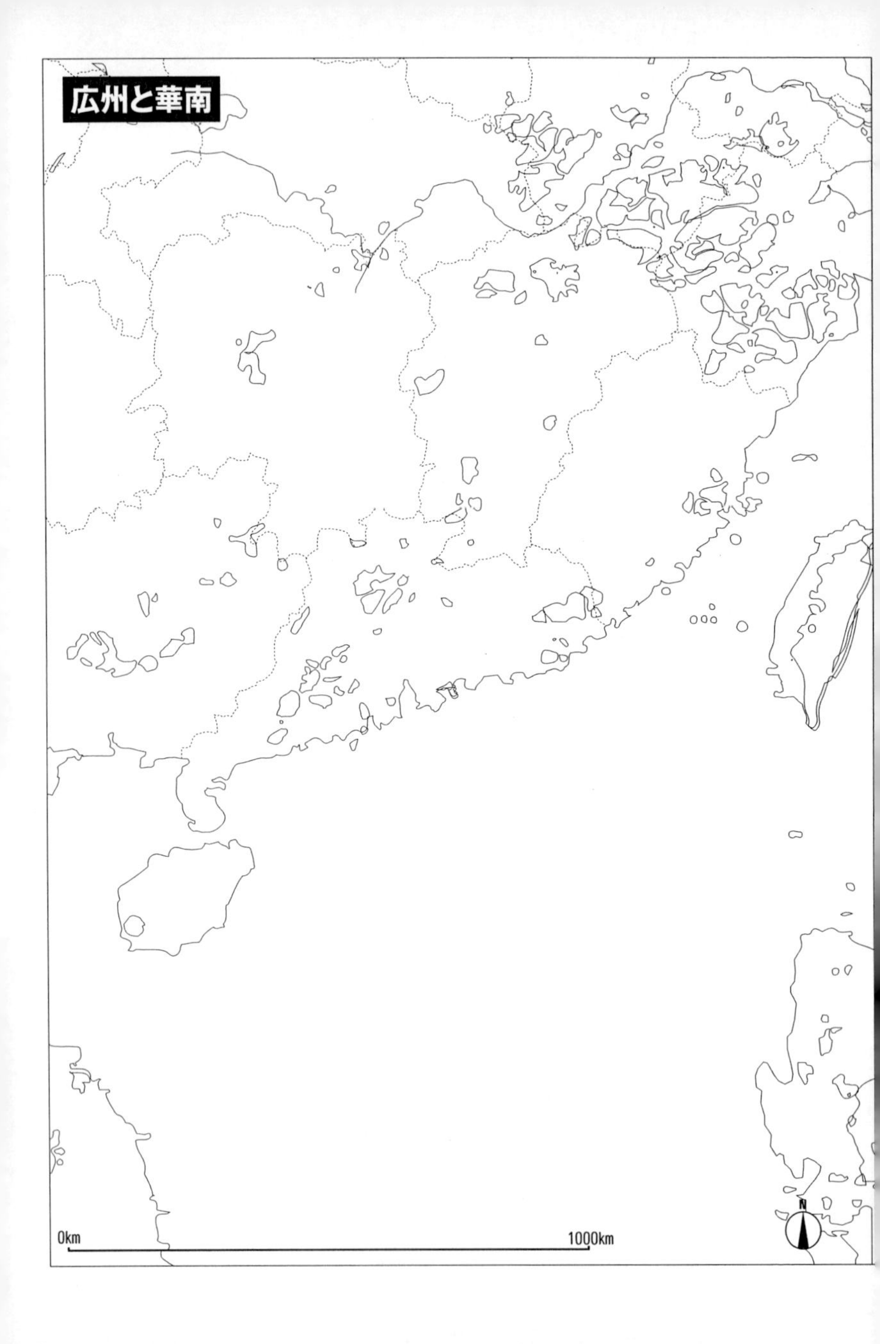
広州と華南
0km
1000km
N

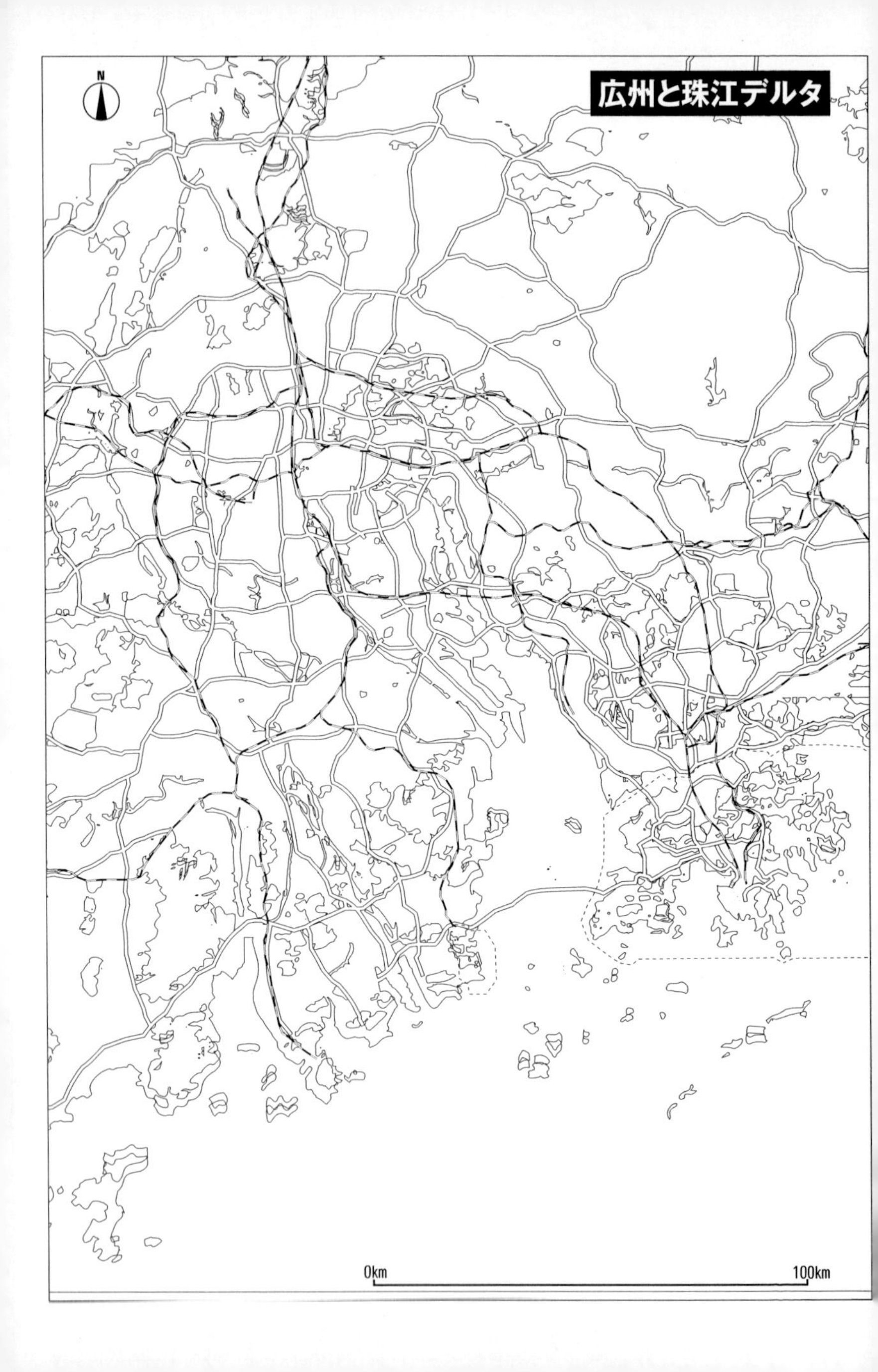
広州と珠江デルタ
N
0km
100km

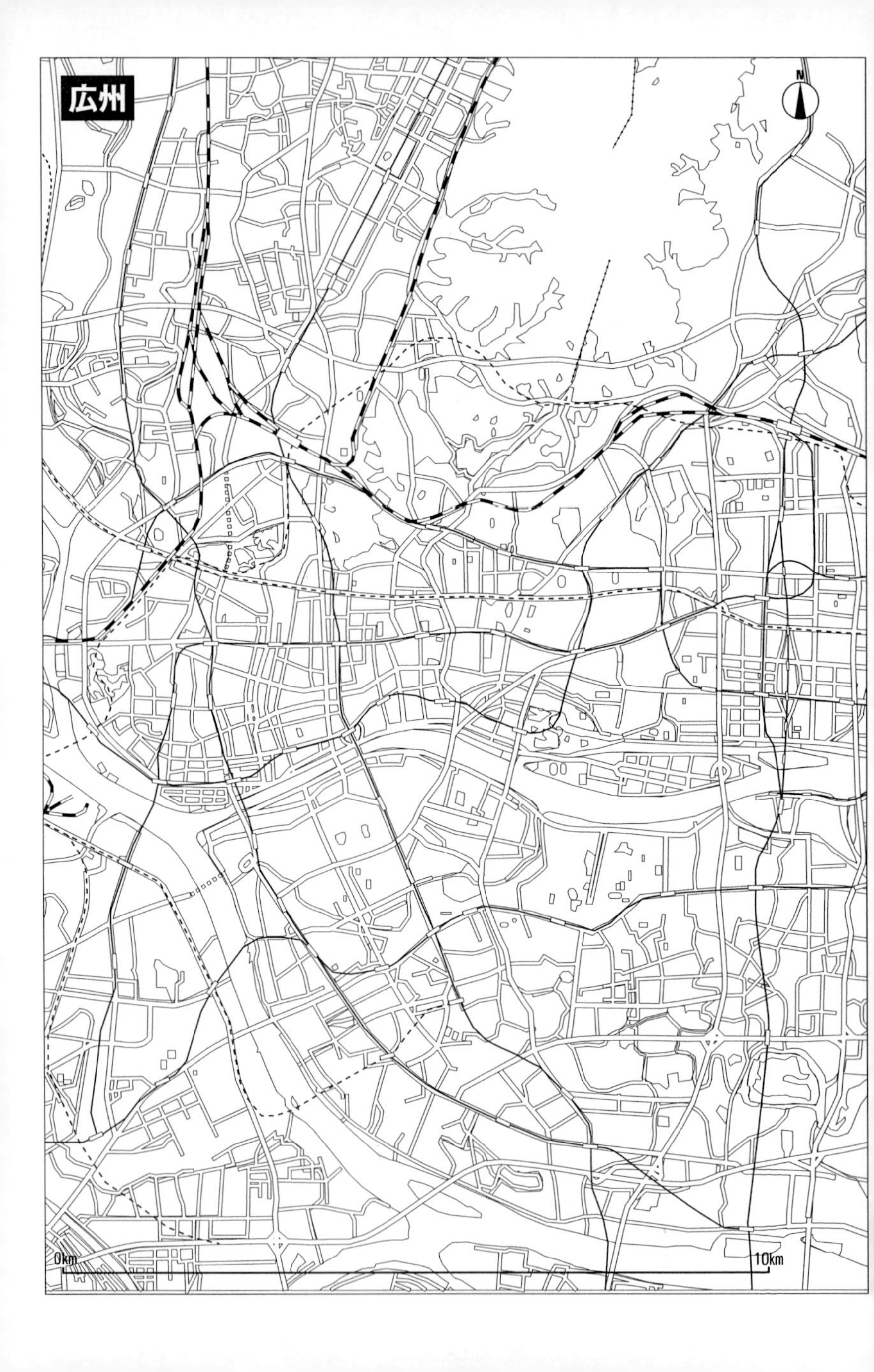
広州
N
0km
10km

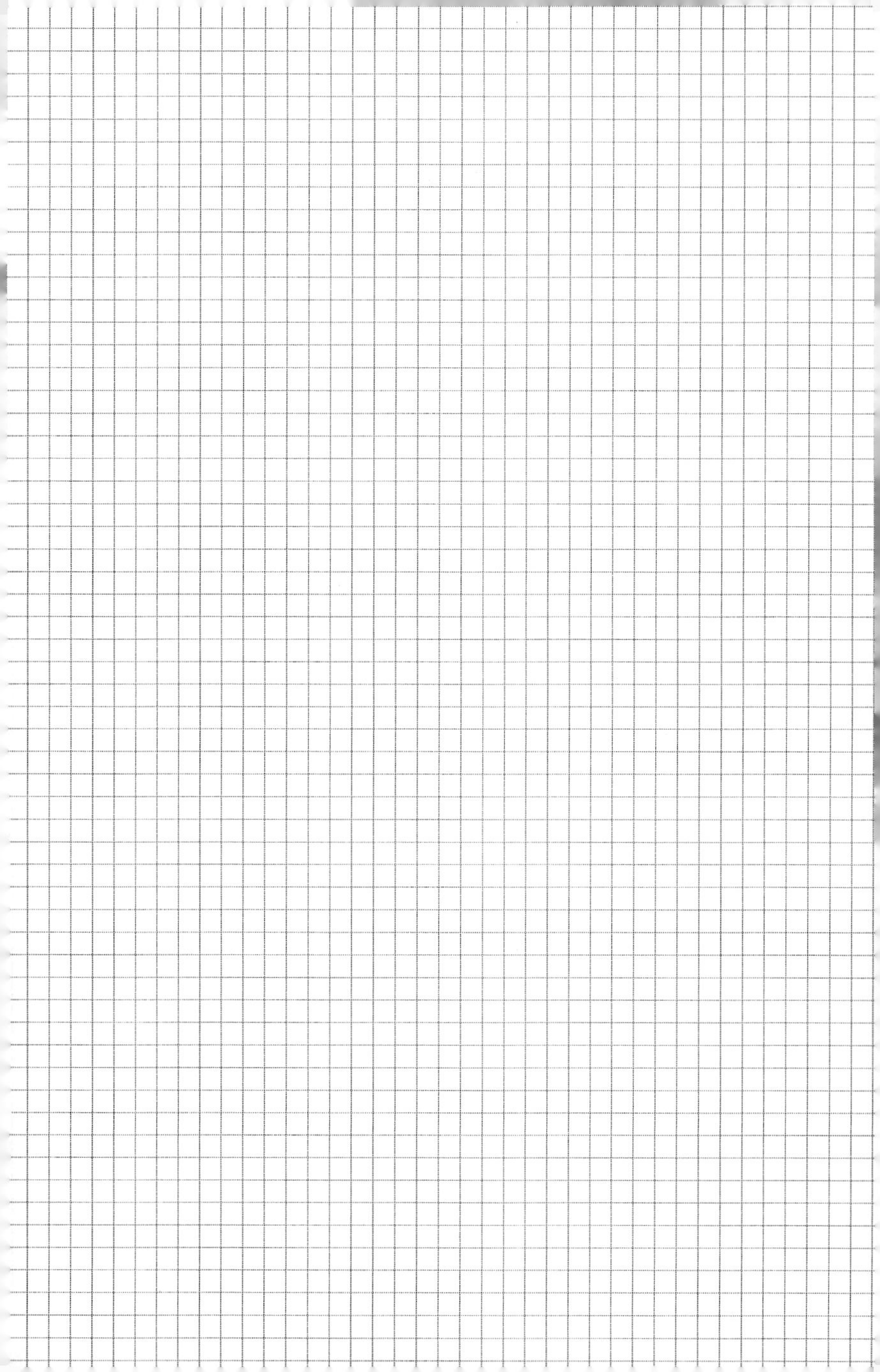

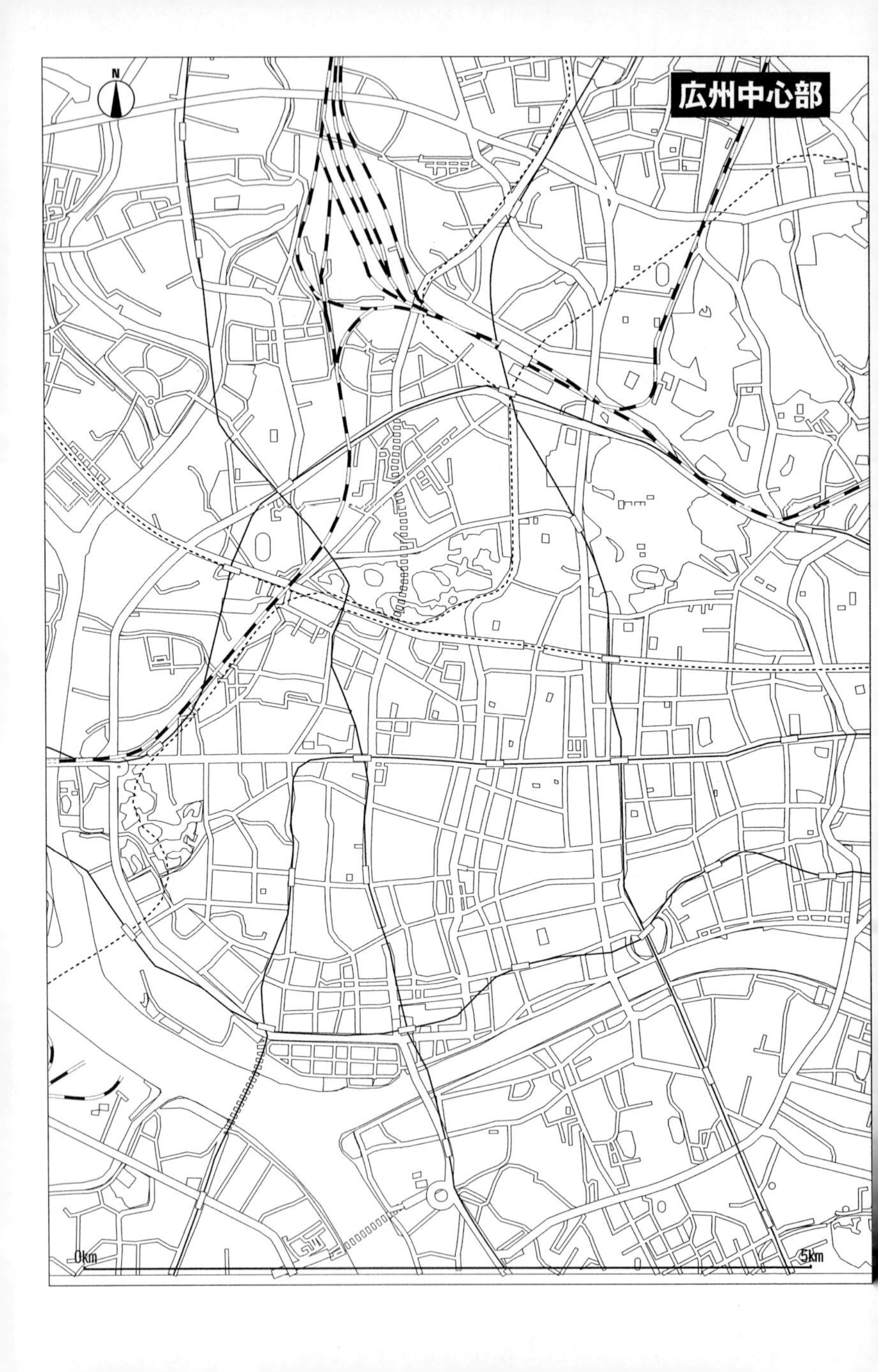
広州中心部
N
0km
5km

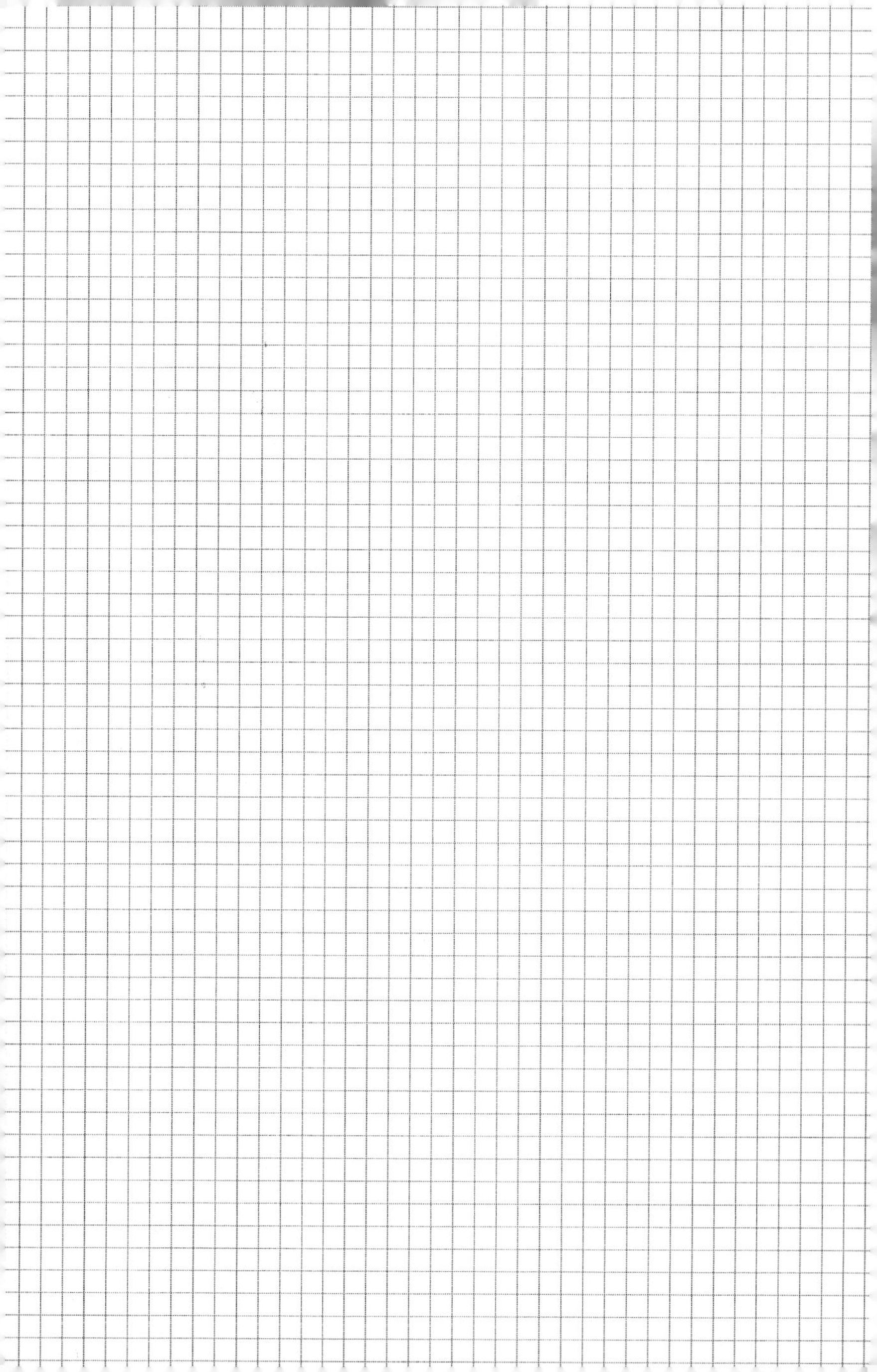

越秀公園
N
0km
1km

越秀公園拡大
N
0m
500m

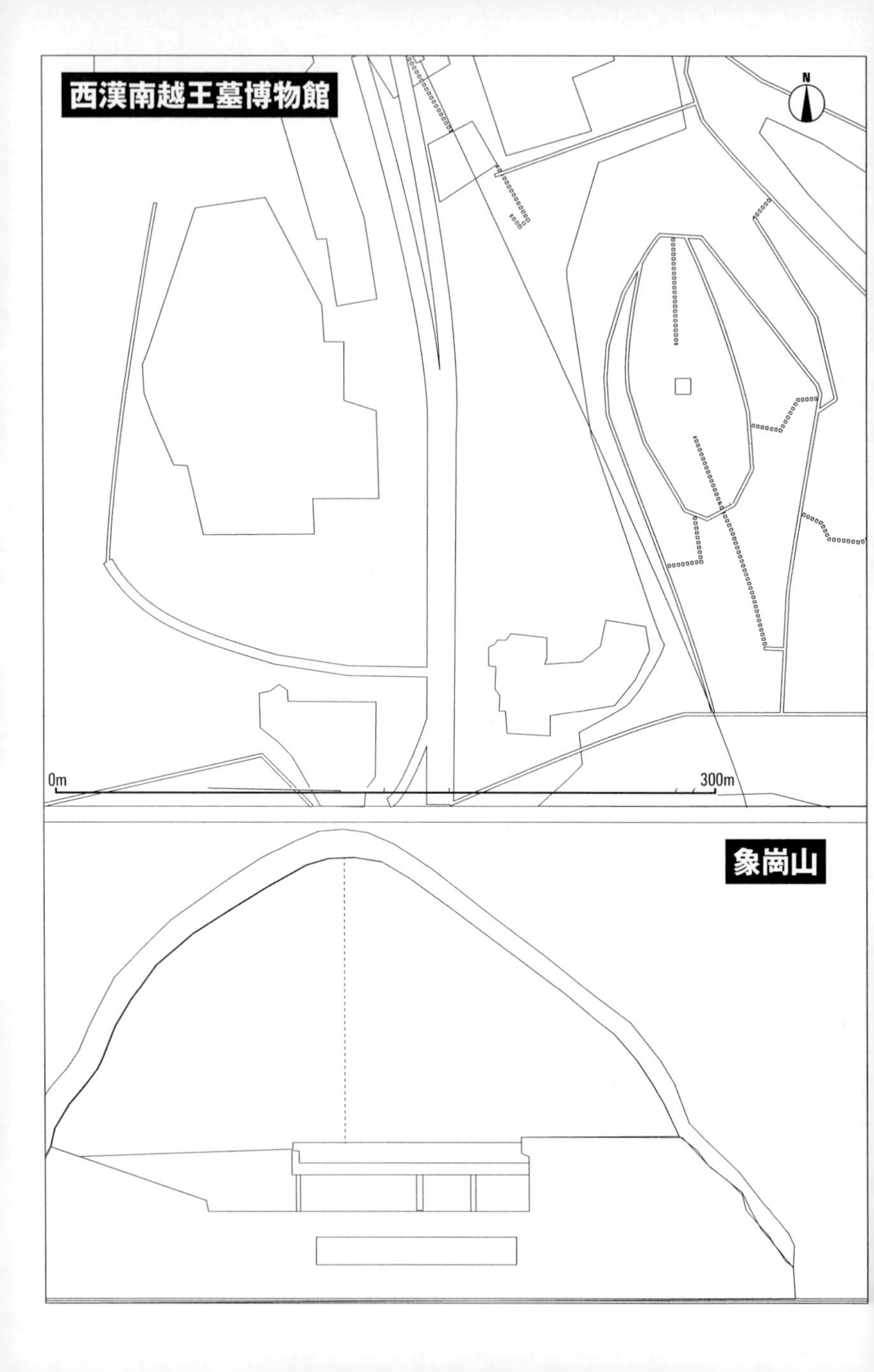

西漢南越王墓博物館
N
0m
300m
象崗山

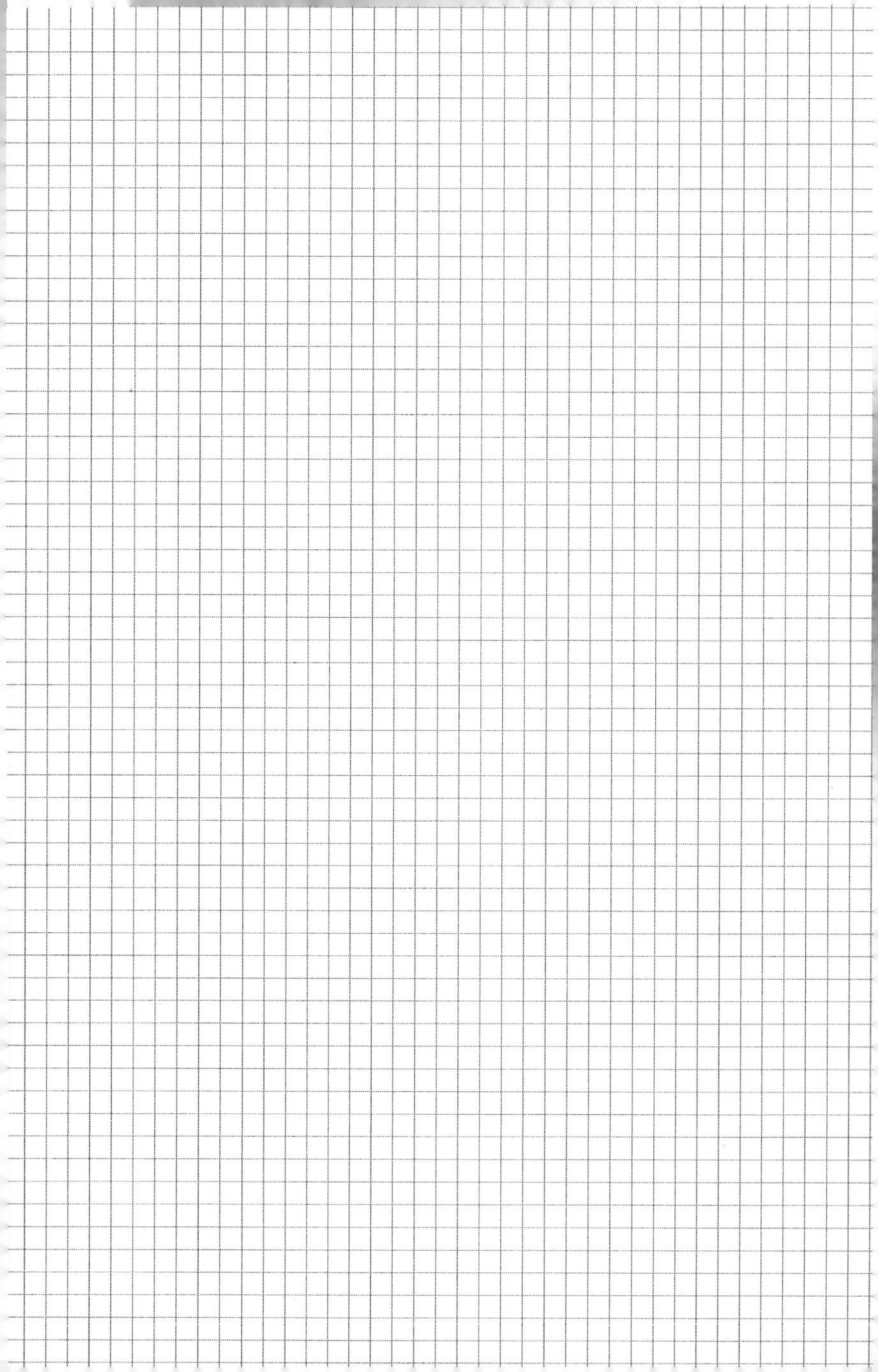

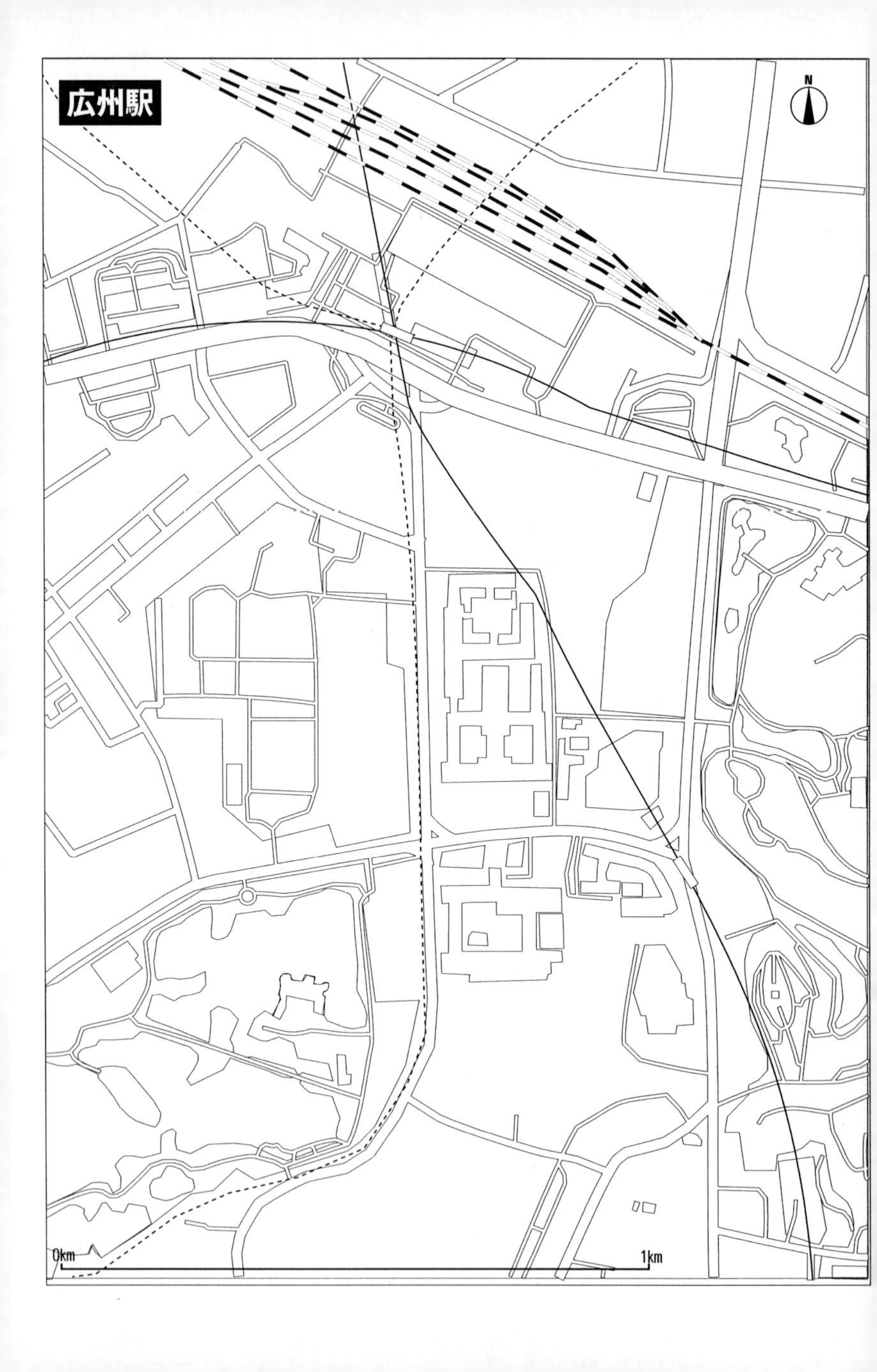
広州駅
N
0km
1km

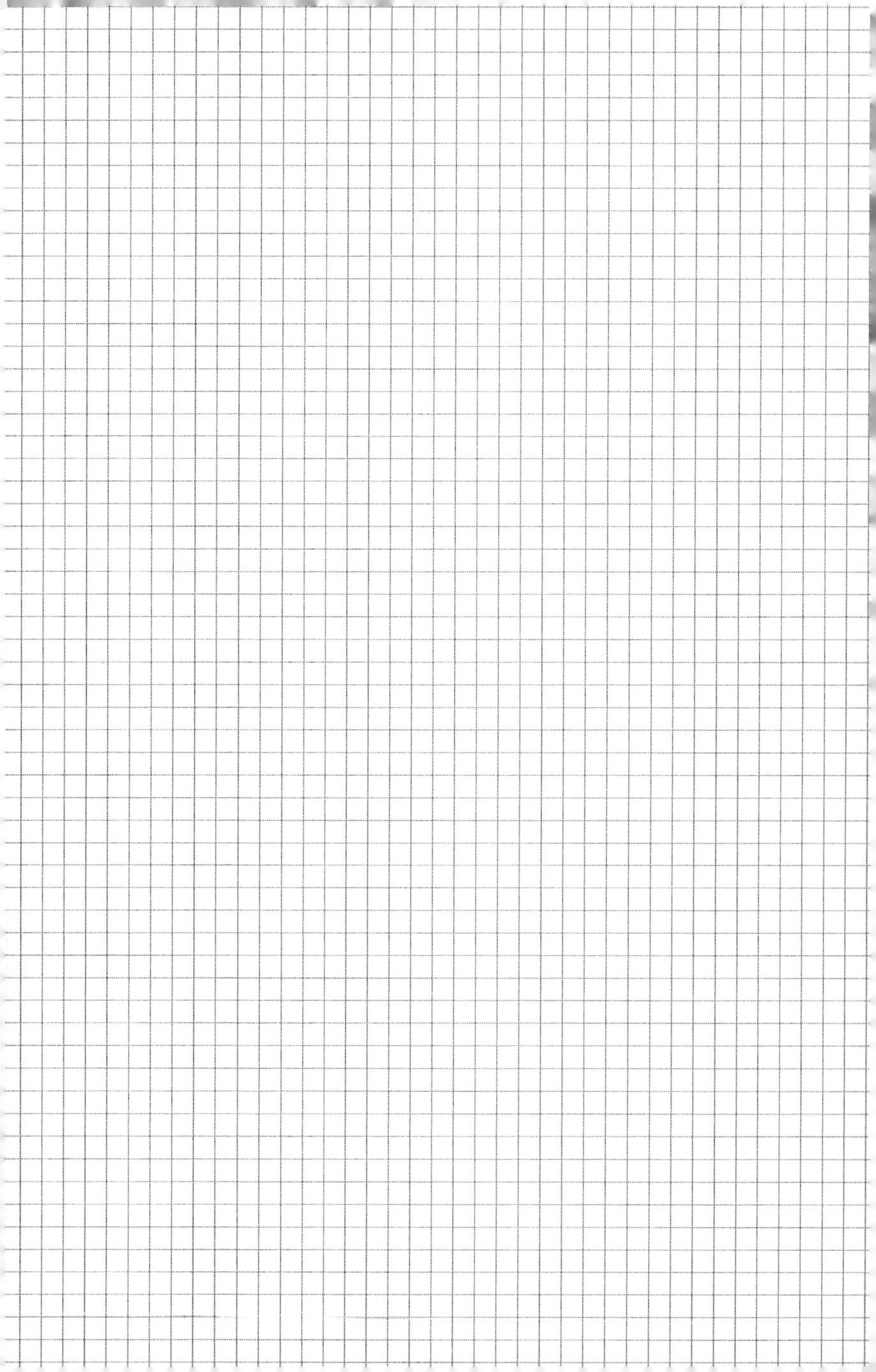

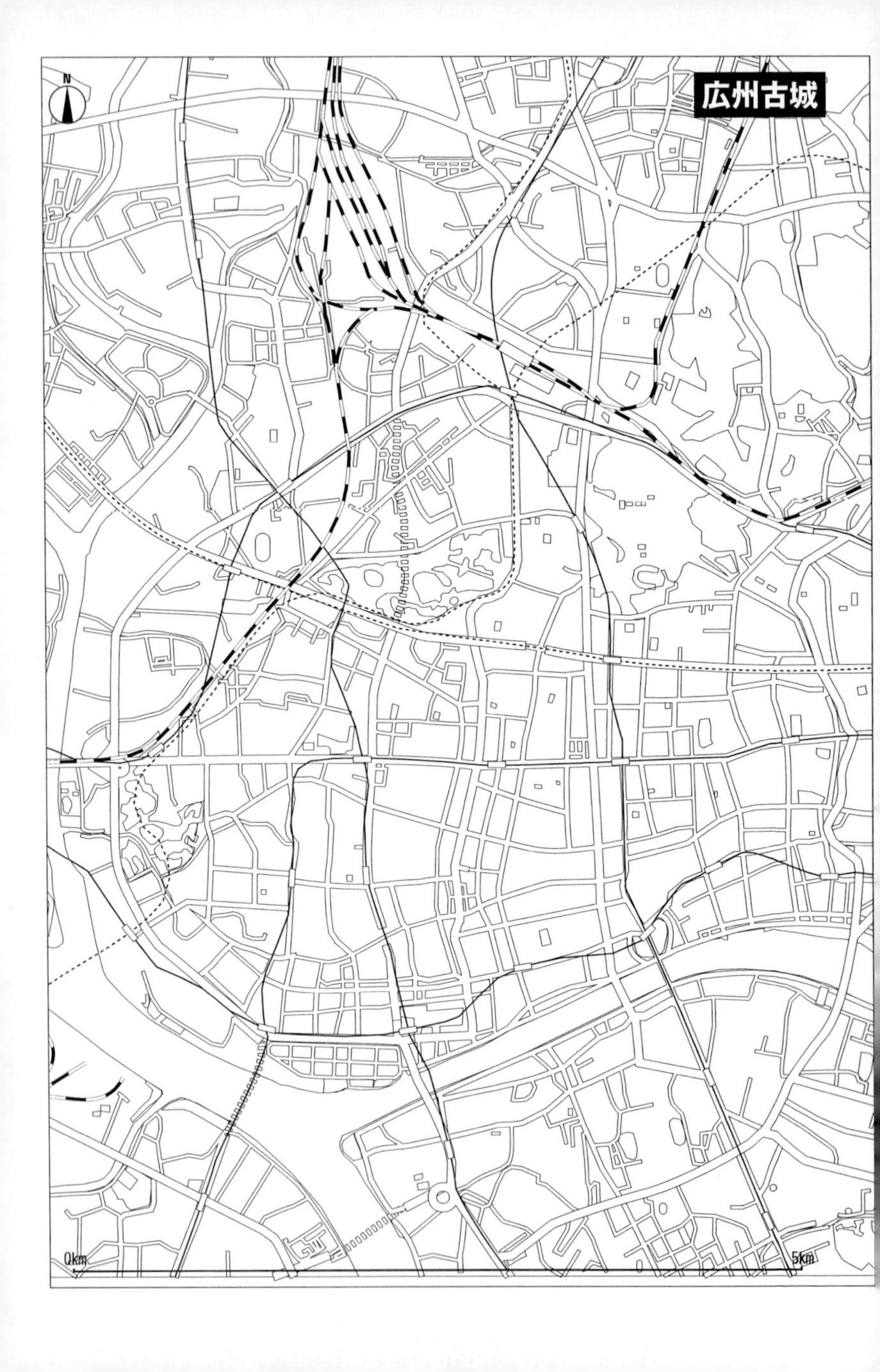

広州古城
N
0km
5km

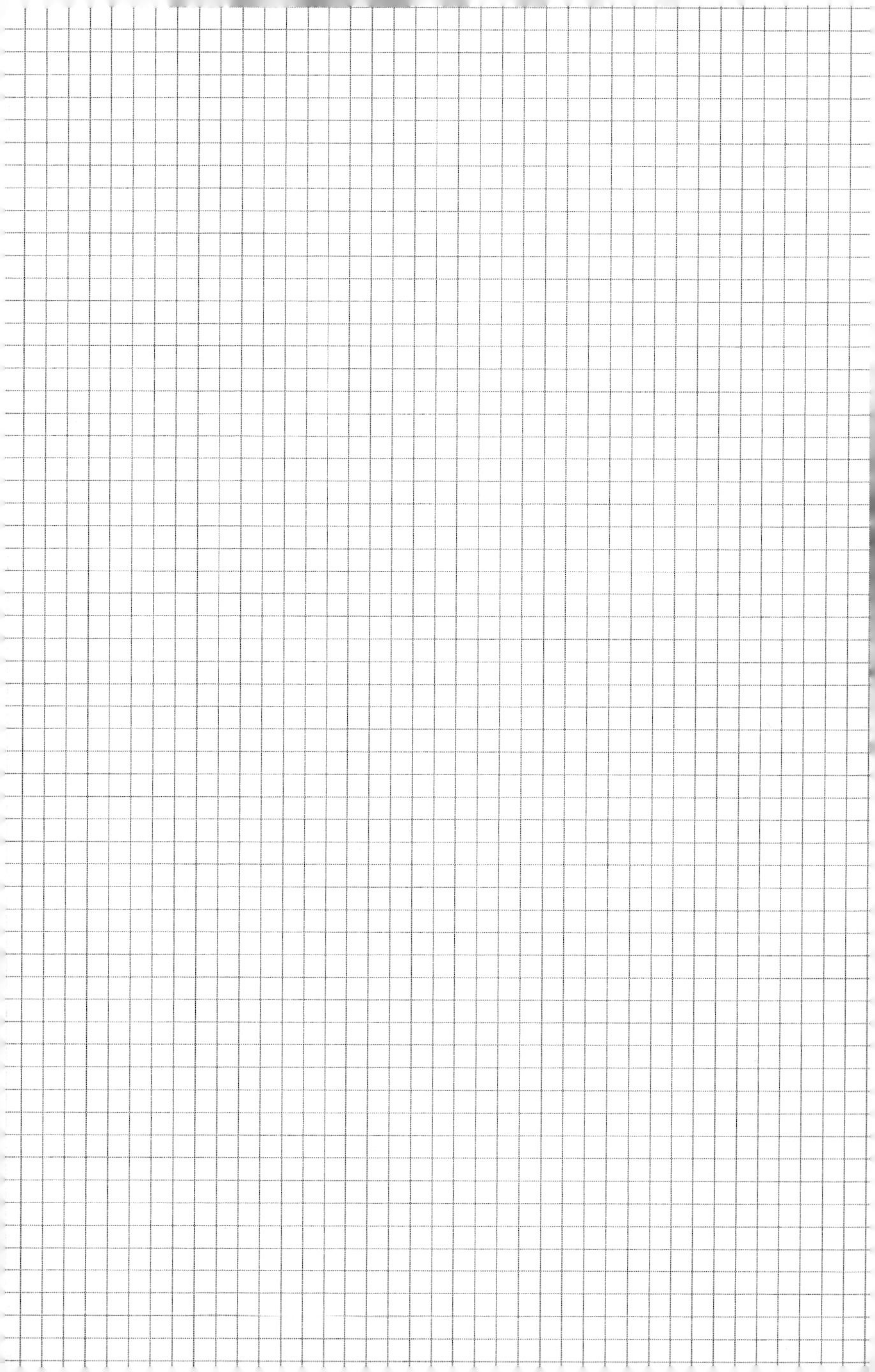

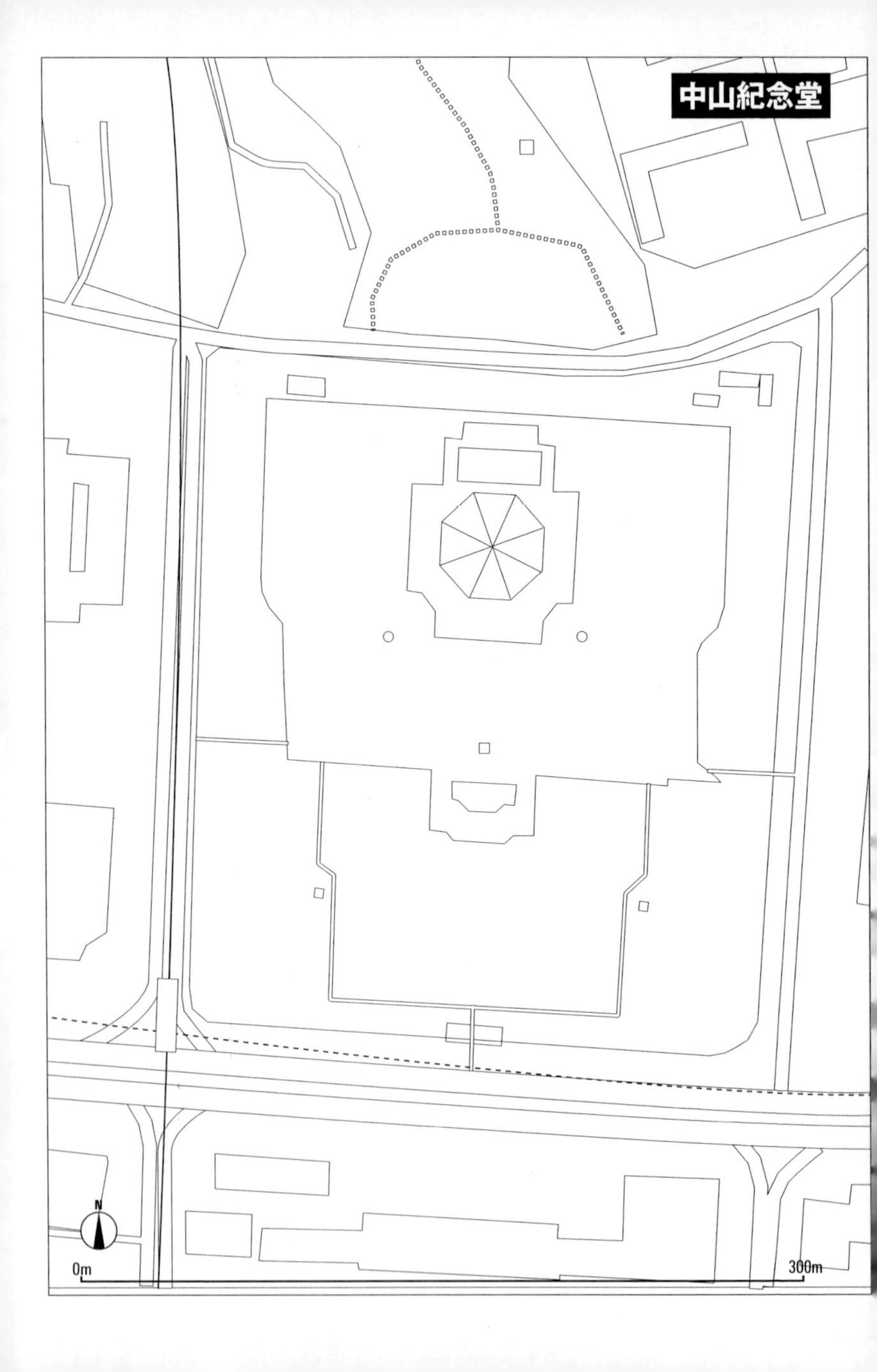
中山紀念堂
N
0m
300m

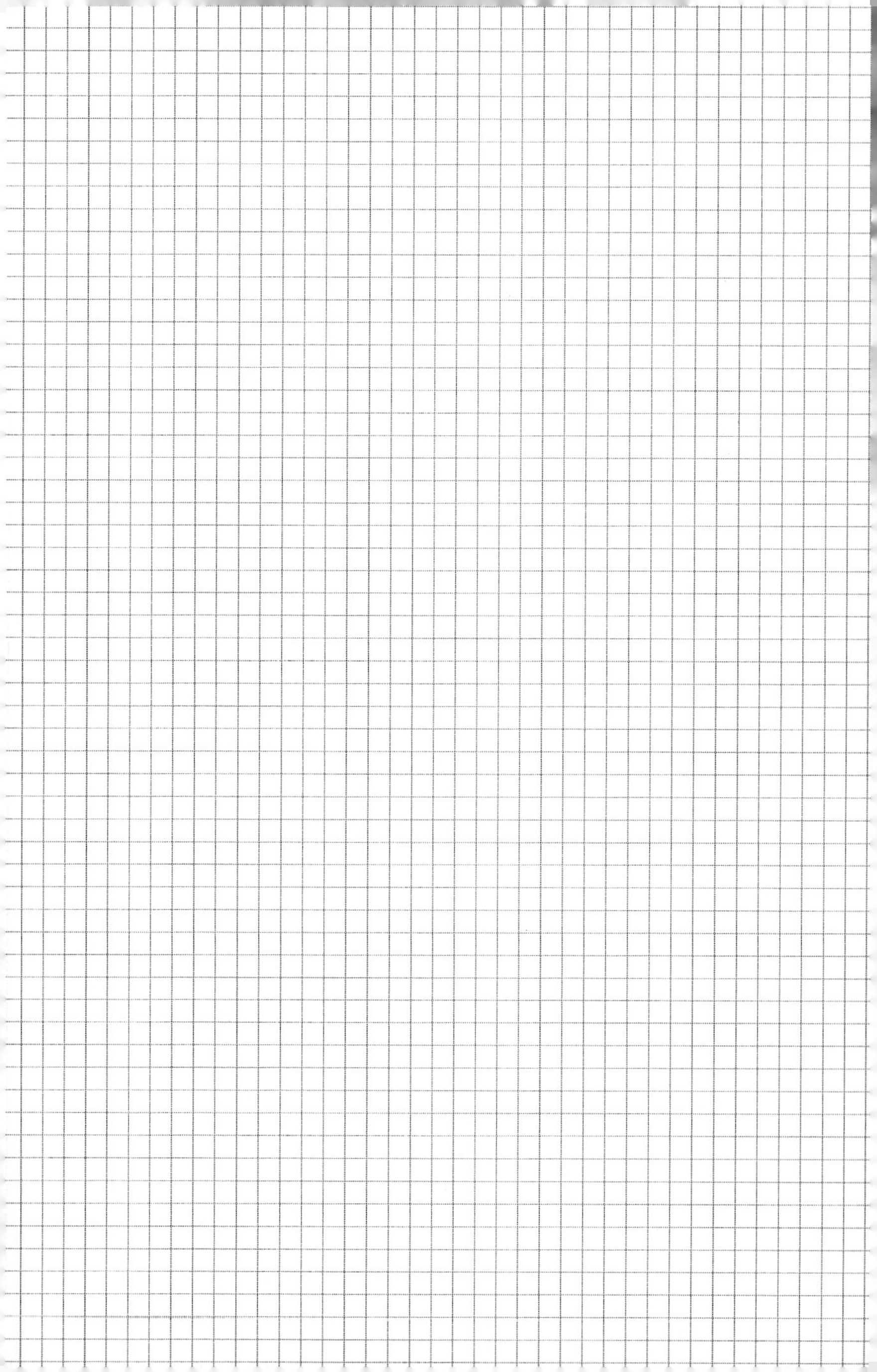

人民公園
N
0m
500m

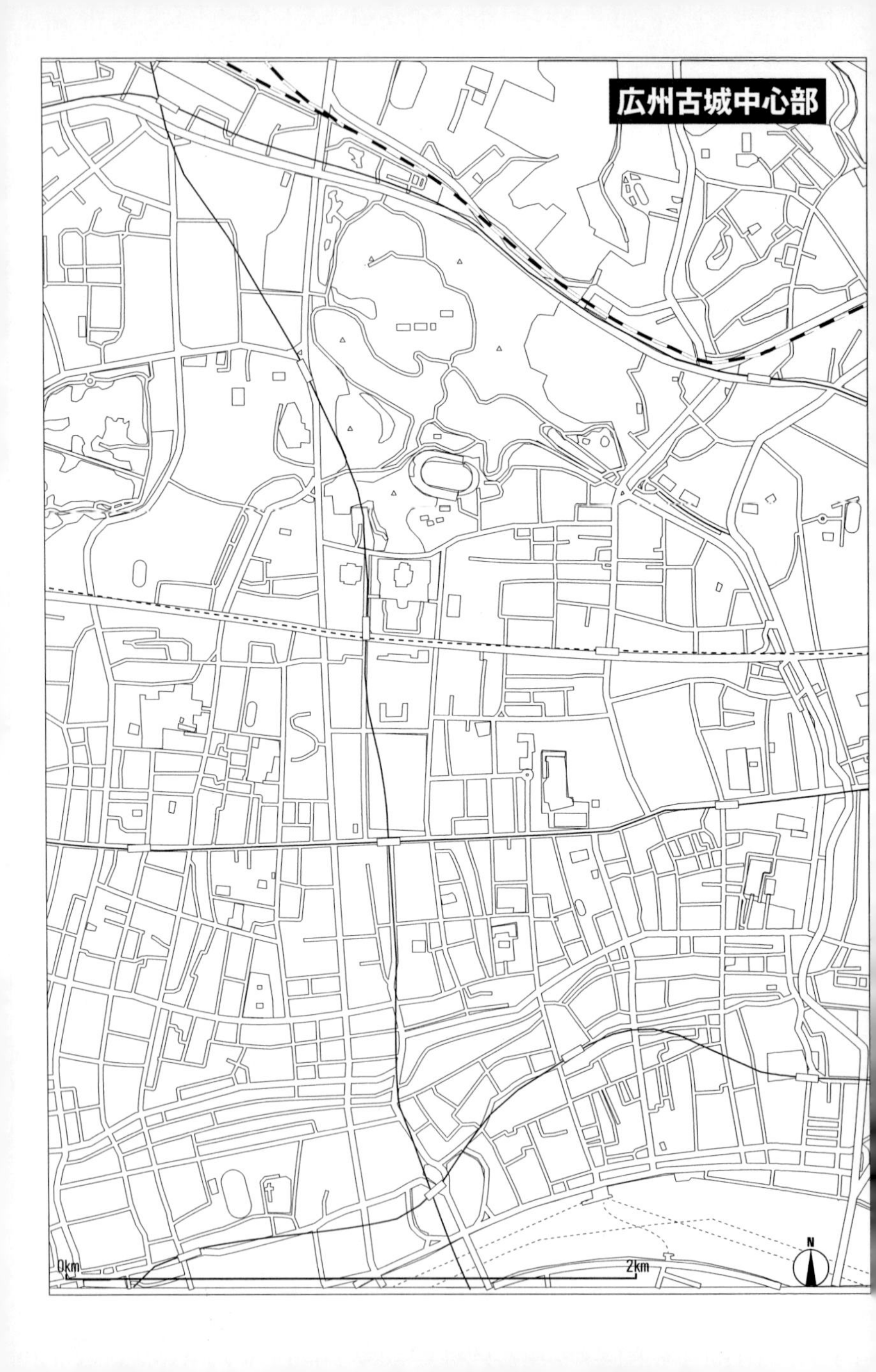
広州古城中心部
0km
2km
N

北京路
N
0km
1km

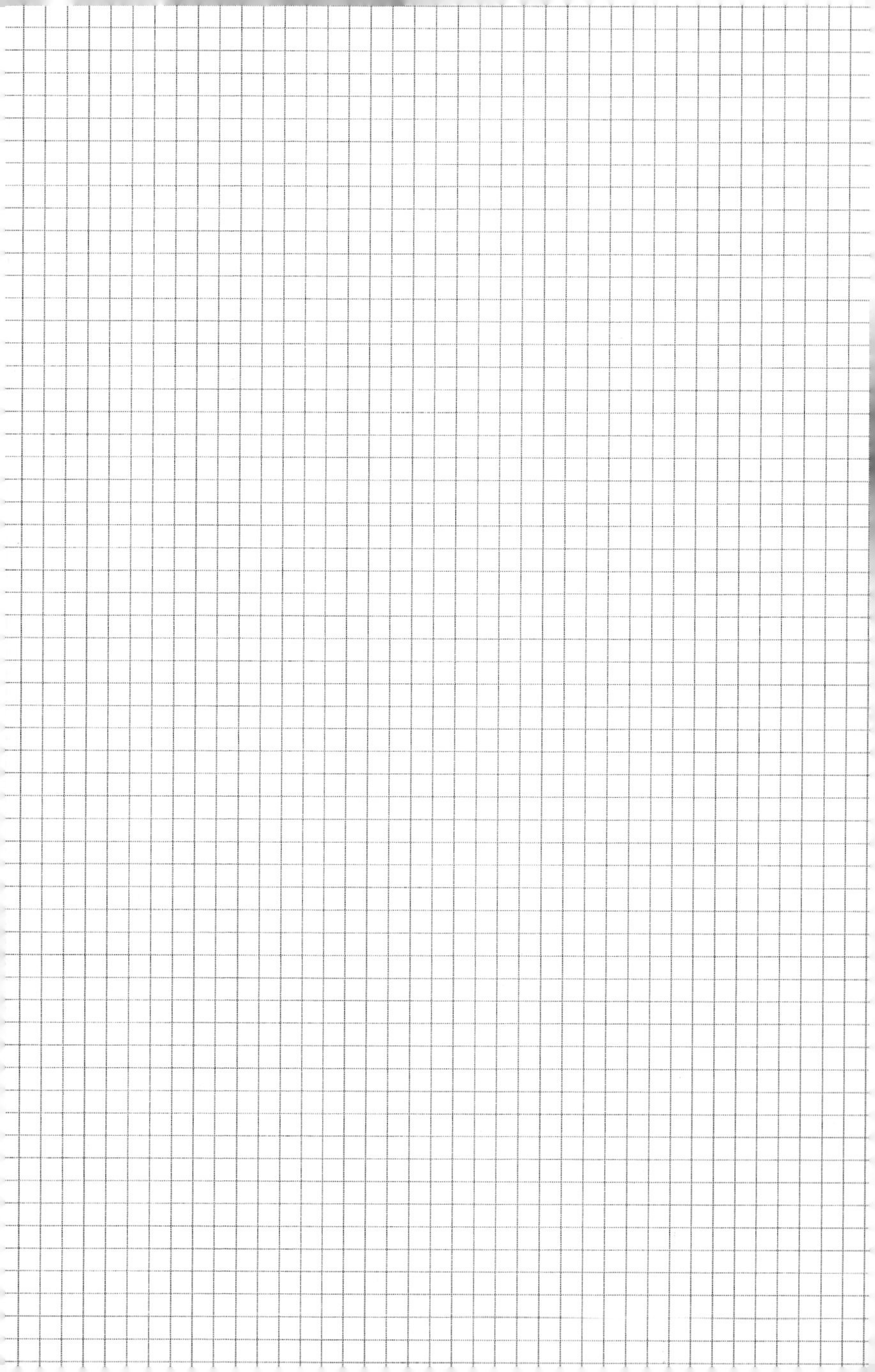

千年古道
N
0m
300m

大仏寺
0m
500m
N

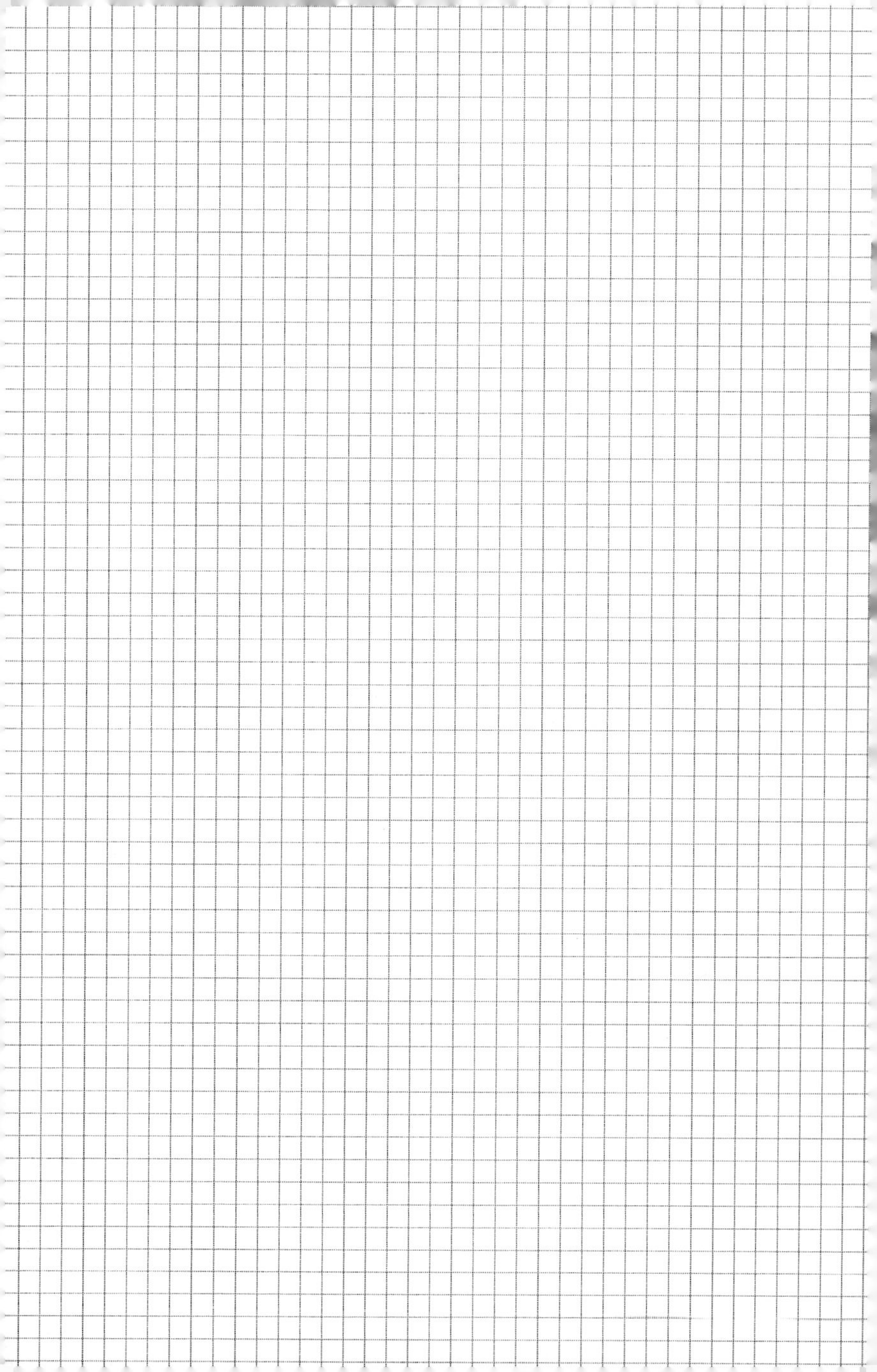

大仏寺拡大
N
0m
300m

大小馬站
0m
300m
N

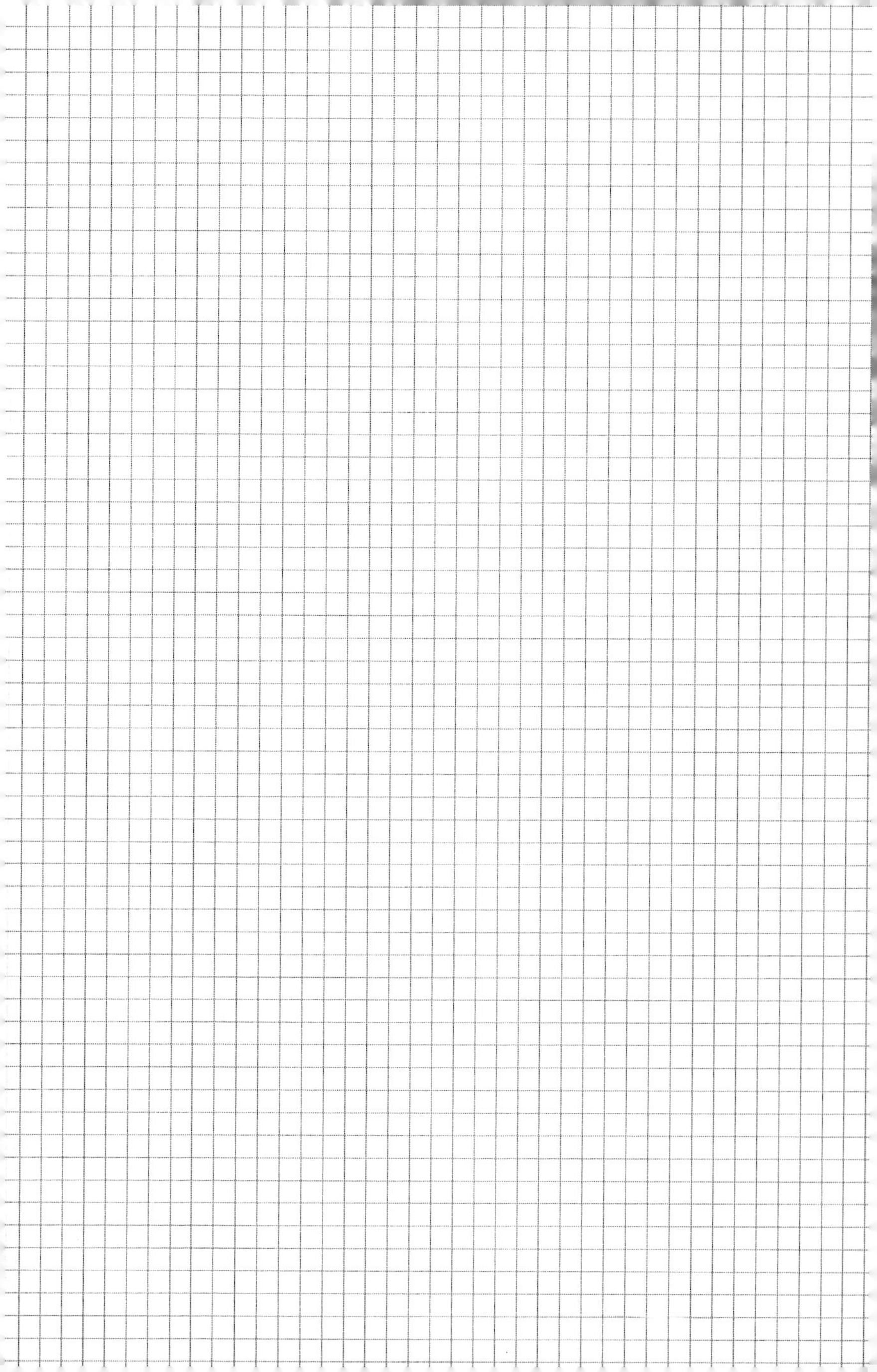

北京路北段
0m
500m
N

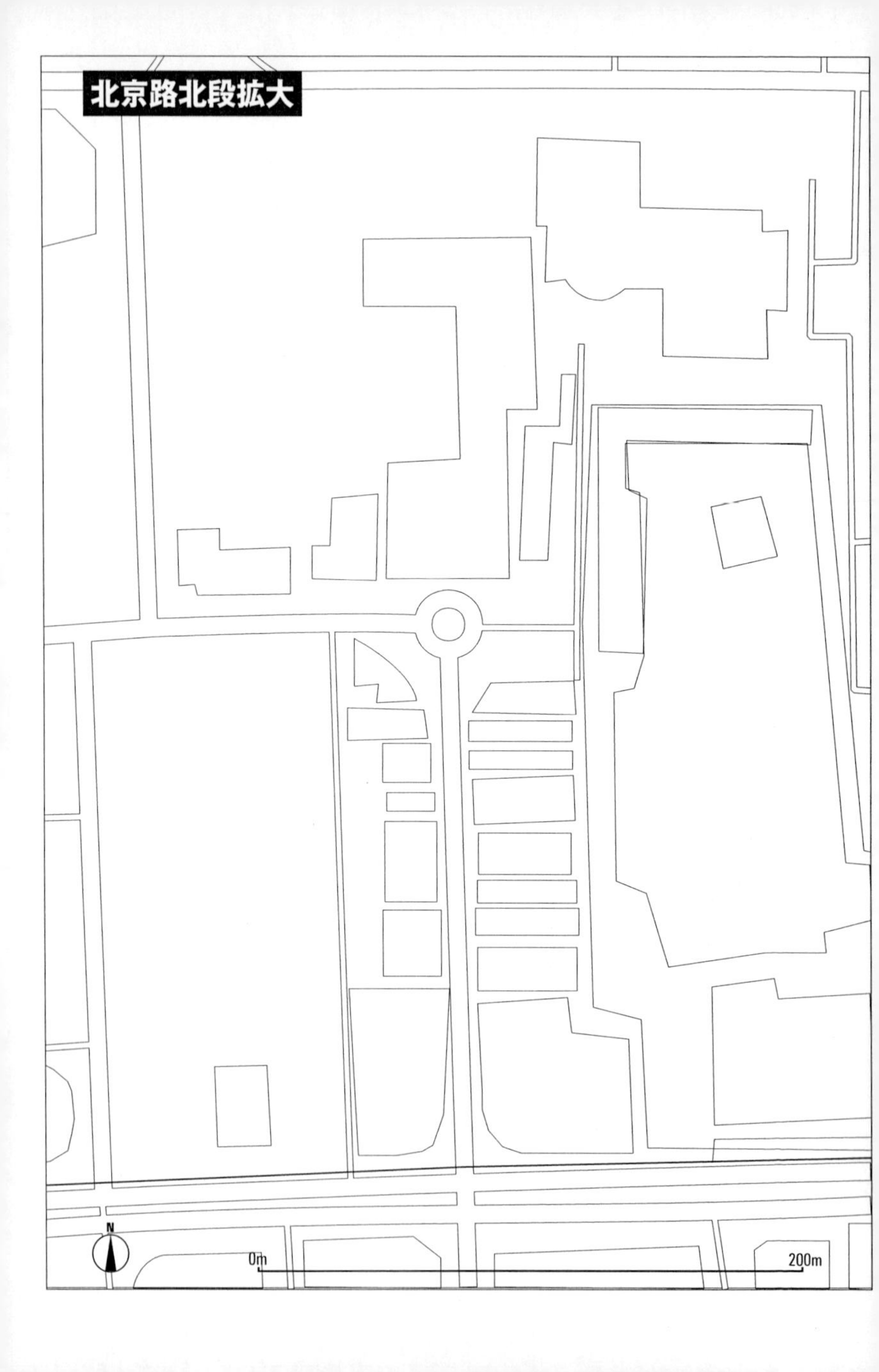
北京路北段拡大
N
0m
200m

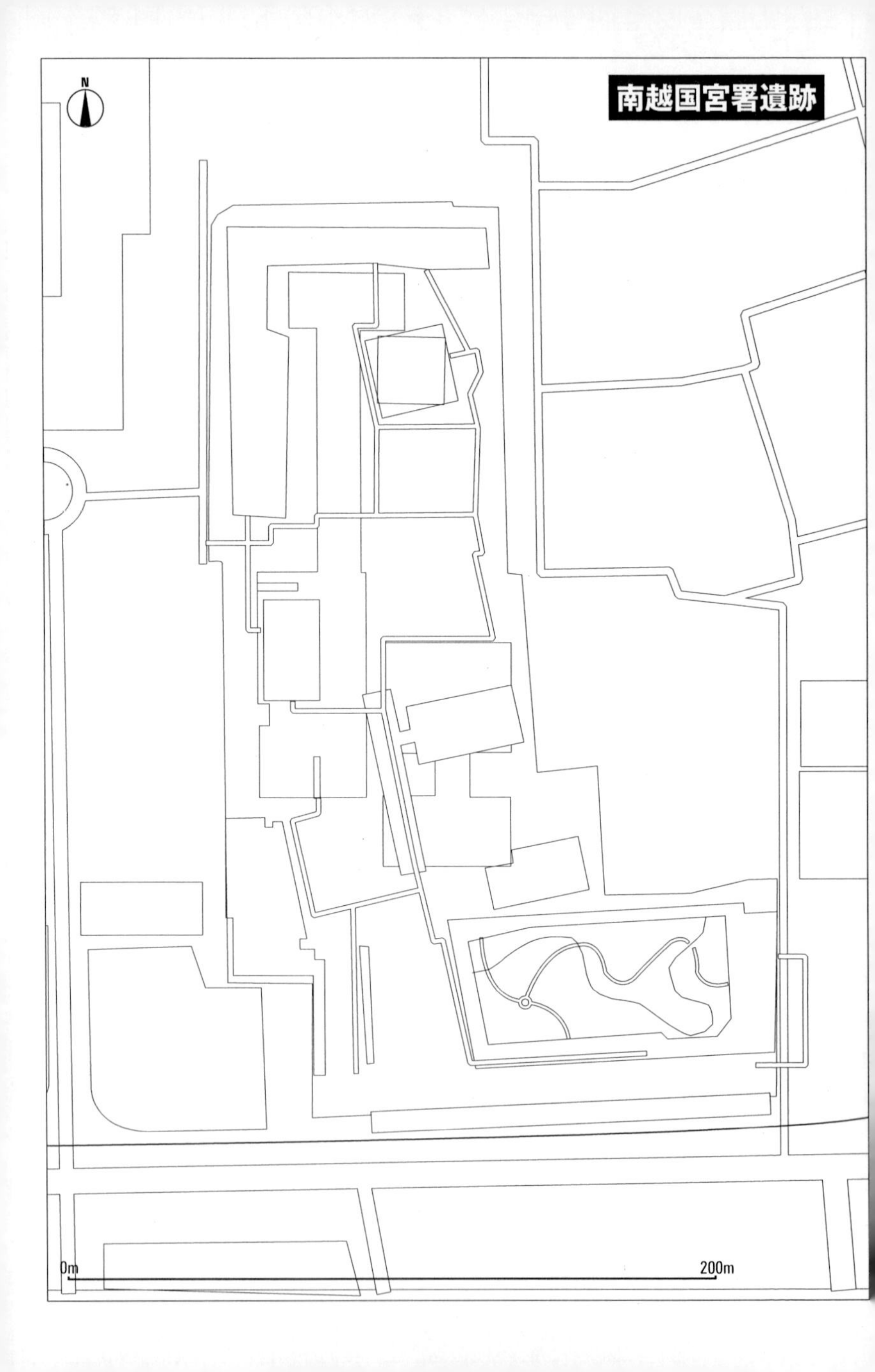
南越国宮署遺跡
N
0m
200m

南越国曲流石渠遺跡
N
0m
50m

N
0m
500m
文徳路

古城東部
N
0km
1km

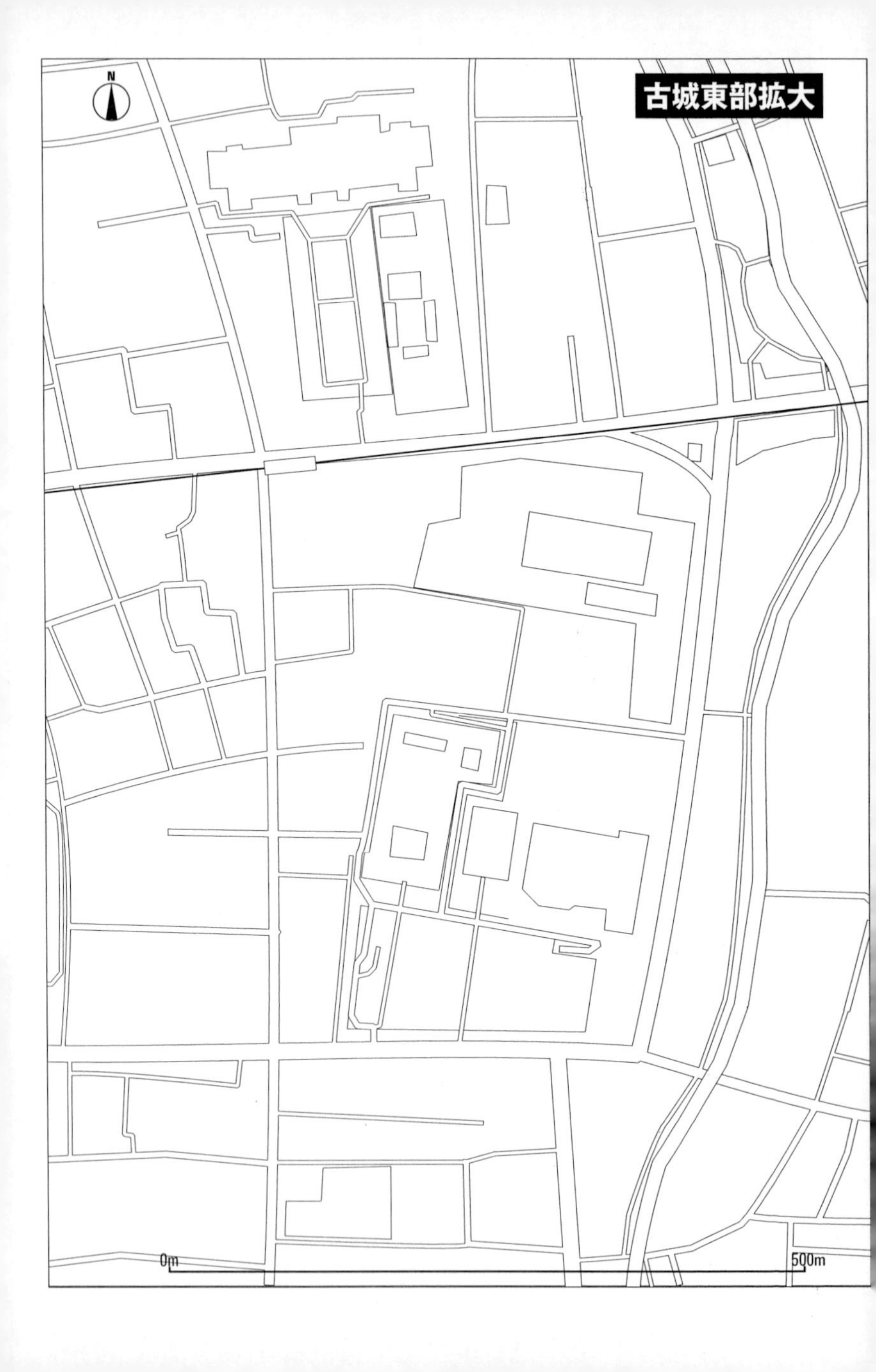
古城東部拡大
N
0m
500m

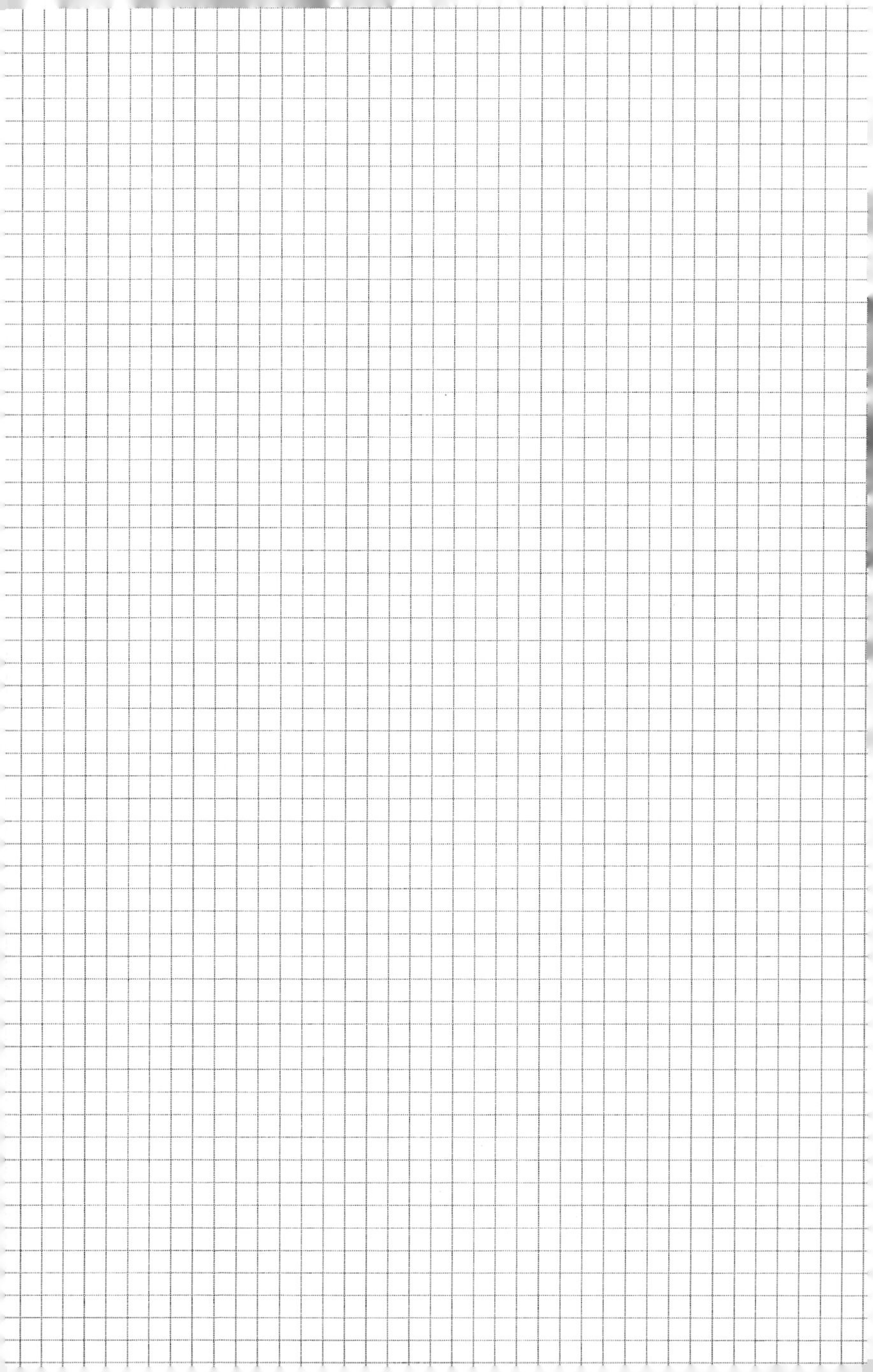

広州魯迅紀念館
N
0m
200m

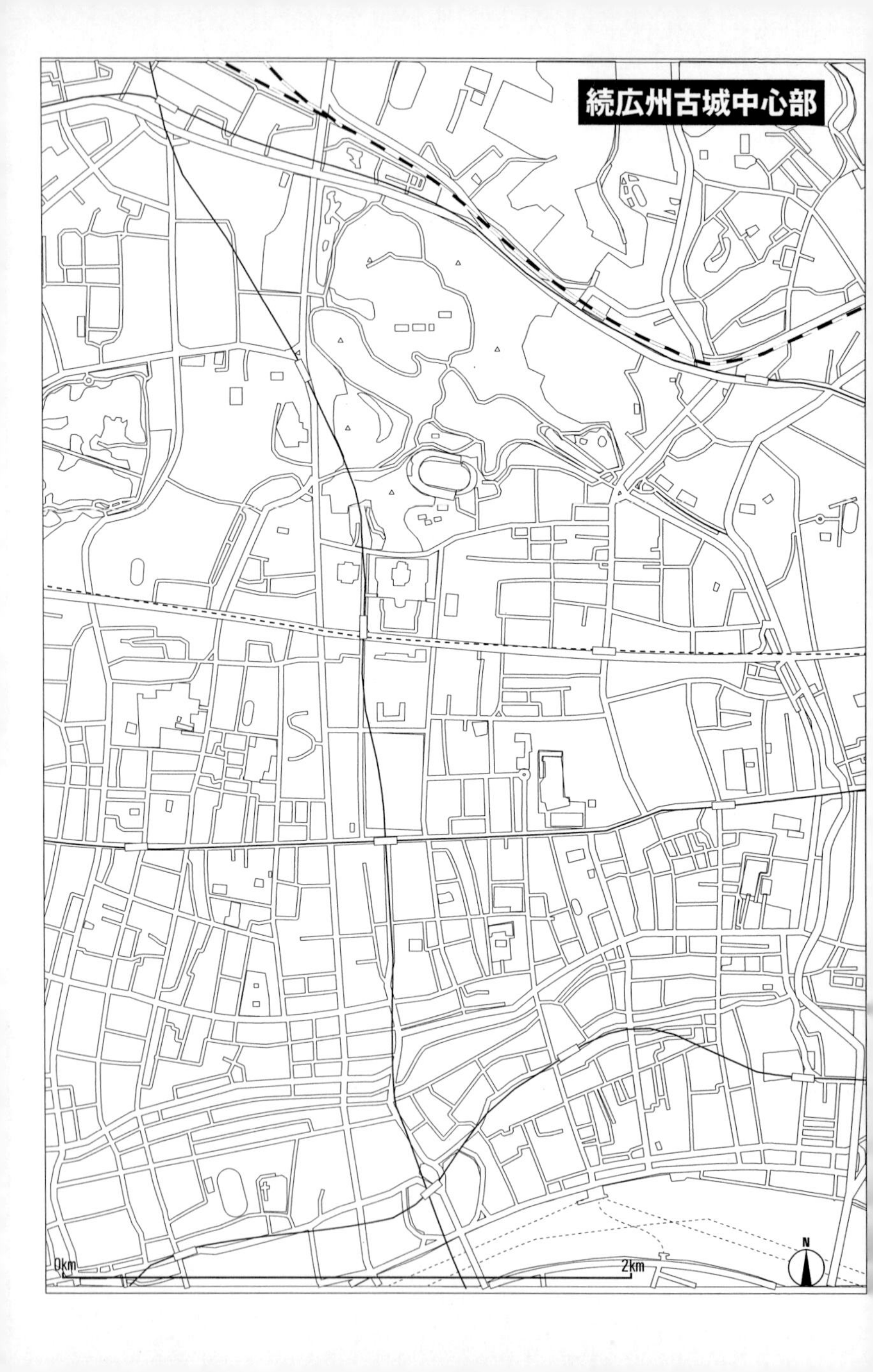
続広州古城中心部
0km
2km
N

光孝寺
N
0m
200m

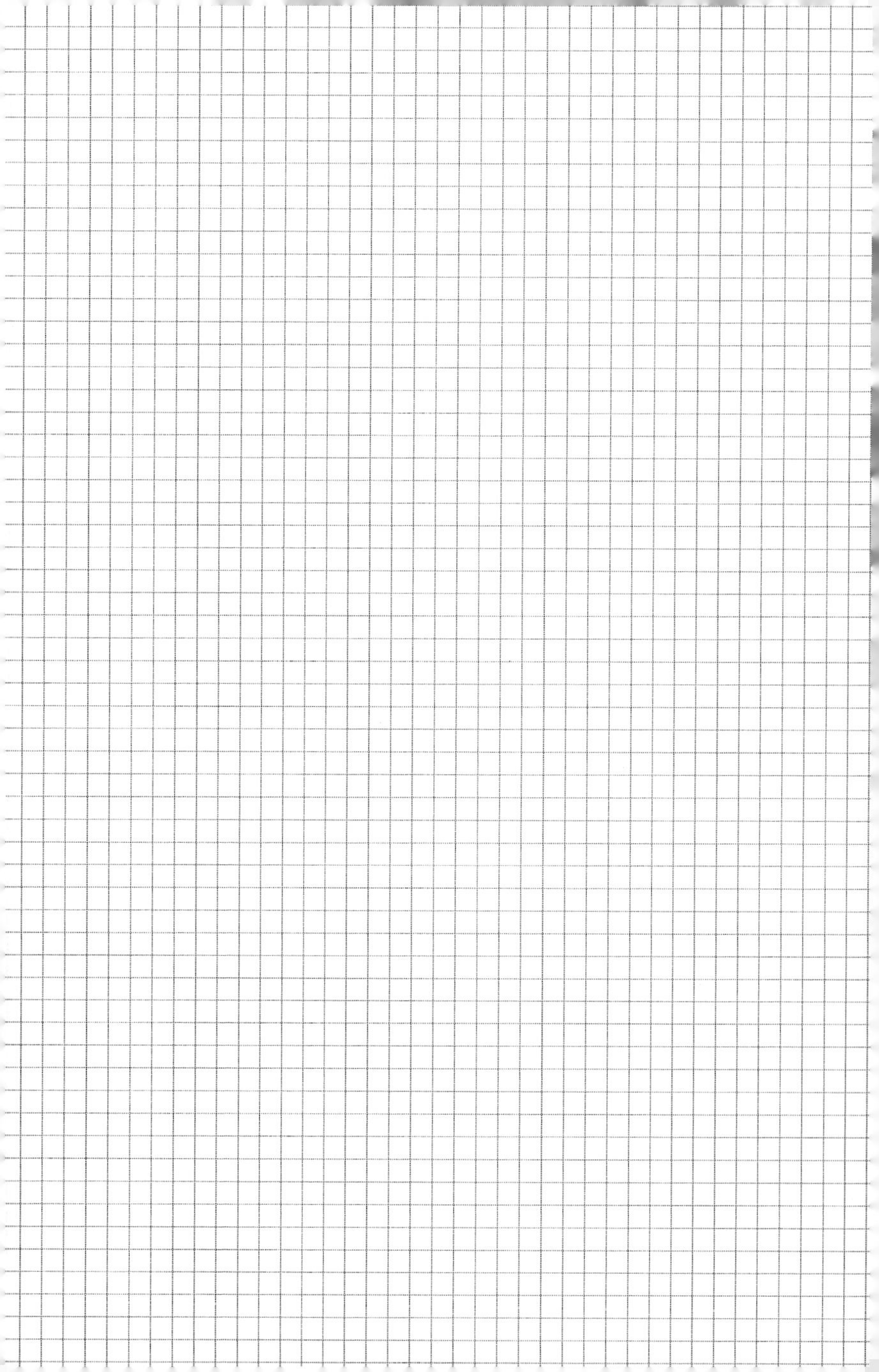

六榕寺～光孝寺～懐聖寺～五仙観
0m
500m
N

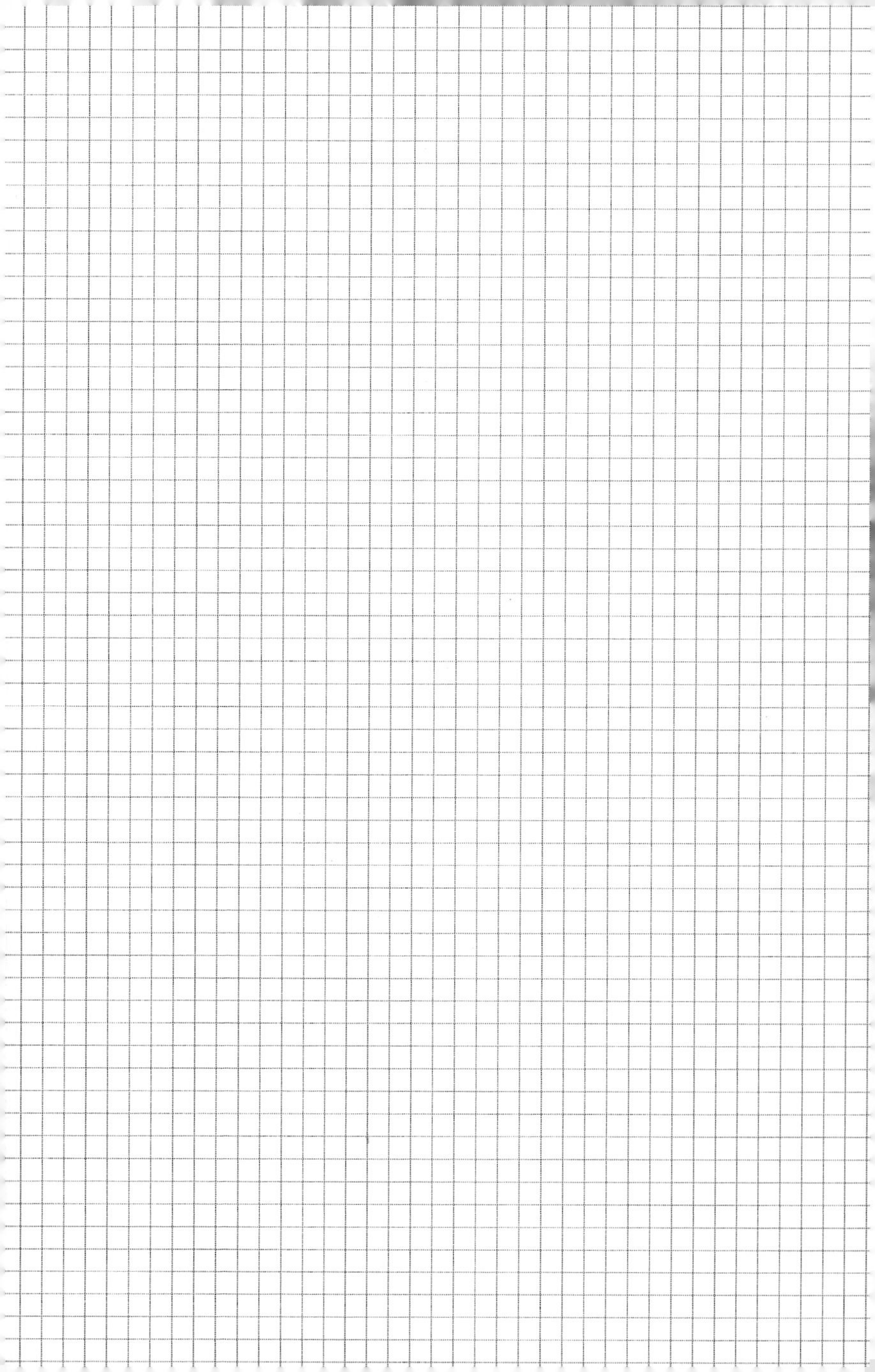

六榕寺
N
0m
300m

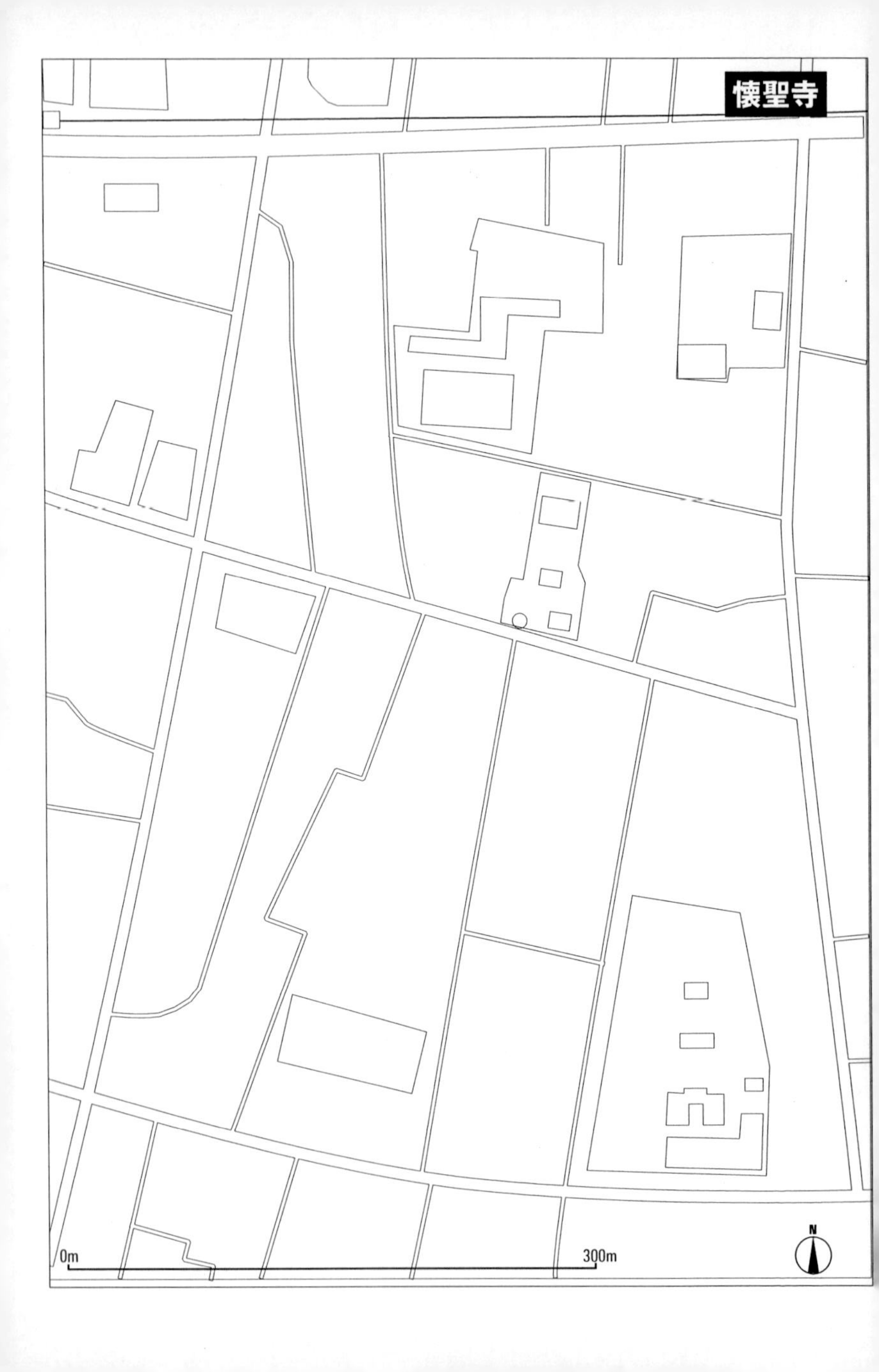
懐聖寺
0m
300m
N

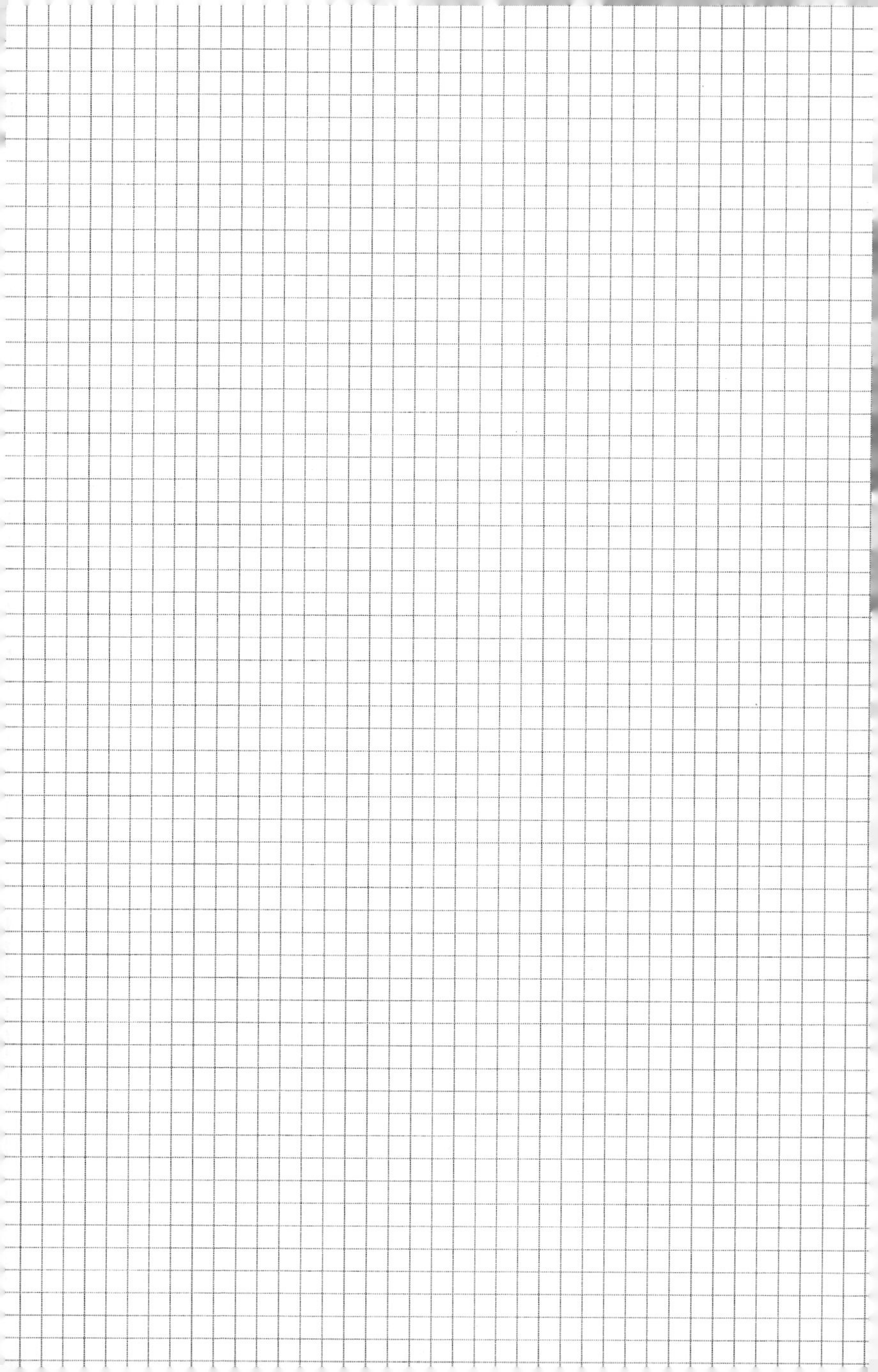

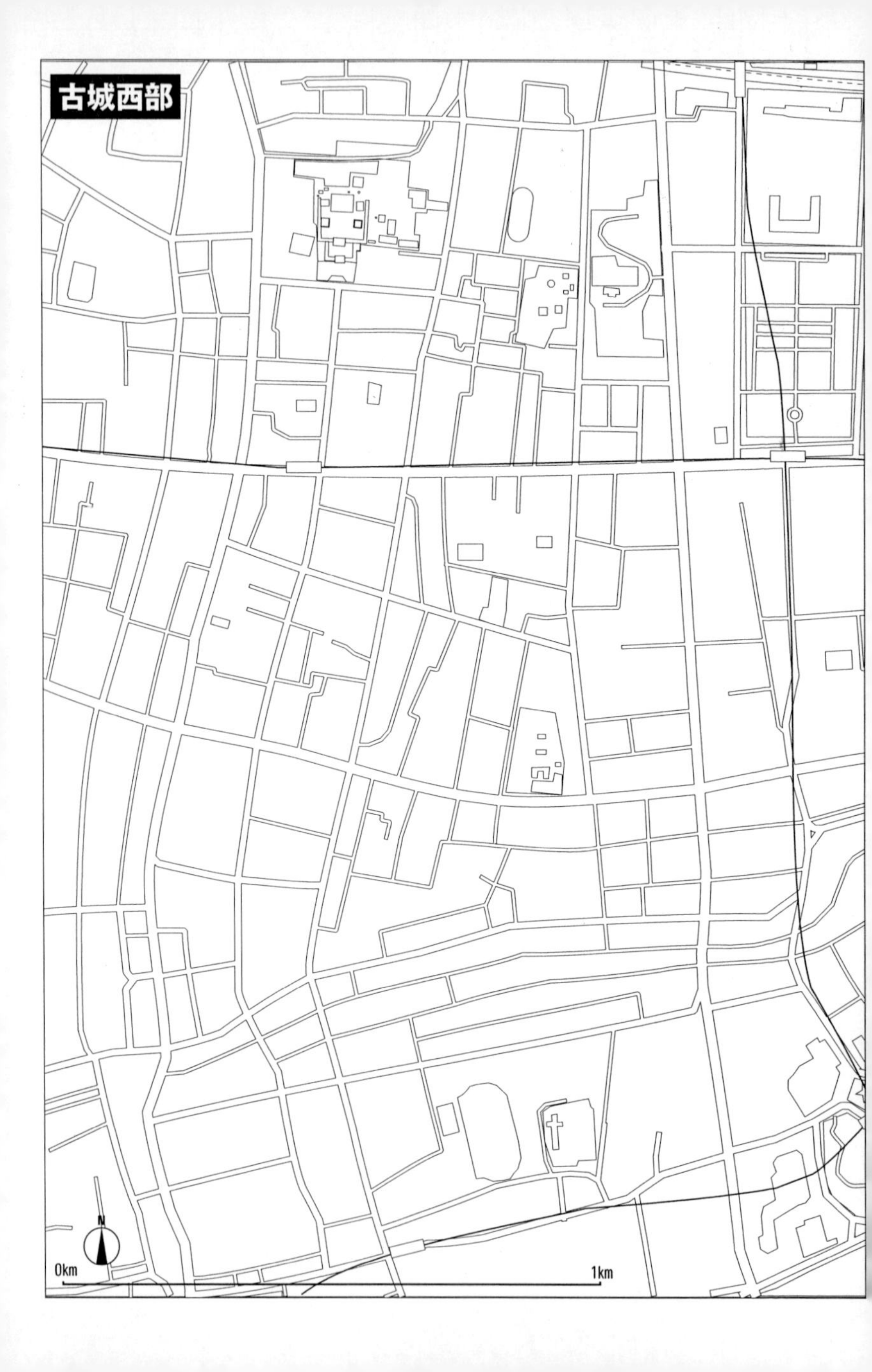
古城西部
N
0km
1km

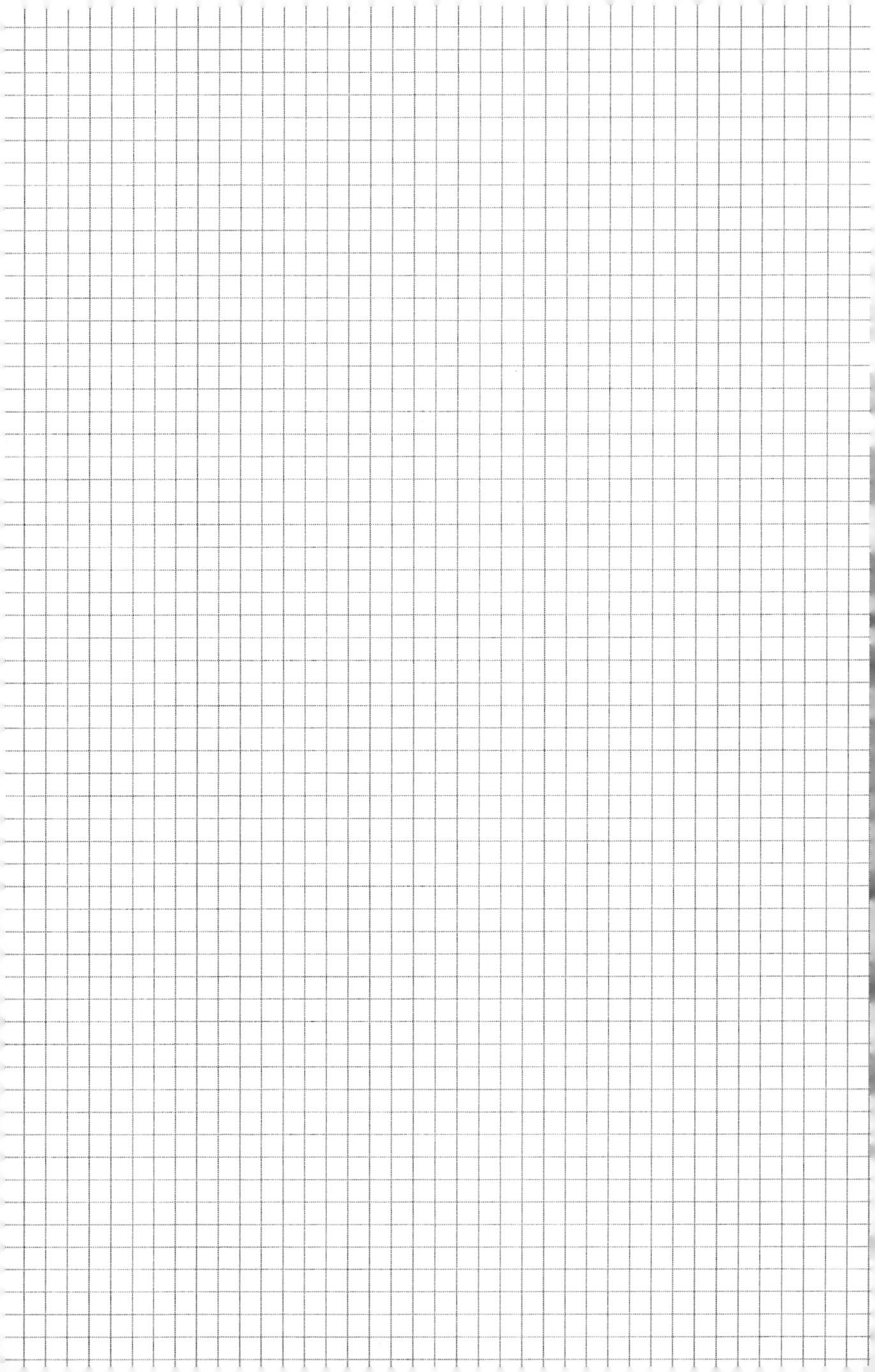

【車輪はつばさ】

南インドのアイラヴァテシュワラ寺院には
建築本体に車輪がついていて
寺院に乗った神さまが
人びとの想いを運ぶと言います

An amazing stone wheel of the Airavatesvara Temple
in the town of Darasuram, near Kumbakonam in the South India

まちごとチャイナ
広東省 003

広州古城

中国的南大門「広府」

［モノクロノートブック版］

「アジア城市（まち）案内」制作委員会
まちごとパブリッシング
http://machigotopub.com

・本書はオンデマンド印刷で作成されています。

・本書の内容に関するご意見、お問い合わせは、発行元の
まちごとパブリッシング info@machigotopub.com までお願いします。

まちごとチャイナ
新版 広東省003広州古城
～中国的南大門「広府」

2021年 9月21日　発行

著　者　「アジア城市（まち）案内」制作委員会
発行者　赤松　耕次
発行所　まちごとパブリッシング株式会社
〒181-0013　東京都三鷹市下連雀4-4-36
URL　http://www.machigotopub.com/
発売元　株式会社デジタルパブリッシングサービス
〒162-0812　東京都新宿区西五軒町11-13
清水ビル3F
印刷・製本　株式会社デジタルパブリッシングサービス
URL　http://www.d-pub.co.jp/

MP359

ISBN978-4-86143-516-4 C0326　Printed in Japan